アイデアのちから

Made to Stick
Why Some Ideas Survive and Others Die

チップ・ハース+ダン・ハース［著］
飯岡美紀［訳］

日経BP

MADE to STICK

Why Some Ideas Survive and Others Die

by Chip Heath & Dan Heath

目次

第二章　意外性がある　89

第四章　信頼性がある　179

第五章 感情に訴える 225

第六章 物語性 277

終章 321

解説

序章

アイデアのちから

私たちの友人の友人の話だ。仮に彼をデーブと呼ぼう。デーブはよく出張に行く。このあいだも、顧客との重要な打ち合わせのためアトランティックシティに出向いた。仕事を終え、帰りの飛行機まで時間があったので、地元のバーで一杯飲むことにした。

ちょうど一杯飲み終えたとき、魅力的な女性が近づいてきた。

「もう一杯いかが？　ごちそうするわ」

ちょっと驚いたが悪い気はしない。「いいね」と答えた。女性はバーコーナーに行き、飲み物を二杯持ってきた。一杯は自分がとり、一杯をデーブに差し出す。デーブはお礼を言うと、グラスに口をつけた。記憶はそこで終わり。

いや正確には、目を覚ますまでの記憶が飛んでいるのだ。目覚めたとき、デーブはホテルの風呂の中で氷水に浸かっていた。頭が混乱している。

デーブは慌ててあたりを見回した。ここはどこだ？　いったいなぜ、こんなところにいるんだろう？　そのとき、一枚のメモに気づいた。

「動くな。救急車を呼べ」

風呂のそばの小さなテーブルの上に、携帯電話が置かれていた。デーブは、かじかんだ指で不器用に九一一番をプッシュした。交換手は奇妙なことに、彼が置かれた状況を熟知しているようだった。

「いいですか、ゆっくりと気をつけながら、背中に手を回してみてください。腰のあたりからチューブが出ていませんか？」

デーブは不安に駆られながら、腰のあたりを手探りした。確かに、チューブが突き出ている。

交換手は言った。

「落ちついて聞いてください。あなたは腎臓を一つ取られたのです。この町で暗躍する臓器狩り組織の犯行ですね。今、救急車がそちらに向かっています。動かずに待っていてください」

これは、ここ一五年間で最も広く流布した都市伝説のひとつだ。「友人の友人」で話がはじまるところなど、いかにも都市伝説らしい。だいたい「友人の友人」というのは、友人よりずっと波乱に満ちた人生を送っているものだ。

臓器狩りの話は、あなたも聞いたことがあるだろう。数百種類の話が出回っているが、どれも三つの主要要素を含んでいる。(一) 睡眠薬入りの飲み物、(二) 氷風呂、(三)「臓器狩り」のオチ、である。既婚男性がラスベガスのホテルの部屋にコールガールを呼んだら、睡眠薬入りの飲み物を飲まされた、という話もある。要するに、腎臓をモチーフにした教訓譚なのだ。

今すぐこの本を閉じ、一時間後に友人に電話をかけ、本を見ずにこの話を聞かせたとしよう。きっとほぼ完璧に話を再現できるだろう。アトランティックシティへの出張の目的が「顧客との重要な打ち合わせ」だったことは言い忘れるかもしれないが、些細な点を別にすれば、肝心なところはすべて覚えているはずだ。

臓器狩りは一度聞いたら忘れられない、記憶に焼きつく話だ。私たちはそれを理解し、記憶し、後で再現できる。しかも、この話を信じた人は今後、末永く行動を改めるかもしれない。少なくとも、見知らぬ美女から飲み物をおごられる気はしなくなるだろう。

臓器狩りの話を、次の一節と比べてみる。これは、ある非営利団体が配布した資料からの引用だ。

「包括的なコミュニティ構築は、必然的に既存の慣行を活かしてモデル化できる投資収益率の原理に役立つ」

文章はさらに続く。

「CCIへの資金の流れを制約している要因は、資金提供者が助成を行うにあたり、アカウンタビリティを確保するために、しばしばターゲット設定やカテゴリー化の条件に頼らざるを得ない点である」

今すぐこの本を閉じ、一時間後に友人に電話をかけたとしよう。いや、一時間待つまでもない。今すぐ友人を電話口に呼び出し、本を見ずに今の一節を再現してみよう。結果は想像がつく。

都市伝説と、故意に選んだ悪文。この二つを比べるのは、もちろん不公平だ。だが、話が面白くなるのはここからだ。この二つの例が「記憶に焼きつくかどうか」の評価軸の両極端としたら、仕事で出あう話や文章はどちらに近いだろう？　ほとんどの場合、非営利団体の方にずっと近いはずだ。

当然かもしれない。世の中には、もともと面白い話と面白くない話がある。「臓器狩り組織」はもともと面白いし、非営利団体の財務戦略はもともと面白くない。アイデアにも「素質」か「育て方」かの議論が当てはまるのだ。アイデアの面白さは、天性の素質か、それとも育て方次第なのか？

本書では、「育て方」の立場をとる。

そうであるなら、世間で成功するアイデアを育てるには、どうすればいいのか？　アイデアを効果的に伝える方法、アイデアに影響力をもたせる方法に頭を悩ませている人は多い。生物学の教師が一時間かけて細胞の有糸分裂の説明をしても、一週間後にそれを覚えている生徒はせいぜい三人程度。管理職が新戦略を説明したところで、熱心にうなずいていたはずの現場社員が翌日何食わぬ顔で取り組むのは従来通りの戦略である。

いいアイデアが現実世界で日の目を見ないことも多い。他方、何の根拠もない馬鹿げた臓器狩りの話は、どんどん広まっていく。

なぜだろう？　単に、臓器狩りが他の話題より魅力的だから？　また、真実で価値のあるアイデアを作り話に負けないほど広めることは可能なのだろうか？

ポップコーンの真実

アート・シルバーマンは、映画館のポップコーンの袋を見つめていた。デスクの上で、その袋は場違いに見えた。オフィスには、かなり前から偽バターの香りが充満している。彼の勤める機関の調査結果から、ポップコーンが健康によくないことはわかっていた。実際、衝撃的なまでに有害なのだ。何も知らない映画館への来場者に、このメッセージを伝えることが彼の仕事だった。

シルバーマンの勤務先は公益科学センター（ＣＳＰＩ）である。栄養学を一般向けに啓蒙する非営利団体だ。ＣＳＰＩは三大都市の合計一二の映画館でポップコーンを入手し、ある研究所に送って栄養分析を行った。その結果に、誰もが愕然とした。

米農務省では、血中コレステロール値を高める飽和脂肪の摂取量を一日二〇グラム以下に抑えるよう助言している。分析の結果、ポップコーン一袋に含まれる飽和脂肪は、平均三七グラムだった。

元凶はココナッツ油だ。映画館のポップコーン調理に使われるココナッツ油には、他の油にない大きなメリットがあった。ポップコーンにシルクのような質感を与え、自然ないい香りを醸し出すのだ。だが、分析の結果、ココナッツ油には飽和脂肪がたっぷり含まれていることがわかった。

シルバーマンのデスク上のポップコーン（普通の人が間食に平らげる量だ）を食べただけで、二日分近い飽和脂肪を摂ってしまう。しかも、この袋はMサイズ。バケツサイズなら、三桁を突破するだろう。

「飽和脂肪三七グラム」が何を意味するのか、ほとんどの人はわかっていないということが問題だった。米農務省推奨の一日当たり栄養摂取量など、普通の人はいちいち覚えていない。三七グラムの良し悪しなど、わかるはずもないのだ。何となく体に悪そうな気がしても、タバコのように「とことん悪い」のか、それともクッキーやミルクシェイクのように「普通に悪い」のか、判断がつかない。

「飽和脂肪三七グラム」と聞いただけで、たいていの人は眠くなる。

「飽和脂肪では全くアピールできない。無味乾燥で学術的。そんなものは、誰も気にとめませんよ」と、シルバーマンは言う。

視覚的に比較する手もあった。ポップコーンの飽和脂肪量と農務省の許容量を比べた広告をつくるのだ。二本の棒グラフを見せれば、一方の棒の高さがもう一方の二倍もあることがわかるはずだ。だが、それでは何となく科学的すぎる。まともすぎるのだ。このポップコーンの飽和脂肪量は、ある意味ふざけていた。呆れて笑いたくなるほど高いのだ。CSPIは、この馬鹿馬鹿しさを伝えきるメッセージを考案する必要があった。

シルバーマンは、解決策にたどり着く。

CSPIは一九九二年九月二七日、記者会見を開き、次のように発表した。

「町の映画館でよく売られているMサイズの『バター』ポップコーンには、動脈を詰まらせる脂肪が含まれています。その脂肪量は、ベーコンエッグの朝食と、ビッグマックとフライドポテトの昼食と、ステーキに付け合せたっぷりの夕食を合わせたより、さらに多いのです！」

もちろん視覚にも訴えた。テレビカメラの前に脂っこい食事をずらりと並べた。一日分の不健康な食事をテーブルに並べて見せ、「これ全部と同じ飽和脂肪が、たった一袋のポップコーンに含まれている」と訴えた。

この会見は瞬く間に大反響を巻き起こし、全国テレビのCBSやNBC、ABC、CNNで特集が組まれた。USAトゥデー紙とロサンゼルス・タイムズ紙の一面を飾り、ワシントン・ポスト紙のライフスタイル面にも取り上げられた。人気トーク番組の司会者たちは脂肪たっぷりのポップコーンをネタに笑わせ、新聞や雑誌には、

「ポップコーンが成人指定に」

「照明よし、アクション、コレステロール！」

「映画館のポップコーンは脂肪も二本立て」

といった傑作な見出しが躍った。

つまり、人々の記憶に焼きついたのだ。分析結果に嫌悪感を覚えた映画ファンが一斉に買わなくなり、ポップコーンの売上げは激減した。映画館の売り子は「このポップコーン、体に『悪い』油を使ってますか？」という客からの質問に慣れてしまった。間もなく、ユナイテッド・アーティスト、ＡＭＣ、ロウズなど大半の大手映画館チェーンが、ココナッツ油の使用中止を発表した。

「記憶に焼きつく」とは？

これはアイデアの成功譚、それも真実に満ちたアイデアの成功譚である。ＣＳＰＩの職員は、自分たちの相手をよく知っていた。相手が耳を傾け、心に掛けるようなアイデアの伝え方を考え出した。その結果、そのアイデアは、臓器狩りの話に負けないほど人々の記憶に焼きついた。

臓器狩りとＣＳＰＩでは、どう見てもＣＳＰＩの方が分が悪い。「映画館のポップコーンは脂肪が多い」という話には、臓器狩り話のようなどぎつい魅力はない。ココナッツ油風呂で主人公が目覚めるなどという展開もないし、世間をあっと言わせる話でも、特に面白い話でもない。しかも、確実に聞きたがる人がいるわけでもない（「徹夜してでもポップコーンの最新情報を手に入れたい」などという人は、めったにいない）。有名人も美女も可愛い動物も登場しない。

要するに、ポップコーンのアイデアは、私たちが毎日伝えているアイデアと似たりよったりなのだ。興味深い内容だが、世間をあっと言わせるほどではなく、真実に満ちているが衝撃的ではない。重要だが生死に関わるほどでもない。広告やＰＲに携わる人でない限り、アイデアを裏づけるデータもあまりない。数百万ドルの広告予算や、プロの宣伝チームがついているわけでもない。アイデアは、自力で生き残るしかないのだ。

私たちが本書を執筆したのは、読者がアイデアを記憶に焼きつくものにできるよう、手助けするためだ。ここで言う「記憶に焼きつく」とは、理解され、記憶に残り、持続的な影響力をもつ、つまり相手の意見や行動を変えることだ。

では、なぜアイデアを記憶に焼きつくものにする必要があるのか。だいたい、日常的なコミュニケーションのほとんどは､記憶に焼きつく必要などない。「そのソースを取って」という言葉をずっと覚えていてもらう必要はないし、人間関係の悩みを友人に打ち明けたからといって「持続的な影響力」を期待しているわけではない。

つまり、アイデアすべてに記憶に焼きつかせる値打ちがあるわけではないのだ。「何らかのアイデアを相手の心に長く記憶させる必要が生じる頻度」を調査したところ、週一度から月一度、つまり一年に一二～五二回という結果が出た。企業管理職が記憶に焼きつけようとするのは、新戦略の指示や行動指針の「大局的なアイデア」だ。教師なら、主題や紛争や傾向、つまり教科書に載っている個々の「事実」を忘れた後も、長く記憶にとどまる論旨や考え方だ。新聞の論説委員は政策問題に関する読者の考え方を変えようとし、宗教指導者は信徒に聖なる知恵を与えようとする。非営利団体はボランティアと寄付を獲得すべく、人々に訴える。

アイデアを記憶に焼きつけることは重要なわりに、このテーマに注目する人は意外と少ない。コミュニケーションに関する助言といえば、たいてい話し方にまつわるものだ。

「背筋を伸ばし、相手の目を見て、ある程度、身ぶり手ぶりを加えること。一にも二にも、練習あるのみ（ただし、本番でそれを感じさせてはならない）」

また、話の構成に関する助言も耳にする。

「これから話す内容をまず話す。そして話をする。それから今話したことを話す」

「最初にジョークや逸話で関心をつかむこと」

「聴き手を知れ」といったたぐいの助言もある。

「聴衆が何に関心を持っているかを知れば、話を合わせられる」

そして、何と言っても、コミュニケーションに関する助言で最も多いのがこれだ。

「何度も何度も繰り返すこと」

どの助言にも、もちろん利点はある（ただし「繰り返す」は別だ。同じことを一〇回も繰り返す必要があるのは、きっとアイデアの組み立てが悪いからだ。都市伝説は一〇回も繰り返す必要などない）。だが、これらの助言には大きな欠点がある。アート・シルバーマンが「映画館のポップコーンは健康にきわめて悪い」と効果的に説明しようとするとき、こうした助言は全く役に立たないのだ。

もちろんシルバーマンは、相手の目を見ることや練習の大切さは知っていたが、どういうメッセージを練習すべきかわからなかった。彼は聴き手のこともよく知っていた（ポップコーンが大好きだが、その不健康さに気づいていない人々）が、彼らにどんなメッセージを伝えればいいのかわからなかった。繰り返す暇がないこともわかっていた。メディアが自分の話に注目してくれるのは一瞬だ。

それは小学校の教師でも同じだ。目標はわかっている。州のカリキュラム委員会が定めた内容を教えることだ。聴き手のこともよく知っている。知識も習熟度もまちまちな小学校三年生の子どもたち。効果的な話し方だって知っている。姿勢や言葉遣い、相手と目を合わせることにかけてはプロなのだから。目標も相手も話し方も問題ない。ところが、メッセージの組み立て方となると、よくわからないのだ。児童に有糸分裂を理解させるには、どうすればいいのか？　有糸分裂の教え方は山ほどあるが、記憶に焼きつくのはどの教え方か？　前もってそれがわかる方法はないのだろうか？

本書が生まれた経緯 ■

つまり、記憶に焼きつくアイデアをどうやって組み立てるか、ということだ。

数年前、私たち兄弟（チップとダン）は、二人ともかれこれ一〇年間、アイデアが記憶に焼きつくしくみを研究していることに気づいた。専門分野は違っても、「なぜ、成功するアイデアと失敗するアイデアがあるのか」という同じ疑問を追究していたのだ。

ダンは教育に強い関心を抱いていた。友人と一緒にシンクウェルという小さな出版社を起こし、「文字ではなく映像と技術を使った教科書を一からつくる」という、ちょっと変わったテーマを追究していた。シンクウェルの編集長である彼は、社員と協力して経済学、生物、微積分学、物理学などさまざまな科目の最も優れた教授法を探そうとした。そうする中で、全国でもとりわけ優秀で愛される教授たちと仕事をする機会に恵まれた。コメディアンの微積分学教師、全米年間最優秀教師に選ばれた生物学教師、牧師と劇作家でもある経済学教師などだ。要するにダンは、「素晴らしい教師が素晴らしい理由」の短期集中講座を受けているようなものだった。そこで彼が発見したのは、優れた教師はそれぞれ独特のスタイルをもっているが、授業の方法論はほぼ同じということだった。

一方、チップはスタンフォード大学の教授で、「悪しきアイデアが社会のアイデア市場で勝ち残る理由」を一〇年ほど研究していた。嘘のアイデアが真実のアイデアを凌駕するのはなぜか? ウィルス性のあるアイデアとそうでないアイデアの違いは?――こうしたトピックへの入り口として、チップは都市伝説や陰謀説といった「もともと記憶に焼きつきやすい」アイデアの研究に没頭した。何年かたつうちに、この種の話の中でもとりわけどぎつく馬鹿馬鹿しい話に、否応なく精通していった。以下はそのごく一部だ。

・「ケンタッキー・フライド・ネズミ」。ネズミとファストフードが登場する話は広まりやすい。
・「コカ・コーラを飲むと骨が溶ける」。日本で大きな不安を呼んでいる。だが今のところ、日本で体がぐにゃぐにゃした若者が続出しているわけではない。
・「ライトを消している車をハイビームで照らすと、ギャングに撃たれる」
・「中国の万里の長城は、宇宙から見える唯一の建造物である」（万里の長城は実際に延々と続いているが、厚みはそれほどではない。万里の長城が見えるのなら、高速道路や大型スーパーだって見える）
・「人間は脳の一〇％しか使っていない」（もし本当なら、脳の損傷も恐れるに足りずだ）

チップは都市伝説、戦時中の噂、ことわざ、陰謀説、ジョークといった記憶に焼きつきやすいアイデアを、学生たちとともに数百時間をかけて収集、記号化、分析した。都市伝説は作り話だが、記憶に焼きつきやすいアイデアの中には真実も多い。中でも一番古いのが、ことわざである。ことわざとは「知恵のかたまり」だ。何世紀も生き残り、異文化間に共通して見られるものも多い。例えば「火のないところに煙は立たない」ということわざは、五五を超える言語に見られる。

チップは記憶に焼きつきやすいアイデアを、些細なものから深い意味を持つものまで研究した。延べ一七〇〇人以上を対象に四〇以上の実験を行った。テーマは次のようなものだ。

・ノストラダムスの予言が四〇〇年たった今も読まれるのはなぜか？
・「心のチキンスープ」の逸話が感動を与えるのはなぜか？
・効きもしない民間療法が根強く残っているのはなぜか？

数年前、チップはスタンフォード大学で「記憶に焼きつくアイデア作り」という講座を始めた。その前提にあるのは、記憶に焼きつきやすいアイデアが記憶に焼きつく理由がわかれば、自分のアイデアをもっと聴き手の記憶に焼きつけられるという考え方だ。以来数年のあいだに、管理職、社会政策アナリスト、ジャーナリスト、デザイナー、映画監督などをめざす数百人の学生がこの講座を受けてきた。

こうして、いよいよヒース兄弟物語が完成する。二〇〇四年、私たち兄弟は、自分たちが違った角度から同じ問題に取り組んでいることに気づいた。チップはアイデアが記憶に焼きつく理由を研究し、教えていた。ダンはアイデアを記憶に焼きつける実践的方法を探っていた。チップは成功した都市伝説や逸話を比較し、ダンは成功した数学や政治学の授業を比較していた。チップは研究者であり教師だった。ダンは実務家で物書きだった（それに、私たち兄弟が一緒に有意義な時間を過ごせば、両親が喜ぶこともわかっていた）。

私たちは記憶に焼きつくアイデア（もともと焼きつきやすいものも、焼きつくように作られたものも）を徹底的に分析し、それらが記憶に焼きつく理由を探りたいと思った。人はなぜ都市伝説にこうも惹かれるのか？　化学の授業の効果に差があるのはなぜか？　ほとんどの社会にことわざがあるのはなぜか？　広く伝わる政治的考え方と、そうでないものがあるのはなぜか？

要するに、記憶に焼きつくものを理解したかったのだ。「記憶に焼きつく」というのは、私たち二人の好きな作家、マルコム・グラッドウェルの著書に登場する言葉だ。グラッドウェルは二〇〇〇年に『ティッピング・ポイント』（飛鳥新社、文庫版のタイトルは『急に売れ始めるにはワケがある』ソフトバンク文庫）という優れた本を書いた。同書は、社会現象を一気に「傾かせる」力、つまり伝染病が特定のグループに感染したとたんに一気に広まるように、社会現象を小集団から大集団へと飛躍させる力を調べたものだ。靴のブランド「ハッシュパピー」はなぜ復活したのか？　ニューヨーク市の犯罪率はなぜ急落したのか？　小説『ヤァヤァ・シスターズの聖なる秘密』はなぜ人気が沸騰したのか？

『ティッピング・ポイント』は三つの原則によって構成されている。第一原則は、少数者の法則、第三原則は、背景の力。そして第二原則の「粘りの要素」では、革新的なアイデアの中でも記憶に粘る（焼きつく）ものの方が一気に広まりやすいと説いている。『ティッピング・ポイント』が出版されたとき、チップは「記憶に粘る（焼きつく）要素」こそ、自分がアイデア市場の研究で追究している属性を完璧に言い表す言葉だと気づいた。

本書では、アイデアを記憶に粘る（焼きつく）ものにする「特徴」を突き止める。それはグラッドウェルの著書の守備範囲外のテーマであり、その意味で本書は『ティッピング・ポイント』を補完する。グラッドウェルは社会的流行が流行となる理由に興味をもった。私たちの興味は、効果的なアイデアがどのように組み立てられるか、という点にある。つまり、記憶に粘る（焼きつく）アイデアと消えてゆくアイデアの違いはどこか、ということだ。したがって、私たちの関心は『ティッピング・ポイント』の領域内にはないが、「記憶に粘る（焼きつく）」という言葉については、グラッドウェルに敬意を表したい。これこそまさに、記憶に粘る（焼きつく）言葉だった。

ハロウィーンを台なしに

ハロウィーンの夜、仮装した子どもたちが家々を回ってお菓子をねだる風習がある。一九六〇〜七〇年代、この風習が危機に晒された。カミソリの刃を仕込んだリンゴや、キャンディの形をした偽装爆弾を配る「ハロウィーン・サディスト」の噂が広まったからだ。噂は全米のハロウィーンに深刻な影響を与えた。親たちは子どもが持ち帰った菓子袋を注意深く調べたし、学校は安全な環境で子どもたちがハロウィーンを楽しめるよう、夜に学校を開放した。病院は菓子袋のX線検査を買って出た。

一九八五年のABCニュースの世論調査によると、六〇%の親が「自分の子どもが被害に遭うのが不安」と答えている。いまだに、子どもに未開封の袋菓子以外のお菓子を食べさせない親も多い。悲しい話だ。何の恨みか、子どもたちを傷つけようとする輩のせいで、家庭の行事が台なしになるなんて。ところが、一九八五年になって話は奇妙な展開を見せる。調査の結果、お菓子への悪質ないたずらが流行っているというのは、作り話だったのだ。衝撃的な事実だった。

調査を行った社会学者のジョエル・ベストとジェラルド・ホリウチは、一九五八年以降、ハロウィーンに起きた事故の記事をすべて調べた。その結果、ハロウィーンに他人が細工したお菓子で子どもが致命的被害を受けた事件は、一件もなかった。

ハロウィーンに亡くなった子どもは二人いたが、他人に殺されたわけではなかった。一人は五歳の男児で、叔父が隠し持っていたヘロインを見つけ、誤って過剰摂取したことが死因だった。親族は最初、自分たちの麻薬常用癖を隠そうとして、男児のキャンディにヘロインをまぶした。もう一つの事件は、父親が保険金目当てで息子のお菓子に青酸カリを盛り、殺害したものだ。

つまり、他人からお菓子をもらっても何の問題もないことが、社会学的に証明された。むしろ疑うべきは家族というわけだ。

お菓子への悪質ないたずらの噂は、過去三〇年にわたり何百万人もの親の行動を変えてきた。隣人が隣人を疑うという悲しい状況も生んだ。この国の法律さえ変えた。カリフォルニア州とニュージャージー州では、お菓子に悪質な細工をした者への特別罰則が成立した。ハロウィーン・サディストのアイデアがこれほど成功したのは、なぜなのだろうか？

記憶に焼きつくアイデアの六原則

ハロウィーンのお菓子の話はある意味、ＣＳＰＩの逸話を邪悪にしたようなものだ。どちらも、ハロウィーンのお菓子や映画館のポップコーンを食べるというごく普通の行動に、予期せぬ危険が潜むことを明らかにした。簡単な対策を打てばすむ点も同じだ。子どものお菓子を調べたり、映画館でポップコーンを食べなければよい。どちらも、カミソリ入りのリンゴ、ずらりと並んだ脂っこい食事という鮮明で具体的で記憶に残りやすいイメージを利用している。そして、どちらも感情に訴える（ハロウィーンは恐怖心、映画館ポップコーンは嫌悪感）。

こういう特徴の多くは、臓器狩りの話にも共通している。意外性の高い結末（一杯飲みに立ち寄ったら腎臓を取られてしまった）。豊富で具体的な細部（氷風呂、腰から突き出た奇妙なチューブ）。感情（不安、嫌悪感、疑い）。

私たちは、さまざまな成功したアイデアに同じテーマや属性が見られることに気づいた。チップの研究、そして多くの民間伝承研究者や心理学者、教育研究者、政治学者、ことわざ収集家たちの研究からわかったことは、記憶に焼きつくアイデアには何らかの共通点があるということだ。記憶に焼きつくアイデアに「方程式」はない。しかし、共通する特徴は確かにある。それが成功率を高めているのだ。

このことは、優秀なバスケットボール選手の特徴を考えればわかる。どの優秀選手にも身長、スピード、敏捷性、パワー、センスといった一定の特徴がある。もちろん、こうした特徴が必ずしも全部揃っていなくても、優秀な選手にはなれる。身長一八〇センチそこそこの痩せた選手でも、優秀なガードはいる。身長が二一〇センチあっても、動きが鈍くぎこちない選手は山ほどいる。しかし、近所の広場でバスケットボールをするとき、見ず知らずの連中のなかからチームメートを選ぶなら、身長二一〇センチの男を選ぶだろう。

アイデアも同じだ。身長二一〇センチの男のように「素質」のあるアイデアを発見する能力は、誰でも身につけることができる。本書の後半で、サンドイッチ・チェーンのサブウェイの広告キャンペーンを紹介する。キャンペーンの主役の肥満学生ジャレドは、毎日サブウェイのサンドイッチを食べて九〇キロも減量した。このキャンペーンは大成功を収めた。しかもこれは、大手広告代理店が作った話ではない。あるフランチャイズ店オーナーが発見した実話だ。驚異的な物語に気づいたセンスの良い人物から、すべてが始まったのだ。

だが、バスケットボールのたとえ話が通用するのはここまで。アイデアの世界では、遺伝子工学によって選手を作り出すことができる。つまり、記憶に焼きつく要素をできるだけ多く含むアイデアを創りだすことができるのだ。

私たちは記憶に焼きつくアイデアの研究に没頭するなかで、六つの共通原則に繰り返し出会った。

原則1——単純明快である

アイデアの核となる部分をどうやって見きわめたらいいのだろうか。ある有能な弁護士によれば、「論点が一〇項目もあると、一つ一つはもっともであっても、法廷を一歩出たとたん、みんな忘れてしまう」という。枝葉を削ぎ落として幹を残すには、腕利きの庭師になることが必要だ。きっぱりと優先順位を決めること。短ければいいというものではないし、インパクトが強いだけなのも好ましくない。理想はことわざである。単純明快であって、しかも重みや深みがなければいけない。単純明快であることの究極のお手本は「自分がしてもらいたいことを、他人にせよ」という聖書のことばだ。たった一行にすぎないが、生涯この格言を守ろうとする人がいるほど深い。

原則2——意外性がある

アイデアに関心を持ってもらうには、どうすればいいのか？　アイデアを理解させるのに時間がかかる場合、どうやって興味を持続させるのか？　それには、予想を裏切る必要がある。相手の裏をかくのだ。ポップコーン一袋が一日分の脂っこい食事と同じくらい体に悪いなんて！　驚きを利用して関心をつかむ手もある。驚きという感情には、警戒感と集中力を高める機能がある。だが、驚きは長続きしない。アイデアが生き残るには、興味と好奇心を生み出す必要がある。年に四八回もある歴史の授業に、生徒をクギづけにするにはどうすればいいか？　相手の知識に意図的に「隙間」をあけるといい。その隙間を埋めていけば、好奇心を長くつなぎとめることができる。

原則3——**具体的である**

アイデアをきちんと理解してもらうには、どうすればいいのか？　人間の行動や五感を通じてアイデアを説明する必要がある。ビジネスコミュニケーションの多くは、ここでつまずく。企業の社是、シナジー効果、戦略、ビジョンといったものの多くは、あまりに曖昧で意味をなさない。もともと記憶に焼きつきやすいアイデアは、具体的なイメージをたっぷり備えている（氷風呂、カミソリ刃入りのリンゴ）。それは、人間の脳が具体的なデータを記憶するようにできているからだ。「二兎を追う者は、一兎をも得ず」のように、ことわざの多くは、抽象的な真実を具体的な言葉に置き換えたものだ。アイデアを聴き手全員に同じように解釈してもらうためには、具体的に話すしかない。

原則4――**信頼性がある**

アイデアを信じてもらうには、どうすればいいのか？　公衆衛生局長官だったC・エベレット・クープが公衆衛生問題について話せば、人は疑いもせず信じた。だが日常的な場では、多くの人はこうした権威を使えない。アイデアを記憶に焼きつけるためには、アイデア自体に信頼性がなくてはならない。そのためには、アイデアを相手に検証してもらう必要がある。「試してから買え」はアイデアにも通じる。何かを証明しようとするとき、数字に頼る人が多いが、このやり方はたいてい失敗する。一九八〇年米大統領選でロナルド・レーガンとジミー・カーターが討論したとき、レーガンは統計で経済の停滞ぶりを示す代わりに、一言こう言った。

「投票する前に、あなたの暮らしが四年前よりよくなったかどうか自問してください」彼はたった一つのシンプルな質問をぶつけることで、有権者に自ら検証してもらったのだ。

原則5――**感情に訴える**

アイデアを心にかけてもらうには、どうすればいいのか？　それには、相手の感情を掻き立てればいい。映画館のポップコーンでは、不健康に対する嫌悪感を掻き立てた。「三七グラム」という統計値は何の感情にも訴えない。ある調査結果によると、人は貧困地域全体よりも恵まれない一人に寄付をしたがる。人間は、抽象的なものではなく人間に何かを感じるのだ。とはいえ、どんな感情に訴えるべきか判断に迷うこともある。例えば、一〇代の若者に喫煙がもたらす結果の恐ろしさを説いても、禁煙させるのは難しい。むしろ、大手タバコ会社の欺瞞に対する憤りを煽るのが近道だ。

原則6——物語性がある

アイデアを行動に移してもらうには、どうすればいいのか？　物語を伝えればいい。消防士は消火活動を終えるたびに体験談を交わす。そうすることで、体験値を何倍にも増やしているのだ。長年、人の体験談を聞いていれば、現場で起こりうる危険な状況や適切な対処法のカタログが頭の中にできてくる。調査によると、ある状況を頭の中でリハーサルしておくと、実際にその状況になったとき、適切な行動ができる。同様に、物語を聞くことによって、頭の中での飛行シミュレーションと同様に、迅速かつ効果的に対処するための備えができる。

以上が成功するアイデアの六原則だ。つまり、成功するアイデアをつくるためのチェックリストは、

「単純明快で、意外性があり、具体的で、信頼性があって、感情に訴える物語（Simple Unexpected Concrete Credentialed Emotional Story）」

かどうかなのだ。鋭い読者ならお気づきのように、これを省略するとＳＵＣＣＥＳｓ（成功）となる。もちろん単なる偶然だ。（いや、正直に言おう。確かにＳＵＣＣＥＳｓとはわざとらしい。「単純明快さ」を「核心を突いた（Core）」にして、文字を多少入れ替えてもいいが、ＣＣＵＣＥＳでは覚えにくい）。

この六原則を使うのに特別な専門知識は不要だ。「記憶に焼きつかせる学」の検定試験があるわけではない。それに、たいていの原則は常識で考えればわかることだ。「単純明快さ」や「物語の利用」が必要なことは、たいていの人が何となく感じているはずだし、複雑で無味乾燥な物言いをよしとする人はいないだろう。

だが、ここでちょっと考えてほしい。この六原則は簡単に使えるし、その多くは常識的なことだ。それなのに、なぜ巷には記憶に焼きつく見事なアイデアが溢れていないのだろう？　ことわざよりも、とりとめのない経過報告書が多いのは、どういうわけか？

あいにく、悪者がいるのだ。悪者は、人間が生まれつき持っている心理的傾向だ。それは、六原則を使ってアイデアを創りだす能力を妨害する。この悪者の名を「知の呪縛」という（本書では、この言葉にふさわしいドラマ性を与えるため、かぎカッコで囲むことにする）。

「叩き手」と「聴き手」

一九九〇年、スタンフォード大学の研究生エリザベス・ニュートンは、単純なゲームの研究で博士号を取得した。それは次のようなゲームだ。各被験者に「叩き手」役と「聴き手」役のいずれかを割り振る。叩き手は、「ハッピー・バースデー・トゥ・ユー」や「星条旗よ永遠なれ」など誰でも知っている二五曲の歌のリストを受け取り、その中から一曲選んで、リズムを指で刻む（指で机をコツコツと叩く）。聴き手の仕事は、そのリズムから曲名を当てることだ（なかなか面白いゲームなので、近くに適当な「聴き手」がいればやってみてほしい）。

聴き手の仕事は、かなり難しい。ニュートンの実験で、叩き手は合計一二〇曲のリズムを叩いたが、その中で聴き手が正しく言い当てたのはたった三曲。つまり、全体の二・五％にすぎなかった。

だが、この論文が心理学博士号取得に値するのはここからだ。ニュートンは、聴き手が曲名を答える前に、叩き手に正答率を予測させた。叩き手が予想した正答率は五〇％だった。

実際に叩き手が正しく曲を伝えることができたのは、四〇回に一回だったのに、二回に一回は正しく伝わると思っていたわけだ。どういうことだろう？

叩き手はリズムを刻むとき、頭の中でその曲を聞いている。これは、やってみればわかる。「星条旗よ永遠なれ」のリズムを指で叩くとき、いやでも頭の中にメロディーが流れる。一方、聴き手にはそのメロディーが聞こえない。聞こえるのは、モールス信号のように脈絡のない奇妙なリズムだけだ。

この実験の叩き手は、聴き手がメロディーをつかめないことに唖然とした。

「あの曲だよ、わかるだろう？」

内心そう思っていたに違いない。そして、聴き手が「星条旗よ永遠なれ」のリズムを聞いて「ハッピー・バースデー・トゥ・ユー」と答えると、

「何でわからないんだ？　馬鹿じゃないか？」

とでも言いたそうな顔をした。

叩き手の仕事も楽ではない。問題は、叩き手には知識（曲名）が与えられているため、その知識

のない状態が想像できないことだ。曲ではなくコツコツという脈絡のない音を聞かされる聴き手の気持ちが、叩き手にはわからない。これが「知の呪縛」というやつだ。いったん何かを知ってしまったら、それを知らない状態がどんなものか、うまく想像できなくなる。知識に「呪い」をかけられるのだ。そうなると、自分の知識を他人と共有するのは難しい。聴き手の気持ちがわからないからだ。

叩き手と聴き手の実験は、世界中で毎日繰り返されている。最高経営責任者（ＣＥＯ）と現場従業員だったり、教師と生徒だったり、政治家と有権者だったり、営業マンと顧客だったり、作家と読者だったり。継続的なコミュニケーションが欠かせないのに、叩き手と聴き手がそうであるように、情報の極度のアンバランスに彼らも悩まされている。ＣＥＯが「株主利益の最大化」と口にするとき、頭の中では従業員に聞こえないメロディーが流れているのだ。

これは避けられない問題だ。経営哲学や経営慣行に三〇年間、毎日どっぷりつかってきたＣＥＯに、元に戻れと言っても無理な話だ。知ってしまったことを白紙には戻せない。「知の呪縛」を確実に打破したければ、方法は二つしかない。一つは何も学ばないこと。そしてもう一つは、自分のアイデアをつくり変えることだ。

本書では、アイデアをつくり変えて「知の呪縛」を打ち負かす方法を述べる。その際、最強の武器となるのが前述の六原則だ。この六原則は一種のチェックリストとして使える。例えば、ＣＥＯが従業員に「株主利益の最大化」を言い渡したとする。

さて、このアイデアは単純明快だろうか？　確かに短文という意味では単純明快だが、ことわざのように役立つ単純明快さではない。意外性はあるか？　ない。具体的か？　全然。信頼性はあるか？　ＣＥＯの口から出たという点でのみ、信頼できる。感情に訴えるか？　ありえない。物語性は？　ない。

これに比べて、当時の米国大統領ジョン・Ｆ・ケネディ（ＪＦＫ）が一九六一年に口にした「六〇年代末までに人類を月に立たせ、安全に帰還させよう」という有名な言葉はどうか。単純明快か？　イエス。意外性はあるか？　イエス。具体的か？　非常に。信頼性はあるか？　内容はＳＦもどきだが、語り手は信頼できる。感情を掻き立てるか？　イエス。物語性は？　ごく短いが、ある。

これがケネディ大統領ではなく、企業のＣＥＯだったら、「われわれの使命は、チーム中心の最大規模のイノベーションと、戦略的目標に沿った航空宇宙計画を通じて、宇宙産業の国際的リーダーとなることだ」とでも言っただろう。ＪＦＫは幸い、現代のＣＥＯより勘が冴えていた。曖昧で抽象的な使命では、国民を惹きつけ鼓舞することは不可能とわかっていたのだ。月面着陸への呼びかけは、アイデアを伝える側が「知の呪縛」を避けた好例だ。たった一つの賢明で美しいアイデアが、一〇年間にわたり何百万人もの人々を行動へ駆り立てたのである。

創造性の体系化

「アイデアを思いつくのが得意な人のイメージを、思い浮かべてください」と言うと、たいていの人は、ステレオタイプな人物像を挙げる。大手広告代理店で次々と広告コピーを考え出すような、いわゆる「天才的な創造性の持ち主」といったタイプだ。ジェルで決めた髪形に、最先端の服装。アイデアの詰まった手帳を持ち歩き、何よりもブレーンストーミングが大好き、コーヒーをがぶ飲みしながらホワイトボードにアイデアを書きなぐる。そんな人物像を思い描くのではないだろうか？（まあ、ここまで細かく想像しないかもしれないが）

確かに、創造性は人によって差がある。あなたは「記憶に焼きつくアイデア」界の超一流にはなれないかもしれない。だが、記憶に焼きつくアイデアづくりの方法は学べば身につくというのが、本書の大前提だ。

一九九九年、イスラエルの研究チームが優れた広告作品を二〇〇点集めた。どれも一流の広告コンテストで最終選考に残るか受賞した広告である。分析の結果、受賞広告の八九％は六つの基本的カテゴリー、つまり型に分類できることがわかった。これは注目に値する。創造性豊かなコンセプトは創造的才能のある人が気まぐれに思いついたもので、きわめて独自性が高いと思われている。だが実は、六つの型さえあれば、創造的な広告を生み出すことができるのだ。

これらの型の多くは、意外性の原則と関係がある。例えば、過激な結末型は、製品属性のもたらす意外な結末を描き出す。あるカーステレオの広告では、ステレオから流れ出す音楽に合わせて橋が振動し、スピーカーの音量を上げると崩れそうなほど大揺れする。第二次世界大戦中に広告協議会(非営利団体や政府機関のために公共キャンペーンを制作する非営利団体)が作った有名なスローガン「口の軽さは船を沈める」も、この型に当てはまる。もともと記憶に焼きつきやすい話にも、この型は数多く見られる。その一つが「ニュートンはリンゴが頭に落ちてきたときに、引力を発見した」という伝説だ。

研究者たちは、新たに二〇〇の広告作品をこれら六つの型に分類しようとした。こちらの二〇〇作品は、最初の二〇〇作品と掲載媒体も製品タイプも同じだが、賞はとっていない。すると面白いことに、これらの「見劣りする」作品群のうち、六つの原則に当てはまったのはわずか二%だったのだ。

このことは、驚くべき教訓を与えてくれる。創造性の高い広告の方が、創造性の低い広告よりも予測がつきやすいということだ。「幸せな家庭はみな似通っているが、不幸な家庭はそれぞれ違った不幸を抱えている」というトルストイの言葉を思い出す。さしずめ、「創造性の高い広告はみな似通っているが、不出来な広告はそれぞれ違った意味で創造性に欠ける」といったところだろうか。

ところで、創造性の豊かな広告がどれも六つの原則に当てはまるのなら、「創造性」を教えることも可能なのではないか。広告制作の初心者でも、これらの原則を理解すればいいアイデアを生み出せるかもしれない。創造性を教えるという可能性に興味をもったイスラエル人研究チームは、原則の利用によってどれほどの成果が上がるかを調べることにした。

彼らは広告制作の初心者を三つのグループに分け、それぞれにシャンプー、ダイエット食品、スニーカーの三製品の予備知識を与えた。第一のグループは、製品の予備知識を受け取った後、何の訓練も受けず、すぐ制作に取りかかった。そして、各グループの状況を知らない経験豊富な制作ディレクターに、出来の良い一五作品を選んでもらった。それらを消費者に試したところ、結果は惨憺たるものだった。「うるさくて、うっとうしい」という評価を下されたのだ（地方の自動車販売店の広告もまさにそうだが、これでその理由が解明されたのではないだろうか）。

第二のグループは、経験豊富な制作指導者から二時間にわたり、自由連想型のブレーンストーミング手法の訓練を受けた。これは、創造性を教えるときの標準的な訓練法だ。連想の幅を広げ、意外なつながりを思いつきやすくし、創造的なアイデアを数多く出し合うことで、最良のアイデアを選びやすくする意図がある。ブレーンストーミングの説明を受けたことのある人は、たぶんこの手法を習ったはずだ。

このグループについても、第一グループと同じ制作ディレクターが、状況を知らないまま出来の良い作品を一五点選び、それを消費者に試した。その結果、訓練ゼロのグループほど「うるさい、うっとうしい」とは見なされなかったが、創造性の評価はたいして変わらなかった。

第三のグループは、創造性の六つの原則の使い方について、二時間の訓練を受けた。やはり同じ制作ディレクターが出来の良い作品を一五点選び、それを消費者に試した。このグループはずば抜けて高い創造性を示した。創造性の評価は他の二グループより五〇％も高く、製品に対する好意も五五％高かった。基本的な原則を二時間学んだだけにしては、驚くべき成長ぶりだ。どうやら、創造的なアイデアの体系的な開発法は、本当に存在するようだ。

このイスラエル人研究チームが広告のために行ったことを、本書では読者のアイデアに応用する。あなたのアイデアをもっと創造的で効果的なものにする方法を提案していきたいと思っている。六原則のチェックリストを作成したのも、まさにそのためだ。

とはいえ、読者は首をひねるかもしれない。

「原則だのリストだのを使うのは窮屈では？」

「塗る色を指定された塗り絵で、真っ白いキャンバスに向かうより創造性の高い作品を生み出せるのか？」

そう、生み出せるのだ。私たちが言いたいのは、まさにそれだ。アイデアを他人に広く伝えたいなら、他のアイデアが広く伝わるのに昔から役立ってきたルールの中で考えればいい。作りたいのは新しいアイデアであって、新しいルールではないのだから。

とはいえ、誰でも成功する処方箋を示すことはできない。正直言って、キャンプファイアを囲む一二歳の子どもに細胞の有糸分裂の雑談をさせる方法など、教えることはできない。あなたの書いた業務改善提案書が今後何十年も語り継がれ、他国でことわざになるということも、たぶんありえないだろう。

だが、これだけは約束できる。あなたの「本来の創造性」がどんなレベルであれ、少し真面目に努力すれば、たいていのアイデアはもっと記憶に焼きつくものにできる。そして、記憶に焼きつくアイデアは、影響力を発揮する可能性が高い。それを実現するためには、効果的なアイデアをつくるための六原則さえ理解すればいい。

第一章
単純明快である

米陸軍の兵士が動く前には、必ず膨大で綿密な計画が立てられる。計画の元をたどれば、最高司令官である合衆国大統領の命令に行き着く。大統領は何らかの目標達成を統合参謀本部に指令し、統合参謀本部は作戦の大筋を決める。その後、将軍から大佐へ、そして大尉へと、次々に命令や計画が伝えられる。

計画はきわめて周到で、「作戦行動計画」や「銃砲発射の考え方」などを通じ、各部隊がどの装備を使って何をするか、軍需品をどう補充するかが規定される。命令は雪だるま式に膨れ上がり、最後は、一人の歩兵がある瞬間にとるべき行動まで規定されることになる。

軍は計画策定に膨大なエネルギーを費やし、長い年月をかけて手続面を改善してきた。その結果、驚異的な稟議体制ができあがった。だが、ひとつだけ難点がある。計画が大抵、全く役に立たないのだ。

「陳腐な言い方だが、敵を前にしたら計画など役に立たないと、いつも言っている」

そう語るのは、米陸軍士官学校の行動科学部長であるトム・コルディッツ大佐だ。

「最初は計画通りに戦おうとするが、結局は敵の出方次第だ。天候が変化し、主要施設が破壊され、敵が想定外の反応を示すなど、予期せぬ事態が発生する。戦闘開始後一〇分で無駄になるような計画に全力を注いだ結果、失敗する場合が多い」

これは、自分の書いた指示書に従って友人にチェスを指してもらう難しさと似ている。自分はチェスのルールを熟知しているし、友人や対戦相手のこともよく知っている。だが、一手一手を指示しようとしても、うまくいかない。予測できるのは、せいぜい数手先まで。入念に計画を立てても、敵が予想外の手を指したとたん、友人は指示書から離れ、勘で戦うしかなくなる。

コルディッツ大佐は言う。

「長年の経験から、複雑な作戦で兵士に成果を上げさせる方法を学んだ」

大佐の考えによると、計画の意義は、計画を立てたという証拠になる点だ。計画を立てると、その過程で、考えるべき問題を否応なく検討することになる。だが計画自体は「戦場では役に立たない」と大佐は言う。そこで軍は一九八〇年代に「司令官の意図（ＣＩ）」という概念を編み出し、独自の計画策定手続を導入した。

ＣＩとは、あらゆる命令の冒頭に述べられる平易で簡潔な文言のことで、計画の目標、作戦の望ましい結果を説明するものだ。軍上層部でのＣＩは、どちらかというと抽象的だ（例えば「南東地域の敵の戦意に打撃を与えること」）。だが、大佐や大尉が発する戦術レベルのＣＩになると、ぐっと具体性が増す（「第四三〇五丘陵に第三大隊を配置し、同丘陵から敵を一掃すべく最後の一兵となるまで攻撃を仕掛け、第三旅団の敵陣突破を側面から守る」）。

ＣＩでは、不測の事態に役立たないような細々したことは述べない。

「当初の計画が実行不能になっても、ＣＩは実行しなければならない」

と、コルディッツ大佐は言う。つまり、第四三〇五丘陵上に第三大隊の兵士が一人でも残っている限り、その兵士は第三旅団の側面を守るために、なんとかしなくてはならないのだ。

「司令官の意図」があれば、指揮官が現場で細々とした指示を出さなくても、あらゆる階級の兵士の行動を調整できる。最終的な目標さえわかっていれば、兵士たちは臨機応変に対応しながら、目標を達成できる。コルディッツ大佐は言う。

「例えば、私が砲兵大隊の司令官で、『歩兵部隊を戦列の前に進める』と言ったとする。この言葉が意味することは、隊によって違ってくる。工兵隊なら、進軍中に多くの修理支援が必要になりそうだ、と思うだろう。橋の上で戦車が故障でもしたら、作戦全体が立ち往生するからだ。砲兵隊なら、歩兵部隊が前進中に撃たれないよう、後方で発煙弾を発射するか、工兵隊に発炎筒を焚かせる必要がある、と理解する。司令官である私が具体的な戦術をいちいち説明しなくても、兵士たちは私の意図さえ理解すれば、自分で解決策を出してくれる」

軍事シミュレーションを行う戦闘演習訓練センターでは、士官が「司令官の意図」を作成する際に、次の二点を自問するよう奨めている。

明日の任務に全力を注げば、われわれは必ず――――だろう。

われわれが明日行わなければならない唯一にして最も重要な事項は、――――である。

敵を前にしたら計画など役に立たない。軍隊経験がない人も、この言葉はわかるはずだ。顧客を前にしたら販売計画など役に立たないし、一〇代の若者を前にしたら授業計画など無に等しい。

慌しく混乱した予測不能の状況のなかで、アイデアを相手の記憶に焼きつけるのは難しい。それをうまくやってのけるための第一歩は、まず単純明快に伝えることだ。ただし「やさしく嚙み砕く」

とか「ひと言で済ます」という意味ではない。単純明快に伝えるために、素っ気なく話す必要はない。ここで言う「単純明快である」とは、アイデアの核となる部分を見きわめることだ。「核となる部分を見きわめる」とは、アイデアから余分なものをはぎとって、一番大切な本質をむき出しにすることだ。核となる部分に達するためには、表面的な要素や本筋と関係ない要素を取り除く必要がある。そこまでは簡単だが、大切は大切でもいちばん大切ではないアイデアを排除することは難しい。「司令官の意図」によって、将校は作戦の最重要目標を強調する。「司令官の意図」は、一つのことしか言っていない点に価値がある。北極星が五つもあっては困るように、「最重要目標」や「司令官の意図」が五つもあっては困る。核となる部分を見きわめることは、「司令官の意図」を作成することに等しい。つまり、最も大切な見識を際立たせるために、多くの素晴らしい見識を切り捨てるのだ。フランスの作家で飛行機乗りだったアントワーヌ・ド・サンテグジュペリは、設計の的確さをこんなふうに定義している。

「設計士が完璧さを達成したと確信するのは、それ以上付け加えるものがなくなったときではなく、それ以上取り去るものがなくなったときだ」

単純明快なアイデアの設計士も、そういう志を持つ必要がある。アイデアが本質を失わないよう、どこまで絞り込めるかを考えなければならない。

私たちも自分たちの助言に従い、本書から余計なものをはぎとって、核となる部分をむき出しにしようと思う。本書の核となる部分は、次の通りだ。アイデアを相手の記憶に焼きつけるには、二つのステップがある。第一のステップは、核となる部分を見きわめること。第二のステップはSU

ＣＣＥＳチェックリストを使って核となる部分を言葉にすること。以上である。本章の後半で第一のステップを解説し、第二章以下で第二のステップを解説する。手始めにまず、「サウスウェスト航空は、なぜ顧客の食事の好みをわざと無視するのか？」を考えてみよう。

サウスウェスト航空の「核となる部分」の見きわめ方

サウスウェスト航空が成功企業なのは周知の事実だが、同社と競合他社の業績の差は、驚くほど大きい。航空業界全体がかろうじて黒字かどうかという状態であるにもかかわらず、サウスウェストは三〇年以上にわたって黒字を続けている。

サウスウェストが成功した理由を挙げれば、本が一冊書ける。だが、唯一最大の成功要因は、頑ななまでのコスト削減努力だろう。航空会社はどこもコストを下げたがっているが、サウスウェストは既に何十年も前から取り組んでいる。コスト削減を成功させるには、営業部員から手荷物係員に至る数千人の従業員の協力が必要になる。

サウスウェスト航空には、この協調に役立つ「司令官の意図」、つまり核となる部分がある。ジェームズ・カービルとポール・ベガラは、こう書いている。

サウスウェストのＣＥＯを最も長く務めたハーブ・ケレハーは、かつてある人物にこう言った。

「三〇秒あれば、当社の経営の秘訣を君に教えられる。『当社は最格安航空会社である』。以上だ。これさえ理解すれば君も私と同じように、当社の未来についてあらゆる経営判断を下せるようになるさ」

「例えば」とケレハーは言う。

「営業部門のトレーシーが君のオフィスにやって来て、こう言ったとする。調査の結果、ヒューストン―ラスベガス間で軽い機内食を出すと喜ばれそうなことがわかりました。今はピーナッツしか出していませんが、チキンシーザーサラダなら乗客の多くが喜ぶでしょう、と。さて君はどう答えるかね？」

相手がしばし口ごもっていると、ケレハーは答えた。

「こう言うんだよ。『トレーシー、チキンシーザーサラダを追加すれば、当社はヒューストン―ラスベガス間で最格安航空会社になれるのかな？　無敵の格安航空会社となるのに役立たないなら、チキンサラダなんて出さないよ』とね」

ケレハーの「司令官の意図」は、「当社は最格安航空会社である」だ。シンプルなアイデアだが、サウスウエスト従業員の行動を三〇年以上にわたって導くのに十分役立ってきた。

もちろん同社については、「当社は最格安航空会社である」という核となるアイデア以外にも語るべきことが多くある。例えば、一九九六年に同社が人員募集を行った際、五四四四名の枠に一二万四〇〇〇人もの応募があった。同社は就職先として人気が高いが、これは驚くべきことだ。普通、コスト削減に熱心な会社に勤めるのは楽しいはずがない。ウォルマートの従業員が一日じゅう機嫌よく働く姿など、想像するのは難しい。

ところが、サウスウェストはそれをやってのけた。サウスウェスト航空の原動力となっているさまざまなアイデアを、同心円で考えてみよう。

中心にある円、つまり核心は「最格安航空会社」だが、そのすぐ外側には「楽しく働く」という円がくるのかもしれない。同社の従業員は、最格安航空会社という地位を脅かさない限り、楽しんでもかまわないことを知っている。新入社員でも、これら二つのアイデアを組み合わせれば、予想外の状況でどう行動すべきかがすぐにわかる。例えば、機内放送で客室乗務員の誕生日を冗談交じりにアナウンスしても大丈夫か？　もちろん大丈夫。では、彼女のために紙吹雪を散らすのも「あり」？　それはまずい。紙吹雪を撒くと清掃員の仕事が増える。清掃員の作業時間が増えれば、運賃を上げなければならない。冗談のように聞こえるが、やっていることは、「司令官の意図」に基づいて臨機応変に判断する歩兵と同じだ。考え抜かれた単純明快なアイデアは、行動を決定する驚異的な力をもつ。

ここで一つ警告を。この本を読んで数カ月後、あなたがSUCCESの一つとして「単純明快さ」という言葉を思い出したとする。すると、あなたの頭の中の類語辞典は「単純明快さ」の意味を律儀に検索し、「誰にでもわかる」、「最大公約数」、「簡単に」といった同義語を引っ張り出してくる。その際、ここで紹介した事例も一緒に思い出してほしい。この章で述べた「最格安航空会社」などの逸話が単純明快なのは、平易な言葉だけを使っているからではなく、「司令官の意図」を反映しているからだ。大事なのは平易化ではなく、的確さと優先順位である。

リードの埋没

新聞記者は、記事の冒頭に最重要情報をもってくるよう教え込まれる。「リード」と呼ばれる冒頭文には、その記事の最も重要な要素が盛り込まれており、優れたリードは豊富な情報を伝えることができる。その好例として、米新聞編集者協会の賞を受けた二本の記事のリードを見てみよう。

■

金曜日、四時間に及ぶ心臓移植手術により、一七歳の健康な心臓が三四歳のブルース・マレーの体内で鼓動し始めた。執刀医らによると、手術は順調だった。

エルサレム、一一月四日——イツハク・ラビン首相が今夜、ユダヤ教右派の過激派に銃撃され死亡した。一〇万人以上が参加したテルアビブでの平和集会からの帰途だった。イスラエル政府と中東和平プロセスは大混乱に陥った。

リードの後は、重要な情報から順に提示される。ジャーナリストはこれを「逆ピラミッド」構造と呼ぶ。最も重要な情報（ピラミッドの底辺）をてっぺんにもってくるのだ。

逆ピラミッドは読者にとってもありがたい。集中して読める時間の長さを問わず、リードしか読まない場合も、全文を読む場合も、最大限の情報が得られる。新聞記事がミステリー仕立てで、劇的な結末が最後までお預けだと、途中でやめた読者は要点がわからないままだ。大統領選挙の勝者やアメフト試合の勝者が最後の一文までわからなかったら、イライラするだろう。

逆ピラミッドは、時間内に新聞を発行するうえでも役立つ。締め切り間際にニュースが飛び込んできて、他の記事のスペースを割かなければならない場合、逆ピラミッドでなかったら、すべての記事を丹念に読み、あちこちの言葉や文章を削って編集せざるを得ない。だが、逆ピラミッド構造なら、最後の数段落が構造上最も重要性が低いので、そこを削ればいい。

逆ピラミッド構造は南北戦争中にできあがったという説がある。当時、記者はみな軍の電信システムで社に記事を送りたがったが、軍関係者に押しのけられたり通信回線が切断したり（戦争中はよくある話だった）で、いつ何時、記事送信を中断させられるかわからなかった。どこまで記事を送れるかわからないので、最初に最重要情報を送らざるを得なかったというわけだ。

ジャーナリストはリードにこだわる。社説でさまざまな賞を取ったドン・ワイクリフはこう語っている。

「記事を書く時間が二時間あれば、最初の一時間四五分をかけてよいリードを書くのが最適な時間配分だと思っている。そうすれば、あとは簡単に書ける」

よいリードが書ければ、あとは簡単。では、ジャーナリストがよいリードを書き損ねるのはなぜか？　記者が犯す過ちは、細部にこだわるあまりメッセージの核となる部分、つまり読者が重視したり面白く思うことを見失ってしまうからだ。長年、新聞記者を務め、三〇年近くジャーナリズムを教えてきた南カリフォルニア大学コミュニケーション学教授、エド・クレイはこう語る。
「長い時間、記事に取り組むほど方向性を見失うおそれが高まる。どんな細部も捨て難くなり、何の記事かわからなくなってしまうのだ」

方向性、つまり中心となる報道内容を見失う問題はごく一般的で、「リードの埋没」というジャーナリズム用語まであるほどだ。「リードの埋没」とは、記事の最も重要な要素を記事の後の方に埋もれさせてしまうことだ。

リードを書く、リードを埋没させないようにするというプロセスは、核となる部分を見きわめるプロセスの比喩として役立つ。核となる部分を見きわめることも、リードを書くことも、強制的な優先順位づけにほかならない。あなたが戦時中の新聞記者で、通信回線が切断される前に電報を一本だけ打てるとしたら、何を伝えるだろう。リードも核となる部分も一つしかない。選択が必要だ。

強制的に優先順位をつけるのは、実に辛い。頭のいい人はどんな素材にも価値を認めてしまう。ニュアンスや複数の視点があることを見抜くからだ。状況の複雑さがよく理解できるだけに、どうしてもそれを長々と語りがちだ。結局、こうした複雑志向と優先順位づけの必要性とが、永遠にせめぎあうことになる。一九九二年の大統領選でクリントンの選挙参謀を務めたジェームズ・カービルも、複雑さを脱して優先順位をつけるというこの困難な課題に直面した。

■「三つ言うのは、何も言わないのに等しい」

選挙キャンペーンは苦しい決断の連続だ。「自分の組織には問題がある」と思っている読者は、こんな過酷な状況と比べてみてほしい。全国規模の組織を一から立ち上げなければならないが、大半のスタッフは無給で何の技能もない。チーム構築のために与えられた期間は約一年。しかもその間、ボスの好物のドーナツを絶えず手配しなくてはならない。組織内の人間は、全員同じ歌を歌わなければならないのに、リハーサルをする時間もろくにない。しかも、メディアは毎日、新しい歌を歌えとせっつき、ちょっとでも歌詞を間違えればライバルが食いついてくる。

ビル・クリントンの一九九二年大統領選挙キャンペーンは、困難な状況で記憶に焼きつくアイデアが役立った好例だ。この選挙キャンペーンは、ふつうに複雑なだけでなく、当のクリントンが問題をややこしくした。一つは、クリントンと過去に性的関係があったとする女性が続々と現れたことだが、これは改めて論じるまでもない。二つ目は、クリントンが政策通だったことだ。議論の対象を少数の重要原則に絞らず、質問されれば何でもわけ知り顔で答えたがったのだ。

クリントン陣営の選挙参謀であったジェームズ・カービルは、こうした複雑な状況に対処しなければならなかった。ある日、クリントンが話の的を絞らないことに手を焼いたカービルは、選挙スタッフ全員の目につくよう、ホワイトボードに三つの言葉を書いた。この即席の言葉の一つが、「経済なんだよ、馬鹿（It's the economy, stupid）」

だった。このメッセージは後に、クリントンの成功したキャンペーンの核心となる。「馬鹿」というのは、自分たち選挙スタッフに向けた言葉で、大事なことを見失うなという戒めだったという。カービルはこう説明する。

「単純なことさ。でしゃばるのもほどほどに、ということだ。私が言いたかったのは、『利口になりすぎるな。自分たちは頭がいいなどと思うな。基本を忘れないように』ということだ」

重要問題に的を絞る必要性は、ある時期、ビル・クリントン本人にも、いやおそらくはクリントン本人に対して特に強く訴えられた。クリントンは財政均衡の話をするなという助言に苛立っていた。無所属のロス・ペロー候補の財政均衡に対する考え方が支持を集めていた。クリントンはこう言った。

「私は二年も前からこの問題について語ってきた。なぜペローが出馬したからといって、発言を控えなければならないんだ？」

カービルらは、こう言うしかなかった。

「メッセージには優先順位が必要です。三つ言うのは、何も言わないのに等しい」

「経済なんだよ、馬鹿」は、クリントンの物語の「リード」だった。それも優れたリードだ。一九九二年のアメリカは、不況の真っ只中だった。「経済なんだよ、馬鹿」をリードにする限り、財政均衡の必要性をリードにはできない。クリントンがリードを埋没させることをカービルは防がなくてはならなかったのだ。

判断停止

優先順位をつけるのは、なぜこれほど難しいのだろう？　理屈上は、それほど難しいこととは思えない。重要度の高い目標を重要度の低い目標に優先させる。「不可避の」目標を「有益な」目標に優先させる。それだけのことだ。

しかし、「不可避の」目標と「有益な」目標の判断がつかない場合は、どうすればいいのだろう。二つの境界線が曖昧な場合もあるし、二つの「未知の」ものから一方を選ばなくてはならないことも多い。この種の複雑さは、判断を停止させかねない。過度の複雑さや不確実性が人を不合理な決定へと駆り立てる可能性のあることを心理学が教えている。

一九五四年、経済学者のL・J・サベージは、彼の考える人間の意思決定の原則を示した。彼はそれを「確実なものの原則」と名づけ、こんな例を示した。実業家がある土地の購入を考えている。彼は最初、近々行われる選挙の結果がその土地の資産価値に影響するかもしれないと考えた。そこで、両方のシナリオを検討し、明確な判断を下そうとした。共和党が勝ったら、この土地を買う。民主党が勝ったら？　やはり買う。どちらにしても買うと判断した彼は、選挙結果がわからないまま、とにかくその土地を買うことにした。彼の意思決定はいかにも賢明だ。サベージの論理にケチをつける人は、そういないだろう。

ところが、ケチをつけた心理学者がいた。エイモス・トバースキーとエルダー・シェイファーだ。

二人は後に論文を発表し、「確実なものの原則」は必ずしも確実ではないことを証明した。先の実業家の場合のように結果に関係なくても、不確実な要素があるだけで意思決定の内容が変わってしまうケースを、二人は明らかにした。ある大学生が、クリスマス休暇の二、三週間前に行われる大切な期末試験を終えたばかりだとする。科目は希望職種に就くうえで重要なものなので、学生は何週間も試験勉強をしてきた。

試験結果が出るまであと二日。そんなとき、休暇中のハワイ旅行に格安で申し込めるチャンスを得る。選択肢は三つ。今すぐ申し込むか、今日は見合わせるか、試験の結果がわかってから決められるよう五ドルの手付金を払うか。あなたならどうするだろう？　試験結果がわかってから決めたい――そう思うのではないだろうか。トバースキーとシェイファーの実験で選択を迫られた学生たちもそうだった。そこで二人は、二つの被験者グループからこの不確実さを取り除いてやった。試験結果をその場で伝えたのだ。すると、合格を告げられた学生のうち、五七％は旅行に行くことを決めた（格好のお祝いだ）。残りの学生は不合格を告げられたが、やはり五四％が旅行を決断した（自分を元気づけるよい機会だ）。合格者も不合格者も、その場でハワイ行きを希望した。

ところが、あなたと同じく試験結果を知らない学生たちだけは、全く異なる行動をとった。半数以上（六一％）が五ドルの手付金を払って二日後まで待とうとした。考えてもみてほしい。合格したらハワイに行きたい。不合格でもハワイに行きたい。なのに、合格か不合格かわからなければ様子を見るというのは、どういうことか。「確実なものの原則」に従えば、そんな行動はとらないはずだ。これでは、選挙結果にかかわらず土地を買うつもりなのに、選挙が終わるまで待とうとするのと同じだ。

人間は不確実なことがあると、それが何の関係もないものでも判断停止に陥る可能性がある——トバースキーとシェイファーの研究はそう示した。また、シェイファーが同僚のドナルド・レーデルマイヤーと行った別の研究では、選択肢の存在が判断停止を引き起こす場合もあることがわかった。あなたが学生で、ある日の夕方、次のような選択肢に直面したらどうするだろう。

（一）尊敬する作家の講演会に行く。ちなみに、その作家が講演をするのは今夜だけ。
（二）図書館に行って勉強する。

一生に一度の講演会と比べると、勉強にあまり魅力はなさそうだ。実際、大学生にこれらの選択肢を与えたら、勉強を選んだ回答者は二一％しかいなかった。

では、選択肢が三つならどうだろう。

（一）講演会に行く。
（二）図書館に行って勉強する。
（三）ずっと観たかった外国映画を観る。

答えは変わっただろうか。別の学生たちにこの三つの選択肢を提示したところ、なんと四〇％が勉強すると答えた。前回の二倍である。勉強以外の魅力的な選択肢を一つでなく二つにしたところ、逆にどちらも選ばない学生が増えたのだ。この行動は「合理的」ではないが、人間的だ。

優先順位は、果てしない決断の苦悩から人々を救う。核となる部分を見きわめることが大切なのはこのためだ。聴き手は、不確実な状況のなかで絶えず判断し続けている。講演会と外国映画のようにどちらも魅力的な選択肢でも、選択を迫られれば不安になる。

核となるメッセージは、何が大切かを思い出させ、誤った選択を予防する。ハーブ・ケレハーの逸話では、ある従業員がチキンサラダを出すかどうか判断に迷ったが、「最格安航空会社」というメッセージのおかげでチキンサラダを諦めることができた。

アイデア・クリニック

本書は、アイデアを記憶に焼きつくものにできるよう手助けすることを目的にしている。そこで、「アイデア・クリニック」を設けて、アイデアを記憶に焼きつける方法を実践的に示す。アイデア・クリニックは、ダイエット広告の「ダイエット前・ダイエット後」の写真から着想を得た。ダイエットの効き目がひと目でわかる例の写真だ。新しいダイエットを試す客と同じで、クリニックに登場するアイデアも直すべき点はそれぞれ異なる。胃を小さくする手術や脂肪吸引のように思い切った修正が必要なものもあれば、腰まわりの肉を数キロ分落とすだけで済むものまで、さまざまだ。

アイデア・クリニックのポイントは、私たちの天才的な創造性で読者を唸らせることではない。

そもそも私たちには、天才的な創造性などない。アイデア・クリニックのポイントは、アイデアをもっと記憶に焼きつくものにするプロセスの見本を示すことだ。ダイエットには医師の意見が必要だが、このプロセスは自分で試してほしい。メッセージを検討し、自分なら本書の原則を使ってどう改善するかを考えてほしい。

アイデア・クリニックは、本論に不可欠の要素というより、補足的なものだ。読まずに飛ばしてもかまわないが、役に立つことを願っている。

アイデア・クリニック

注意：日光浴は危険

背景説明：オハイオ州立大学の保健指導担当者が、大学関係者に日光浴の危険性を訴えようとしている。

メッセージ1：以下は、オハイオ州立大学のホームページに掲載された日光浴に関する事実だ。後で分析できるよう、段落に番号をつけてある。

日光浴——注意と予防

（1）ブロンズ色に焼けた肌は、しばしばステータス・シンボルと見なされる。日焼けするほどゆっくり太陽の下に寝そべったり、冬に暖かいところに旅行できる人は、「普通の人」よりお金と時間の余裕があるということなのだろう。ところが多くの人は、春もまだ早い時期なのに肌を黒く焼いたり、小麦色の健康な肌で休暇から戻るために日焼けをする。日焼けがステータス・シンボルかどうかはともかく、無防備に日光を浴びるのは有害だ。太陽の紫外線は皮膚に損傷を与えるだけでなく、視力障害や、アレルギー反応、免疫力の低下を引き起こすおそれがある。

（2）日焼けややけどの原因となるのは、太陽の紫外線である。紫外線は目に見えず体にも感じないが、皮膚を透過して、メラニンという褐色の色素を含む細胞を刺激する。メラニンは紫外線を吸収・拡散することによって皮膚を守る。肌の色が濃い人はメラニンの数が多く紫外線から保護されており、すぐ日焼けする。金髪や赤毛の人、肌の白い人はメラニンの数が少ないため、日焼けを通り越してすぐやけどになってしまう。

（3）メラニンは紫外線の刺激を受けると、皮膚の表面に浮上して肌の色を濃くし、日光から皮膚を守ろうとする。肌の色が黄褐色、茶色、黒など濃い人は、無防備に日光を浴びてもやけどをしたり皮膚が損傷を受けることはない。

（4）太陽の紫外線（UV）には、UVAとUVBの二種類がある。UVBは、日焼けによるやけどや発赤を引き起こすが、これらは皮膚癌、皮膚の早期老化に関係する。UVAは日焼けを促すが、視力障害、発疹、薬品へのアレルギー反応などの問題とも関係がある。

（5）日光の浴びすぎによる皮膚の損傷は年々積み重なり、元には戻せない。損傷が起きたら、取り返しがつかない。最も深刻で持続的な損傷が起きるのは、一八歳以下のときだ。日焼け防止は早期に始めるべきだ。特に、天気のよい日に子どもを外で遊ばせるときには注意が必要である。

以下のコメントを読む前に、メッセージ1を再読してみてほしい。どうすれば、もっとよくなるだろう？

メッセージ1へのコメント：何がリードか？　何が核となるのか？　段落（1）の冒頭でステータス・シンボルとしての日焼けが論じられているが、これは興味をひくための「つかみ」にすぎない（事実、「日焼けがステータス・シンボルかどうかはともかく……」と書くことで、書き手もそれを認めている)。私たちの目に核として飛び込んできたのは、段落(5)の「皮膚の損傷は年々積み重なり、元には戻せない」の一文だ。これこそ、日焼けマニアにぜひ伝えたい最重要事項ではないだろうか? これに比べると、段落(2)~(4)は通り一遍のメカニズムを述べているだけだ。スモーカーに喫煙の危険性を理解させるのに、肺のしくみを教えることが必要だろうか?

メッセージ2:以下は、埋没していたリードが浮上するよう、要点を並べ替え文章を少し変えたものだ。

日光浴――若くして老化する方法

(5)日光の浴びすぎによる皮膚の損傷は年々積み重なり、元には戻せない。いったん損傷が起きたら、取り返しはつかない。最も深刻で持続的な損傷が起きるのは、一八歳以下のときだ。幸い、老化と違って皮膚の損傷は防ぐことができる。日焼け防止は早期に始めるべきだ。特に、天気のよい日に子どもを外で遊ばせるときには注意が必要である。

(2、3、4)日焼けややけどの原因となるのは、太陽の紫外線である。紫外線は日焼けによるやけどを引き起こすが、このやけどは、皮膚の深層部が損傷を受けたことを示す一時的なシグナルだ。やけどはいずれ治るが、深層部の損傷は消えず、最終的に早期老化や皮膚癌の原因となることもある。

（1）皮肉なことに、ブロンズ色の肌は健康のしるしと思われがちだ。しかし、紫外線は皮膚に損傷を与えるだけでなく、視力障害やアレルギー反応、免疫システムの低下を引き起こすおそれもある。「小麦色の健康な肌」ならぬ「小麦色の病んだ肌」と言うべきだ。

メッセージ2へのコメント：このメッセージの核は、皮膚の損傷は蓄積され、取り返しがつかないという点だ。そこで、この点を強調し、重要性の低い情報を削ってメッセージを書き直した。そうすることで、強制的な優先順位づけのプロセスを示したかった。核となる部分を際立たせるためには、興味深い部分もいくつか（メラニンのくだりなど）削らなくてはならなかった。

ここでは、いくつかの方法で核となる部分を強調しようとしている。第一に、埋没していたリードを掘り起こし、核となる部分を最初にもってきた。第二に、老化との類推をつけ足し、損傷の取り返しがつかないことを読み手に実感させた。第三に、「日焼けによるやけどは損傷のシグナルであり、いずれ治るが深層部の損傷は消えない」という、具体的でおそらく意外性のあるイメージを付け加えた。

【採点表】

項目	メッセージ1	メッセージ2
単純明快である	―	○
意外性	―	○
具体的である	―	○
信頼性	―	―
感情に訴える	―	―
物語性	―	―

結論：リードの埋没を避けること。相手を楽しませるために、面白いが関係のないことを最初にもってこないこと。それよりも、核となるメッセージ自体の面白みを増すこと。

■

人名、人名、とにかく人名

ノースカロライナ州のダンは、州都ローリーの約六四キロ南にある小さな町だ。人口は一万四〇〇〇人で、ブルーカラー労働者が多い。朝になると、地元のレストランは大盛りの朝食やコーヒーの注文客でにぎわい、ウェイトレスは親しげに客を「ハニー」と呼ぶ。町には最近、ウォルマートができた。

要するにダンはごく普通の町だが、ひとつだけ変わった点がある。住民のほとんどがデイリー・レコードという地元紙を読んでいることだ。同紙の購読者数は、町の人口を上回っている。ダンにおけるデイリー・レコード紙の普及率は一一二％。これはアメリカのどの新聞と比べても高い。普及率一〇〇％以上というのは、（一）ダンの住民以外、おそらく仕事でダンに通う人たちが新聞を買っているか、（二）一部の世帯、たぶん仲良く一緒に読めない夫婦が、二部以上購読している世帯があるかの、どちらかだ。

驚くべき成功の理由はいったい何か？ ダンにもニュース情報を得る手段はたくさんある。USAトゥデー紙、ローリー・ニュース＆オブザーバー紙、CNN、インターネット、他にもいくらでもある。なのになぜ、デイリー・レコード紙はこんなに人気があるのか？


デイリー・レコードは一九五〇年、フーバー・アダムズによって設立された。アダムズは生粋の新聞記者だった。初めての署名記事は、ボーイスカウトのキャンプからの特派員報告。高校時代には、ローリーにある新聞社のフリーランス記者を務めた。第二次世界大戦後、ダンのディスパッチ紙の編集者になったが、飽き足りず自らデイリー・レコード紙を立ち上げた。デイリー・レコードとディスパッチは二八年間にわたり激しい競争を繰り広げたが、一九七八年、ディスパッチは廃刊となり、デイリー・レコードによって買収された。

アダムズの編集方針は、彼が発行人を務めた五五年間を通じて常に一貫していた。新聞はあくまで地域報道を行うべきだというのが彼の信念である。地域社会ニュースの熱烈な信奉者と言ってよかった。

一九七八年、デイリー・レコードの地域取材が不十分なことに苛立ったアダムズは、従業員に通達を出し、自分の考えを説明した。

「ご存知の通り、地方紙が読まれる最大の理由は、地元の人の名前や写真を読者が見たいからだ。それは、誰よりもわれわれが得意とする唯一のことだし、他では得られない唯一のものだ。ニューヨーク市長がニューヨークの市民にとって重要なのと同じくらい、アンジアやリリントンの町長はそこの町民にとって重要なのだ。それを忘れないでほしい」

もちろん、アダムズの地域報道重視は、斬新な考え方ではない。小さな新聞社の発行人で異論のある人はいないだろう。しかし、ちょっと業界を見渡せば、その考えを実践する新聞社はほとんどないことがわかる。地方紙の大半は、通信社からの配信記事やプロのスポーツチームの分析、人物のいない風景写真で紙面が埋め尽くされている。

核となる部分を見出すことと、それを伝えることは、同じではない。優先順位を知っていても、それを伝え、達成する能力に欠ける経営者もいる。アダムズは核となる部分を見出し、かつ伝えることをやってのけた。いったい、どうやって？

核となる部分を伝える

アダムズは、地域重視という新聞社経営の核となる部分を見出した。そして、この核となるメッセージを伝えよう、従業員の記憶に焼きつけようとした。本章、いや本書の残りの部分では、核となるメッセージを記憶に焼きつくものにする方法を述べる。その手始めに、アダムズが「地域重視」のメッセージをどうやって記憶に焼きつくものにしたのかを見てみよう。

リップサービスで地域重視を口にする新聞発行人は多いが、アダムズの場合は地域重視の原理主義者だ。地域重視のためなら採算度外視も辞さない。

「地方紙といっても、実は地元の人名を十分には入手できない。紙面を埋めるだけの人名が集まるなら、私は喜んで植字工を二人増やし、紙面を二ページ増やす」

地域重視のためなら、退屈な新聞になってもかまわないと彼は言う。

「デイリー・レコードの明日の朝刊にダンの電話帳を全部転載したら、住民の半分は自分の名前が載っているかどうか確認するはずだ……。『そんなに名前ばかり載せてもしかたないでしょう』と言われたら、それがわれわれの一番の望みだと言い切ってほしい」

アダムズは、ベンソンで地方新聞社を経営する友人ラルフ・ディラーノの言葉を借りて、地域重視の大切さを大げさに訴える。

「ローリーに原子爆弾が落ちても、ベンソンに破片や灰が降らなければ、ベンソンではニュースにならない」

デイリー・レコードの成功の理由を聞かれたアダムズは、こう答えている。

「理由は三つ。人名、人名、とにかく人名だ」

ここでちょっと考えてみよう。アダムズは、地域重視こそがデイリー・レコードの成功のカギだという核となるアイデアを見つけ、それを伝えたいと思った。ここまでが第一段階だ。第二段階は、その核となる部分を他者に伝えること。彼はこれを見事にやってのけた。

地域重視の姿勢が本気であることを伝えるために、アダムズが用いているテクニックを見てほしい。まず、類推を使ってアンジア町長とニューヨーク市長を比較している（類推については、本章で後述する）。また、紙面を人名で埋められるなら植字工を増やすと言っている。地域重視はコスト削減より重要なのだ。これは強制的な優先順位づけである（それに、小さな町の新聞としては異例の考え方だ。「意外性がある」の章を参照）。

また、アダムズの言葉は明確で具体的だ。何を求めているのか――人名だ。毎日、たくさんの個人名を新聞に載せたいのだ（「具体的である」の章を参照）。このアイデアには組織の誰もが理解し、使えるだけの具体性がある。誤解の余地はない。アダムズの言う「人名」が何を意味するのかわからない従業員などいない。

「人名、人名、とにかく人名」は、核となる真実を象徴する単純明快な言葉だ。人名は役立つだけでなく、アダムズの考えではコスト削減より優先されるべきものだ。人名はうまい文章よりも、また隣町に落ちた核爆弾の報道よりも優先される。

地域重視というアダムズの核となる価値観は、発刊以来五五年間、従業員数百人がさまざまな状況で適切な判断を下すのに役立ってきた。アダムズは発行人として二万号近くの編集を統括してきた。どの号でも無数の意思決定が行われてきた――どの記事を載せるべきか？　この記事の重要な点は？　どの写真を掲載するべきか？　紙面を節約するには何を削るべきか？

こうした無数の小さな判断のすべてにアダムズが直接関わることはできないが、従業員が判断の停止状態に陥ることはない。それは、アダムズの「人名、人名、とにかく人名」という「司令官の意図」が明確だからだ。アダムズがあらゆる場に顔を出すのは無理だが、核心を見つけ明確に伝えることによって、あらゆる場に顔を出していることになる。これこそ、記憶に焼きつくアイデアの効果だ。

■単純明快である＝核となる部分＋簡潔さ

アダムズの言葉遣いは巧みだが、最も役立ったのは「人名、人名、とにかく人名」というごく平易な言い回しだ。この言葉が使いやすく覚えやすいのは、とても具体的なだけでなく非常に簡潔だからだ。このことは、単純明快さの第二の側面を物語っている。つまり、単純明快なメッセージとは、核心を突いていると同時に簡潔なのだ。

簡潔さが大事なことは、ある意味、議論の余地がない。クレジットカード会社の金利説明文でもない限り、長くて複雑な文章をよしとする人はまずいない。数段落より数行、五項目より二項目、難解な言葉より平易な言葉の方がいいに決まっている。それは、人間の処理能力の問題だ。アイデアは情報量を減らせば減らすほど、記憶に焼きつきやすくなる。

とはいえ、簡潔ならそれでいいかというと、そうでもない。簡潔だが核心を突いていない、つまり「司令官の意図」からずれたメッセージに走ってしまうおそれもある。簡潔なメッセージは記憶に焼きつくが、それと価値があることとは別物だ。簡潔だが偽りのメッセージ（「地球は平らだ」）や、簡潔だがどうでもいいメッセージ（「ヤギはモヤシを好む」）、簡潔だが無分別なメッセージ（「一日一足、靴を買おう」）もある。

つまり、簡潔さ自体をめざしてもしかたがない。私たちの多くは何かしらの専門家だが、専門家というのは、ニュアンスや複雑さに魅力を感じるものだ。そこに「知の呪縛」が生じる。自分が知っていることを知らないということが、どういう状態か忘れてしまうのだ。そうなると、単純明快なメッセージを書くことがただの「白痴化」に思えてしまう。私たち専門家にとって、インパクトの強いフレーズを連呼したり、誰にでもわかる話をしていると思われるのは不本意なことだ。簡潔化が高じて単純化するのが怖いのだ。

だから、「単純明快さ」の定義が核心を突き、なおかつ簡潔であることだとするなら、簡潔さにどんな価値があるか知っておく必要がある。既に核となる部分を見きわめたのに、なぜそのうえ、簡潔でなければならないのか？　そもそも、「いろいろなものを剥ぎとった」後のアイデアは、詳細なアイデアほど役立たないのではないか？　簡潔さを極端に追求したらどうなるのか？　意味のあることをひと言で伝えることができるのか？

「手中の一羽」

数千年も前から、人類はことわざや金言といったものを語り伝えてきた。ことわざは単純明快だが深い。セルバンテスの定義によれば、「長い経験から生み出された短い文章」が、ことわざだ。例えば、英語には、

「手中の一羽は、茂みの中の二羽に値する（A bird in the hand is worth two in the bush.）」

ということわざがある。その核となるのは、単なる思惑のために確実なものを手放してはならないという警告だ。短く単純明快なことわざだが、そこにはさまざまな状況で役立つ大きな知恵が凝縮されている。

実は、このことわざは英語以外の言語にもある。

「森の中の一〇羽より、手中の一羽」（スウェーデン）

「手中の一羽は、飛ぶ鳥一〇〇羽に勝る」（スペイン）

「手中の雀は、屋根の上の鳩に勝る」（ポーランド）

「手中のシジュウカラは、空を舞う鶴に勝る」（ロシア）

他にも、ルーマニア語、イタリア語、ポルトガル語、ドイツ語、アイスランド語、そして中世ラテン語にまで同じことわざがある。記録に残っている英語の最古の用例は、ジョン・バニヤン『天路歴程』（一六七八年）の一節だが、ことわざ自体はもっと古くからあるのかもしれない。イソッ

プ物語の一つに鷹が小鳥のナイチンゲールを捕らえる話がある。ナイチンゲールは「自分など小さくて腹の足しにもなりません」と言って命乞いをする。すると、鷹はこう答えるのだ。

「姿さえ見えない別の鳥を追うために、手中の鳥を手放すのは愚かだ」

この寓話は、紀元前五七〇年頃からある。

つまり、「手中の鳥」のことわざは恐ろしく記憶に焼きつくアイデアなのだ。二五〇〇年以上も生き延び、さまざまな大陸、文化、言語へと広まったものだ。それも、誰かが金を出して広告キャンペーンを行ったわけではなく、勝手に広まったのだ。他にも息の長いことわざは多い。記録に残る文明には、ことわざが必ずある。いったい、なぜ？　ことわざには、どんな目的があるのか？

ことわざは、一定の基準を共有する環境で、個人の判断を導いてくれる。共有される基準とは、たいてい倫理的あるいは道徳的な規範だ。ことわざは個人の行動の目安を示す。「自分がしてもらいたいことを他人にしなさい」という聖書の金言は、非常に深い意味をもち、個人の行動に生涯影響を及ぼす場合もある。金言は、本章でめざしているアイデアを見事に象徴している。つまり、記憶に焼きつく簡潔さと、影響を及ぼすだけの深い意味のあるアイデアなのだ。

単純明快で優れたアイデアは、洗練された的確さと実用性を備え、ことわざに似た役割を果たす。セルバンテスによることわざの定義は、私たちの第一の法則にもぴたりと符合する。長い経験から導き出された短い文章は、小粒でもしっかり中身が詰まっている。だから、やけに覚えやすすく調子のいいフレーズは疑ってかからなければいけない。そうしたものは内容が空疎だったり、極端に単純化されていて誤った方向に導くことが多いからだ。つまり小粒なだけで中身がない。第一の法則がめざすのは、キャッチフレーズのような表面的なインパクトではなく、ことわざのように濃い内容がぎゅっと圧縮されたメッセージである。

アダムズは核となるアイデアである執拗なまでの地域重視を「人名、人名、とにかく人名」というジャーナリズム的なことわざに転化した。これは、基準を共有する人々のあいだで判断を導いてくれるアイデアだ。カメラマンの場合、そう言われても名札を撮影するわけにもいかないので、このことわざに文字通りの意味はない。だが人名、つまり地域の人々の行動を追うことが自社に成功をもたらすとすれば、どこにシャッターチャンスがあるかがおのずとわかる。退屈な委員会審議の様子と、公園から見える美しい夕日のどちらを写すべきか？　正解は前者なのだ。

パーム・パイロットと目に見えることわざ

簡潔なアイデアは、核心を突いたメッセージを理解させ、記憶させる。だが、簡潔なアイデアがそれ以上に重要なのは、適切な行動を促すからだ。特に、相手が数多くの選択をしなければならない場合には、なおさらである。

リモコンには、なぜ使いきれないほどの数のボタンがあるのだろう？　それは技術者の立派な志に由来する。技術や製品の開発プロジェクトは「機能のつめこみ」との戦いだ。「機能のつめこみ」とは、技術や製品が複雑化して、当初意図した機能を果たせなくなってしまうことだ。ビデオデッキがそのいい例だ。

「機能のつめこみ」が進む過程は、善意に満ちている。ある技術者がリモコンの試作品を見て、こうつぶやく。

「おや。リモコンの表面に少し空きスペースがあるぞ。チップの処理能力にも多少余裕がある。こいつを無駄にするよりも、ユリウス暦とグレゴリオ暦の切り換えができるようにしたらどうだろう?」

技術者にすれば、気のきいた機能を追加してリモコンを改良し、役に立ちたいだけだ。一方、同僚技術者は暦の切り換えにさほど乗り気ではない。だが、「そんなもの別になくても」と思うくらいで、「暦のボタンをつけるなら、俺は辞めるぞ!」と抗議するほどでもない。こうしてリモコンは、ゆっくりと静かに死へと向かう(他の技術製品も似たようなものだ)。

パーム・パイロットのチームはこの危険性を知っていたので、「機能のつめこみ」に厳しい姿勢で臨んだ。チームが作業を開始したのは一九九〇年代前半。この頃、携帯情報端末(PDA)は軒並み販売不振だった。特にアップルのPDA「ニュートン」の惨敗は有名であり、他のメーカーはすっかり怖気づいていた。

一九九四年当時に販売されていたあるPDAは、発育不良のコンピュータのようだった。大きくてかさばる本体に、キーボードだの周辺機器用のマルチポートだのがついている。パーム・パイロット開発チームのリーダー、ジェフ・ホーキンスは、自分の製品は絶対こんなふうにしないと決意した。彼はパーム・パイロットをシンプルな製品にしたかった。機能は四つ。カレンダー、電話帳、メモ、それに作業リストだ。四つのことしかできないが、その四つをきちんとこなす、そんな製品にしたかった。

ホーキンスは「機能のつめこみ」と戦うため、パームと同サイズの木片を持ち歩いた。「パームＶ」の設計デザインチームの一員、トライ・バサロは語る。

「あの木片は、製品のシンプルな技術目標を実感させるだけのものだったが、とにかく小さかった。おかげで、一味違う洗練された製品ができた」

ホーキンスはミーティング中に木片を取り出しては「メモをとり」、廊下で木片を取り出しては「予定表をチェックしていた」という。誰かが機能の追加を提案するたびに、ホーキンスは木片を取り出し、どこにそんな余地があるのかと尋ねた。

パーム・パイロットが成功したのは、「何ができるかよりも、何ができないかで定義されていたからだ」と、バサロは言う。シリコンバレーの有名デザイン会社、ＩＤＥＯのトム・ケリーも、同じことを指摘する。

「初期のＰＤＡがうまくいかなかった本当の理由は……ＰＤＡは万能でなくてはならないという考え方だった」

ホーキンスには、自分のプロジェクトの核となるアイデアは、簡潔さと単純明快さ（「機能のつめこみ」の徹底的な拒否）であるべきことがわかっていた。この核となるアイデアを共有するために、ホーキンスとチームメンバーは木片を用いた。それは、目に見えることわざにほかならない。

彼らは木片を見るたびに、限られた機能をきちんと果たさなければならないことを思い出した。

パーム・パイロットの開発とジェームズ・カービル率いるクリントンの選挙キャンペーンには、

驚くほど共通点がある。どちらのチームメンバーも、知識が豊かで仕事熱心だった。いずれも、あらゆる問題を論じたり、あらゆる機能を開発する能力も意欲もある人材揃いだった。それだけに、どちらもやりすぎを避ける単純明快な戒めが必要だった。「三つ言うのは、何も言わないことに等しい」、「五〇個もボタンのあるリモコンでは、チャンネルを替えるのもひと苦労」、という戒めだ。

■あるものを使う

メッセージは簡潔でなくてはならない。人が一度に把握し、覚えられる情報量には限りがある。だが、メッセージの核となる部分に、短いことわざに収まらないほどの情報量があったとしたら？　どうしても大量の情報を伝える必要がある場合には、どうすればいいのか？　次の練習問題は、簡潔さの必要性を改めて強調すると同時に、簡潔なメッセージにたくさんの情報をつめこむためのヒントを与えてくれる。

ルールはこうだ。次の文字列を一〇～一五秒間、よく見る。それから本を閉じ、覚えている文字を全部紙に書く。書き終えるまで、次のページを見ないこと。

J FKFB INAT OUP SNA SAI RS

ほとんどの人は、せいぜい七～一〇個くらいしか覚えていないだろう。たいした情報量とは言えない。このように、一度に処理できる情報量には限りがある。だからこそ、簡潔さが大切なのだ。

では、ページをめくってもう一度、練習問題をやってみよう。

今度は、さっきとは少し違う。といっても、文字も順番も同じで、文字のまとめ方が変えてあるだけだ。それではもう一度、一〇～一五秒間、文字列をよく見てから本を閉じ、記憶を試してみよう。

JFK FBI NATO UPS NASA IRS

今度は、さっきよりずっとうまくいったはずだ。文字列がにわかに意味を帯び、覚えやすくなった。一度目の文字列は未加工の生データだったが、今度は概念だ（それぞれ、ジョン・F・ケネディ、米連邦捜査局、北大西洋条約機構、宅配会社の名前、米航空宇宙局、米内国歳入庁の略称）。

それにしても、なぜ「ジョン・F・ケネディ」の方が、J、F、Kの三文字より覚えやすいのだろう？　バラバラの三文字より、JFKの方が情報量は多いはずだ。JFKと言えば政治、女性関係、暗殺、有名な一族など、いろいろなことを連想する。記憶を重量挙げにたとえれば、三文字よりもJFKを「持ち上げる」方が大変なのでは？

だが、私たちがここで「持ち上げ」ようとしているもの、つまり記憶しようとしているものは、JFKではない。JFKに関する記憶作業はすべてもう済んでいて、体にはそれに必要な筋肉が既についている。JFKという概念も、そこから連想されるすべてのことも、既に記憶に刻み込まれている。私たちがここで記憶しようとしているのは、こうした情報のありかを示す印にすぎない。記憶のなかの該当する部分に、小さな旗を立てようとしているだけなのだ。バラバラの文字の場合、私たちは三つの旗を別々に立てることになる。一つの情報（旗一本）と三つの情報を比べたら、一つの方が記憶しやすいのは当然だ。

それとこれと、どう関係するの？　それは単なる脳の雑学では？　そう思われるかもしれない。だが、実はこういうことなのだ。これまで見てきたように、アイデアは簡潔なほど記憶に焼きつく。だが、簡潔なだけではだめで、深い簡潔さをもつアイデアにしか価値はない。深いアイデアを簡潔にするためには、短いメッセージにたくさんの意味をつめこまなくてはならない。その方法が旗なのだ。聴き手の既存の記憶領域を活用する、つまり、既にあるものを使うのだ。

■既に持っているイメージを呼び覚ます

これまで紹介してきたのは、ひとつ、あるいは少数の単純明快なアイデアが、行動指針として役立ったケースだ。だが考えてみると、たいていの人は複雑な仕事をしている。法律、医学、建設、プログラミング、授業といった複雑な仕事は、簡潔なメッセージに落とし込めない。建築学の授業をたった一つの簡潔なアイデア（「倒壊しない建物を建てること」）に置き換えることは、もちろんできない。

このことは、まだ述べていないある重要な問題につながってくる。それは「大学一年生を建築家にするには、どうすればいいか」ということだ。単純明快なものから複雑なものを生み出すには、どうすればいいのか。ここでは、単純明快さをうまく利用すれば複雑さを生み出せることを説明する。単純明快なアイデアも、うまく演出して積み重ねれば、たちまち複雑化できるのだ。

ここで、「ザボン」とは何かを説明しよう（ザボンのことを既に知っている人も、知らないふりをして付き合ってほしい）。まず、こんなふうに説明することができる。

説明1：ザボンとは、最も大きな柑橘類である。外皮は非常に厚いが、柔らかくて剝きやすい。果肉は薄い黄色と珊瑚色の間で、果汁が豊富なものもあれば、やや乾いたものもある。また、甘酸っぱくて美味しいものもあれば、酸味のきついものもある。

ここで簡単な質問がある。ザボンとオレンジの果汁を一対一で混ぜるとおいしいだろうか？　右の説明をもとに考えてほしい。あてずっぽうで答えることはできても、断言はできないのでは？　では、もう一つの説明を見てみよう。

説明2：ザボンとは、要するに超大型のグレープフルーツで、外皮は非常に厚く、柔らかい。

説明2は、相手が既に知っているグレープフルーツの概念を呼び起こす。「ザボンはグレープフルーツに似ているんだ」と言えば、相手は、「あ、そうなのか」と、記憶の中からグレープフルーツのイメージを思い起こす。そこで、そのイメージをどう変えればいいかを教える。つまり「超大型」という言葉を付け加えるのだ。すると、相手も想像上のグレープフルーツをぐっと膨らませるはずだ。

相手が既に知っている概念と結びつければ、新しい概念も理解しやすくなる。この場合には、グレープフルーツがそれだ。「グレープフルーツ」は、既に知っているこの果物について記憶されたイメージである。心理学用語では、これをスキーマと呼ぶ。

心理学の定義によれば、スキーマとはある概念に備わった属性の集合体であり、人間が既に記憶している情報で構成される。例えば、

「ニューモデルのおしゃれなスポーツカーを見かけたんだよ」

と誰かに言われたら、たちどころにスポーツカーのイメージがその特徴とともに思い浮かぶ。スポーツカーとはどういうものかを既に知っているからだ。小型で、ツードアで、たぶんコンバーティブル・トップ。もちろん速い。色は、ほぼまちがいなく真っ赤……。同じように、記憶に保存されているグレープフルーツのイメージにもさまざまな特徴が備わっている。黄みがかったピンクで、ちょっと酸っぱい。大きさはソフトボールぐらい、といった具合だ。

グレープフルーツのイメージを呼び覚ますことで、ザボンの特徴をいちいち挙げるよりはるかに簡単にザボンとは何かを説明できる。ザボンとオレンジの果汁を混ぜたらどうなるかという質問にも、答えやすくなる。グレープフルーツ果汁とオレンジ果汁を混ぜるとおいしいことは知られている。だから、ザボンのイメージもグレープフルーツのイメージからこの特徴を受け継ぐ（ちなみに、説明1でも実はイメージが活用されている。「柑橘類」も「酸味」も、相手が知っていなければ説明にならないからだ。説明2の方がわかりやすいのは、「グレープフルーツ」が上位の概念で、色

や味など他のいろいろなイメージの集合だからである)。

このようにイメージを活用することで、説明2はわかりやすく、しかも記憶に残るものとなっている。「ザボン」の二つの定義を逆ピラミッド構造の視点から考えてみよう。リードは何か？　説明1の場合、リードは「柑橘類」で、リードの後には明確な序列がない。読み手は、何に興味をもつかによって、外皮の情報(「非常に厚いが、柔らかく剝きやすい」)を記憶する場合もあれば、色の情報(「薄黄色と珊瑚色」)や果汁の多さ、酸味の情報を記憶する場合もある。

説明2のリードは、「グレープフルーツに似ている」だ。第二パラグラフは「超大型」、第三パラグラフは「非常に厚くて柔らかい外皮」である。

半年もたつと、読者はせいぜいリードしか思い出せないだろう。つまり、説明1では「果実」あるいは「柑橘類」を思い出し、説明2では「グレープフルーツ」を思い出す。どう見ても、説明2の方が優れているのではないか。

柑橘類についての心理学的議論は、これでおしまい。読者がこんな議論に出くわすことは二度とないかもしれないし、「ザボン」の概念にこれほど頭を使う値打ちはないかもしれない。だが、イメージは深い単純明快さを可能にするという根底的概念はきわめて重要だ。

優秀な先生は、イメージを上手に利用する術を心得ている。例えば経済学を教えるとしたら、まず経済について何のイメージも持っていない生徒でもわかるような簡単な例から始める。

「君たちはリンゴを、私はオレンジを育てているとしよう。私たちの他には誰もいない。君たちも私も、自分の果実だけでなく両方の果物を食べたいと思っている。私たちは交換を行うべきだろうか？　もしそうなら、どのように行うべきか？」

こんなふうに、生徒は単純化された条件ではどのように交換が行われるのかを最初に教わる。この知識が、交換というもののイメージを形作る。次にこのイメージを呼び起こし、方向付けしてやればいい。例えば、素晴らしく大きなリンゴ、あるいは素晴らしくおいしいリンゴをつくれるようになったとしたら、どうだろうか。それでも前と同じ条件で交換をするだろうか。この問題を解決するためには、先ほどのイメージを思い出させ、微調整すればいい。ちょうどグレープフルーツのイメージを使ってザボンを説明したように。

単純明快さから生まれる複雑さ

イメージは、シンプルな素材から複雑なメッセージを生み出すのに役立つ。学校ではしばしば理科の授業にイメージが上手く利用される。物理学の初歩では、滑車、傾斜、摩擦のない表面上を一定の速度で動く物体など、単純で理想的な状況を扱う。「滑車」のイメージに馴染んだ生徒は、それを拡大したり他のイメージと組み合わせて、もっと複雑な問題を解けるようになる。

イメージを上手く利用したもう一つの例が、子どもの頃に学んだ原子の太陽系モデルだ。このモデルでは、惑星が太陽の周りを回るように、電子は核の周りを回っている。この類推のおかげで、生徒は原子のしくみを即座に把握できる。

だが、このモデルからは、多くの人が簡潔なイメージ（「大きいグレープフルーツ」）よりも長い説明（「柑橘類、厚くて柔らかい外皮云々」）を選ぶ理由もわかってくる。イメージを用いることが「真実」への遠回りになる場合もあるからだ。電子が惑星のように核の周りを周回しているのではないことを物理学者は知っている。本当は、電子の動きは「確率の雲」を成している。さて、六年生に何と教えるか？　わかりやすい惑星の動きを話して真実に一歩近づけるか？　それとも理解不能だが正確な「確率の雲」について話すべきか？

大事なのは正確さで、とっつきやすさは二の次なのか、それとも大事なのはとっつきやすさで、正確さは二の次なのか。一見、難しい選択に思える。だが実は、選択の余地などない場合が多い。なぜなら、予測にも判断にも役立たないメッセージには、何の価値もないからだ。どんなにそれが正確で網羅的なメッセージでも同じこと。それが厳然たる事実なのだ。

ハーブ・ケレハーは客室乗務員に「株主利益の最大化」をめざせと言うこともできた。ある意味、それは「最格安航空会社」をめざせと言うより正確で完全だ。「最格安航空会社」というフレーズは、何とも言葉足らずだ。料金を下げたいだけなら、航空機のメンテナンスをやめたり、乗客にナプキンの使いまわしを頼めばいい。顧客の快適さや安全性の格付けといった付加価値が、同社の核心をなす節約の価値感を際立たせているのは明らかだ。とはいえ、「株主利益の最大化」は正確だが、チキンサラダを出すべきかどうかの判断には役に立たない。正確だが役立たずのアイデアは、やはり役に立たないのだ。

序章で「知の呪縛」、つまり知らなかったときのことを思い出す難しさについて述べた。役立たずの正確さは、「知の呪縛」の症状の一つだ。「株主利益の最大化」は、ＣＥＯにとっては役立つ行動指針かもしれないが、客室乗務員にとっては役に立たない。「確率の雲」は物理学者を魅了する現象だが、子どもには理解不能だ。

すべてを完璧な正確さで、今すぐ伝えたい。誰でもそう思ってしまう。だが本当は役立つ情報だけを与え、追加情報は後から小出しにすべきなのだ。

■ハリウッド映画界におけるイメージ：明確なコンセプトの企画

役立たずの正確さや「知の呪縛」を避けるには、類推を利用するといい。類推の威力は、イメージが生み出すものだ。ザボンはグレープフルーツに似ている。優れた新聞記事の構成は、逆ピラミッドに似ている。皮膚の損傷は老化に似ている——。類推は、相手が既に知っている概念を呼び起こすことによって、簡潔なメッセージの理解を可能にする。

優れた類推は大きな威力を発揮する。実際、予算一億ドルのハリウッド映画にゴーサインが出るかどうかは、たった一行の類推にかかっていることも多い。

ハリウッドの映画会社は、一本の映画を制作するのに平均数百本の企画や脚本を検討する。映画会社の幹部の気持ちなど想像もつかないかもしれないが、ちょっとやってみよう。彼らは身のすくむような決断を迫られている。映画に金を出すということは、要するに数百万ドルの資金と自分自身の評価を、実体のないアイデアに賭けるということだ。

映画の企画を住宅設計図と比較すればわかる。建築家がきちんと設計図を描き、誰かが建築費用を出せば、九カ月後にはほぼ間違いなく当初の設計図通りの家が建つ。

ところが映画の企画には、変更がつきものだ。脚本家が決まればストーリーが変わる。監督が決まれば映画の芸術性が変わる。配役が決まれば俳優の個性によって登場人物の性格が変わる。プロデューサーが決まれば予算やスケジュールの縛りが生じる。そして、数カ月あるいは数年後に映画が完成したら、宣伝部はたった三〇秒で映画の趣旨を宣伝しなければならない（しかも、ネタをばらさずに）。

このように、映画のアイデアは監督、俳優、プロデューサー、宣伝担当者といった自己主張の強い人々の意思を受けてどんどん変わっていく。そんなアイデアに数百万ドルを投資するのだから、よほど優れたアイデアでなければ、手を出す気にはならない。

ハリウッドでは、「明確なコンセプトの企画」という核となるアイデアが用いられる。そのいくつかは、読者もたぶん聞いたことがあるはずだ。映画『スピード』は「バスを舞台にした『ダイ・ハード』」、『13ラブ30』は「『ビッグ』の女の子版」、『エイリアン』は「宇宙船を舞台にした『ジョーズ』」だ。

明確なコンセプトの企画は、必ずしも別の映画が引き合いに出されるわけではない。例えば『E.T.』は「孤独な少年と友だちになり、故郷に帰る迷子のエイリアン」として企画された。とはいえ、古過去の映画作品を引き合いに出した企画は多い。なぜだろう？　ハリウッドの映画会社幹部は、古いアイデアを臆面もなく使いまわす連中ばかりなのか？　まあ、それもあるだろう。だがそれは理由の一部にすぎない。映画『スピード』が企画される以前には、そのコンセプトは映画会社幹部には存在しなかった。「ザボン」のことを知るまで、読者の頭に「ザボン」という語が存在しなかったのと同じだ。「バスを舞台にした『ダイ・ハード』」という簡潔なフレーズは、それまで存在しなかったコンセプトにわくわくさせるほど多くの意味を持たせる。このフレーズの威力さえあれば、かなり多くの重要な決断を下せるはずだ。アクション系の監督とインディーズ系の監督なら、アクション系。映画の予算は一〇〇〇万ドルより一億ドル。大スターと中堅無名俳優だけのアンサンブルキャストなら、大スター。夏休み公開とクリスマス公開なら、夏休みといった具合だ。

あるいは、例えばあなたが新映画『エイリアン』の舞台美術に起用されたとする。あなたの仕事は、映画の大部分の舞台となる宇宙船をデザインすることだ。どんな宇宙船だろう？　映画に関する知識が白紙なら、過去の宇宙船デザインに目を通すのが普通だろう。例えば、『スタートレック』のエンタープライズ号のように、最先端のピカピカな船内はどうだろう？

そこへボスがやって来て、映画のビジョンは、

「宇宙船を舞台にした『ジョーズ』だ」

と言う。こうなると、すべてが変わってくる。『ジョーズ』は最先端でもピカピカでもない。リチャード・ドレイファス演じる主人公が乗っていたのは、おんぼろの漁船だ。逃げ場のない船上で、焦りと不安に駆られ、一か八かの決断を下していく。汗臭い雰囲気だ。このように『ジョーズ』から連想されるものを考えていくと、アイデアが形になってくる。宇宙船は旧式で、薄汚れて、重苦しい雰囲気にしよう。乗組員のユニフォームは、決して明るい色のストレッチ素材ではない。船内は明るい照明や清潔さとは無縁だ。

明確なコンセプトの企画は、ハリウッド版の核心を突いたイメージだ。多くのアイデアと同様、これも類推の力を利用している。既存のイメージ（例えば、『ジョーズ』がどんな映画か）を想起させることによって、新しい映画に取り組む人々の理解を一気に促すのだ。

もちろん、企画がいいからといって、実際の映画もいいとは限らない。「宇宙船を舞台にした『ジョーズ』」にしても、何百人もの才能ある人々が何年もかけて取り組まなければ、駄作になっていたかもしれない。とはいえ、企画、つまりイメージがお粗末だと、映画は台なしだ。「宇宙船を舞台にした『愛と追憶の日々』」では、どんな監督でも救いようがない。

映画界という自己主張の強い人間環境で、明快なコンセプトの企画がこれほど効果を発揮するなら、普通の環境でもその効果を使えるはずだ。

創造的な類推

類推は概念の理解を促すばかりか、新しい考え方の土台にもなるので非常に役に立つ。例えば、認知心理学では過去五〇年間にわたり、脳をコンピュータに喩えることで多くの洞察を得てきた。脳よりもコンピュータのしくみの方が定義しやすい。だから、メモリ、バッファ、プロセッサなど、コンピュータのよくわかっている面をヒントに、脳に同様の機能を見出している。

よい比喩は「創造的」である。この言葉を最初に使ったのは、心理学者のドナルド・ショーンだった。彼は「新たな認知、説明、発明」を生みだす比喩を「創造的な比喩」と呼んでいる。実際、記憶に焼きつく単純明快なアイデアは、一見そうは見えなくてもたいてい創造的な比喩である。例えば、ディズニーランドでは従業員を「キャスト」と呼ぶ。従業員を演劇の役者に見立てたこの比喩は、全社的に用いられている。

- キャストは採用面接ではなく、役をもらうためのオーディションを受ける。
- 園内を歩くときは、舞台にいるのと同じ。
- ディズニーランドを訪れる人々は、顧客ではなくゲストである。
- 仕事はパフォーマンス、制服はコスチュームである。

演劇の比喩は、ディズニーランドの従業員に大いに役立っている。上の文を読んだだけでも、ここに書かれていない状況でキャストがどんな行動をとるべきか、予想がつく。例えば、従業員が制服を着たまま、あるいは人前で、休憩をとることは許されないだろう（役者が舞台の上でおしゃべりをしたり、タバコを吸ったりすることはありえない）。また清掃係の評価基準は、担当通路の掃除が行き届いているかどうかだけではないはずだ。園内通路の清掃係は、キャストの中でも特に高度な訓練を受ける。彼らは目につきやすく、ひと目で従業員とわかるため、乗り物やパレード、トイレの場所に関する質問を頻繁に受けるからだ。清掃係に自分の仕事はメンテナンス業務ではなくパフォーマンスだと思わせることは、ディズニーランドの成功の要だ。「従業員はキャストである」という一文は、五〇年以上のあいだ、ディズニーに役立ってきた創造的な比喩なのである。

これを、ファストフードのサンドイッチ・チェーン、サブウェイと比べてみよう。ディズニーと同じくサブウェイも、店頭の従業員をあるものに喩えている。それは「サンドイッチ・アーティスト」だ。この比喩はディズニーの「キャスト」と似ているが、出来はあまりよくない。従業員がとるべき行動の指針として役立っていないからだ。ディズニーはキャストが役者として行動することを求めている。しかし、サブウェイはカウンターの店員がアーティストのように行動することを求めていない。「アーティスト」とは個性を発揮するものだ。だが、サブウェイの従業員が服装や接客やサンドイッチのつくり方に個性を発揮したら、すぐクビになる。サブウェイのサンドイッチ・アーティストが一二インチのサンドイッチに入れるタマネギの量は、ひとつかみと決まっている。ターキーを一枚余分に挟んでくれる「芸術性」が彼にあるかどうかは、疑わしい。

単純明快さの威力

創造的な比喩とことわざの威力は、いずれも巧みな言い換えにある。つまり、想像しにくいものを想像しやすいものに置き換えているのだ。「手中の一羽は、茂みの中の二羽に値する」ということわざは、感情の渦巻く複雑な状況のなかでも、指針として役立つ具体的でわかりやすい表現だ。創造的な比喩も同じ役割を果たす。ディズニーランドの「キャスト」が未知の状況に直面したら、個人的立場ではなくディズニーランドに起用された俳優という立場で考えた方が対処しやすい。

単純明快さの理想は、ことわざだ。短く簡潔なフレーズを思いつくだけなら簡単だし、誰にでもできる。だが、簡潔でしかも深い意味のあるフレーズを思いつくのは、非常に難しい。それでも努力する値打ちがあることを、本章では示してきた。「核となる部分を見きわめ」、簡潔なアイデアの形で表現すれば、永続的に効果を発揮できるのだ。

Unexpected

第二章
意外性がある

旅客機が離陸するまでに客室乗務員は安全に関する機内放送を行わなければならないと米連邦航空局は定めている。出口の場所や、「機内の気圧が急に下がった」場合の対処法、シートを水中で浮きとして使用する方法、トイレでタバコを吸ってはいけない（あるいは、煙探知機をいじってはいけない）理由などを説明する。

飛行中の安全に関する機内放送を取り巻く環境は厳しい。乗客は誰も聞いていないし、当の客室乗務員も気にしていない。これと比べれば、議会の長ったらしい演説の方がまだ面白いくらいだ。あなたが安全に関する機内放送を頼まれたら、どうするだろう？　しかも、乗客に本当にきちんと聞かせなければならないとしたら？

カレン・ウッドという客室乗務員は、そんな状況に直面し、独創的にこれを解決した。ダラスからサンディエゴへのフライトで、彼女はこんな機内放送を試みた。

しばしお聞きください。ぜひ皆様に、安全面のご案内をしたいと思います。一九六五年以降、自動車に乗ったことがないというお客様、シートベルトを正しく締めるには、平らな金具をバックルの中にスライドさせてください。外すときは、バックルを持ち上げれば外れます。

また、歌にもありますように、恋人と別れる方法は五〇通りもありますが、この飛行機から脱出する方法は六つしかありません。前方に出口が二つ、左右の翼の上に非常用脱出口が二つ、そして、後方に出口が二つです。それぞれの出口の位置は、頭上の案内板と、通路沿いに設置された赤と白のディスコ調の照明で示されております。

ほら、思わず見てしまったでしょう。

ウッドのユーモラスな語りに、乗客はすぐ耳を傾けた。彼女が放送を終えると、パラパラと拍手が起きた（安全に関する機内放送でさえ、メッセージを上手く組み立てれば拍手がもらえる。誰にでも望みはあるということだ）。

コミュニケーションにおける最初の問題は、相手の関心をつかむことだ。話し手の中には、自分に注意を向けさせるだけの権威をもっている人もいる。例えば親がそうだ（「こっちを見なさい、ボビー！」）。だが、たいていの場合、自分に注意を向けさせることなどできないので、関心をつかむことが必要になる。だが、これが難しい。「関心のない人に関心を持たせることはできない」とよく言うが、常識で考えてもそうだろう。ところが、カレン・ウッドは、まさにそれをやってのけた。彼女は、大声一つ出すことなく、乗客の関心をつかんだのだ。

関心をつかむ最も基本的な方法は、パターンを破ることだ。人間は一貫したパターンがあると、すぐ順応する。同じ感覚的刺激を繰り返し受けると、それに注意を払わなくなるのだ。エアコンの音や、車の騒音、ろうそくの匂い、本の並べ方などがそうだ。こうしたことを意識するのは、エアコンが急に止まったり、夫か妻が本を入れ替えたり、何かが変わったときだけだ。

メッセージを伝えるには厳しい環境にもかかわらず、ウッドが乗客の関心をつかめたのは、乗客が聞き飽きた決まり文句を使わなかったからだ。ウッドはジョークで乗客の関心をつかんだだけでなく、その関心をつなぎとめた。だが、関心をつかむことだけが目的なら、あそこまで面白おかしくする必要はなかった。途中で急に黙り込んだり、何秒間かロシア語で話すといった方法でも、たやすく関心をつかめたはずだ。

人間の脳は変化に敏感にできている。賢い製品デザイナーはそれをよく知っているから、消費者の関心を製品に向ける必要があるときには、何かを変える。警告ランプが点滅するのは、点灯状態が続くとユーザーが注意を払わなくなるからだ。昔、緊急車両のサイレンは二つの音階の繰り返しだった。今のサイレンはもっと複雑な音で、前よりもさらに注意を引く。車の盗難防止用の警告音が不快なのも、人間の変化に対する敏感さに訴えるためだ。

本章では、二つの重要な問題について考える。一つは「どうやって関心をつかむか」という問題、もう一つはそれと同じくらい大切な「どうやって関心をつなぎとめるか」という問題だ。雑然とした環境を突破して相手の関心をつかまない限り、メッセージは伝わらない。また、メッセージの多くは複雑だから、相手の関心をつなぎとめない限り、やはり伝わらない。

この二つの問題の解決策を理解するには、驚きと興味という二つの基本的感情を理解する必要がある。この二つは、もともと記憶に焼きつきやすいアイデアに共通する感情だ。

・驚きは関心をつかむ。もともと記憶に焼きつきやすいアイデアの中には、驚くべき「事実」を紹介したものもある。「万里の長城は宇宙から見える唯一の人工建造物である」、「人間は脳の一〇%しか使っていない」、「人間は一日にコップ八杯分の水を飲むべきだ」など。また、都市伝説の多くは、筋書きに驚くべきひねりがある。

・興味は関心をつなぎとめる。記憶に焼きつきやすいアイデアのなかには、人々の興味を長くつなぎとめるタイプのものもある。人は陰謀説を耳にすると、新情報を熱心に集め続ける。また噂話を聞くと、その後の展開を知りたくて何度もその友人に確かめる。

もともと記憶に焼きつきやすいアイデアの多くは、意外性がある。アイデアの意外性を高めることができれば、もっと記憶に焼きつくはずだ。だが、「意外性」を生み出すことなど可能だろうか？「計画的な意外性」という言葉には、矛盾があるのではないか？

関心をつかむ

誰も予想もしない

「エンクレーブ」というミニバンのテレビCMは、公園の前にエンクレーブが停まっているシーンから始まる。アメフトのヘルメットを抱えた少年と、二人の妹が次々に乗り込み、「新型エンクレーブ、登場」という女性のナレーションが聞こえる。運転席には父親、助手席には母親。車のあちこちにカップホルダーがついている。父親がエンジンをかけ、車は車道を走り出す。「エンクレーブ、それは究極のミニバンです」

車は郊外の道路を滑るように走る。「リモートコントロールのスライディング・ドア、一五〇チャンネルのケーブルテレビ、大型サンルーフ、温度調節機能つきのカップホルダー、そして最大六地点表示のカーナビゲーション・システム……行動派ファミリーのためのミニバンです」

エンクレーブは交差点で停止し、車の窓から外を見つめる少年にカメラがズームインする。窓ガラスには大きな緑の木が映りこんでいる。父親は車を交差点の中へと走らせる。

そのときだ。

猛スピードの車が交差点に突っこんできて、エンクレーブの横腹に衝突する。恐ろしい衝突音。金属はねじ曲がり、ガラスは砕け散る。

徐々に画面が暗くなり、メッセージが現れる。

「予想もしませんでしたか?」

質問文が消え、代わってこんな言葉が現れる。

「誰もがそうなのです」

クラクションが鳴り続ける中、最後の一文が画面に現れる。

「シートベルトを締めましょう……どんなときも」

エンクレーブというミニバンは存在しない。この広告は米広告協議会が制作したものだ(広告主は米運輸省)。広告協議会は一九四二年の設立以来、多くの優れたキャンペーンを展開してきた。第二次世界大戦中の「口の軽さは船を沈める」も、最近の「友だちなら飲んだら運転させない」も広告協議会の仕事だ。広告協議会の多くの広告がそうであるように、エンクレーブの広告も、記憶に焼きつくアイデアの第二の特徴である意外性を用いている。

エンクレーブの広告に意外性を感じるのは、自動車のＣＭのイメージに反しているからだ。私たちは、車のＣＭとはどういうものかを知っている。ピックアップトラックは岩山を上り、スポーツカーは無人の道路のカーブを疾走する。ＳＵＶはヤッピーたちを乗せて森の中の滝へと向かう。そして、ミニバンは子どもをサッカー教室へと送り届ける。誰も死ぬことはない。

この広告にはもう一つ意外性がある。実生活で近所を走るときのイメージに反している。近所を車で走ることは多くても、たいてい無事に戻ってくる。このＣＭによって、事故とはそもそも意外なものであることに気づく。だからこそ、万が一に備えてシートベルトを、というわけだ。

イメージとは、推測する機械のようなものだ。私たちはイメージに助けられて、何が起き、その結果どんな判断を下すべきかを予測する。エンクレーブは「まさかこうなるとは思いませんでしたか？」と問いかける。実際、私たちはこうなるとは思っていなかった。つまり、推測機械が正しく機能せず、そのために驚いたのだ。

危機的状況に私たちがうまく対処するように、もろもろの感情が巧みに調整される。感情によって、私たちは行動や思考を用意する。怒りは戦いの、恐怖は逃走の用意である。だが、感情と行動の結びつきが微妙でわかりにくい場合もある。例えば、怒りには自分の判断への確信を深めさせる二次的効果があると、最近の研究でわかった。腹が立つと、自分は正しいと確信する。これは、人間関係の中で誰もが経験していることだ。

感情に生物学的な目的があるとするなら、驚きの目的は何だろう? 驚きは注意を喚起する。イメージが機能しないと私たちは驚き、機能しなかった理由を知ろうとする。推測機械が働かないと、驚きが注意を喚起する。そして、私たちは今後に備えて推測機械を修復できる。

驚きの眉

驚いたときの顔の表情は、あらゆる文化に共通している。ポール・エクマンとウォレス・フリーセンは共著『表情分析入門——表情に隠された意味をさぐる』(誠信書房)のなかで、驚いたときに特有の表情を「驚きの眉」という造語で言い表している。

「眉毛が弧を描いてつり上がる……眉が上がることにより、眉の下の皮膚が引っぱられて普段より露わになる」

眉毛がつり上がると目が大きく見開かれ、視野が広がる。驚きの眉は、体が人間にもっとしっかり見るよう強いる手段なのだ。また、驚いて見直すことにより、自分の見たものを確かめることもできる。反対に、怒ると目が細くなり、既にわかっている問題だけに意識を集中できる。驚くと眉が上がるだけでなく、下あごが落ちて口が開き、一瞬、言葉を失う。体は一時的に動きを止め、筋肉が弛緩する。まるで、しゃべったり動いたりせず、しっかり情報を取り込みなさいと体が求めているようだ。

つまり驚きには、予想外のものと直面し、推測機械が機能しなかった場合の一種の緊急停止命令的な役割がある。すべてが停止し、活動が中断されれば、自分を驚かせた出来事にいやでも注目する。ミニバンのコマーシャルが戦慄の事故で幕を閉じると、私たちは立ちどまり、いったい、どういうことなのかと考える。

意外性のあるアイデアが記憶に焼きつきやすいのは、驚きが注意を喚起し、考えさせるからだ。普段より高まった注意力と思考力が、意外な出来事を記憶に焼きつける。驚きは関心を引きつける。その関心は移ろうこともあるが、驚きが持続的な関心を生むこともある。驚きをきっかけに、根本的な原因を追究したり、他の可能性を想像したり、今後驚かなくてすむ方法を見つけようとする場合もあるのだ。

例えば、陰謀説の多くは、魅力的な人物が若くして突然亡くなるなど、予想外の事件が興奮を引き起こしたときに生じる。ＪＦＫやマリリン・モンロー、エルビス・プレスリー、カート・コバーンの死をめぐる陰謀説は存在するが、九〇歳の人の突然死をめぐる陰謀説にはあまりお目にかからない。

人は驚くと答えを見出そうとする。いったい、なぜ自分は驚いたのか、という疑問を解消したくなるからだ。驚きが大きければ、それだけ大きな答えを求める。注意を払ってくれるよう相手を動機づけたいのなら、大きな驚きの威力を利用すべきだ。

受け狙いは避ける

とはいえ、大きな驚きばかり追求すると、大きな問題が生じる場合もある。ついついやりすぎて、奇を衒《てら》いたくなるのだ。

一九九〇年代の後半は、ITバブルの全盛期だった。新興ベンチャー企業は自社ブランドの確立をめざして、何百万ドルも広告に注ぎ込んだ。消費者の関心には限りがある。その限られた関心を求めて広告がエスカレートするうちに、広告によって驚きや興味を誘うことが難しくなっていった。

二〇〇〇年のプロフットボール優勝決定戦「スーパーボウル」で、こんなCMが放映された。競技場で大学のマーチングバンドが練習している。一分の狂いもないメンバーたちの動きがクローズアップされる。そして、場面はスタジアムのトンネルへ。トンネルの向こうには競技場が広がっている。すると、いきなり十数匹の飢えたオオカミがフィールドに駆け込んでいく。バンドメンバーは怯えて逃げまどう。オオカミの群れがその後を追い、襲いかかる。

いったい、何が言いたかったのか？　私たちには全くわからない。確かに、見る人を驚かせ、記憶には残る。怯えるバンドメンバーをオオカミが追いかけるという悪趣味で滑稽な映像は、いまだに記憶に焼きついている。だがその驚きは、この広告が伝えるべきメッセージとは無関係であり無意味だった。仮にこれが「噛まれても破れないマーチングバンド用ユニフォーム」の広告なら、受賞ものだっただろう。

オオカミの広告は、エンクレーブの広告とは対照的だ。いずれも衝撃的な驚きを生むが、その驚きを利用して核となるメッセージを際立たせているのは、エンクレーブの方だ。第一章で、アイデアの核となる部分を見つけることが重要だと述べた。その核心的メッセージに役立つ形で驚きを利用すれば、大きな効果が期待できる。

HENSIONとPHRAUG ■

次に四つの単語が並んでいる。一つずつ読んで、実際に存在する英単語かどうか判断してみよう。

HENSION
BARDLE
PHRAUG
TAYBL

この課題を考案した研究者のブルース・ウィトルシーとリサ・ウィリアムズは、こう述べている。
「ＰＨＲＡＵＧとＴＡＹＢＬを見ると、多くの人が眉をつり上げた後、『ああ、そうか！』という反応を示す。一方、ＨＥＮＳＩＯＮとＢＡＲＤＬＥを見ると、たいていの人は顔をしかめる」

ＰＨＲＡＵＧとＴＡＹＢＬが驚きの眉を生じさせるのは、見覚えはないが、声に出すと聞き覚えがあるからだ。ＰＨＲＡＵＧがＦＲＯＧ（カエル）をおかしな綴りで表したものだと気づいたとき、「ああ、そうか！」という反応が起きる。

ＨＥＮＳＩＯＮとＢＡＲＤＬＥの場合は、もっと厄介だ。英単語によくある文字の並びを借用しているため、妙に見覚えがある。大学入試に出題される単語、たぶん知っているべきなのに、自分は知らないハイレベルな単語のような感じがする。だが実はＨＥＮＳＩＯＮもＢＡＲＤＬＥも、でっち上げの単語だ。ありもしない答えを見つけようと悪戦苦闘していた自分に気づいたとき、人は苛立ちを感じる。

ＨＥＮＳＩＯＮとＢＡＲＤＬＥは、洞察を得られない驚きの好例だ。驚きには大きな効果があり、アイデアを記憶に残すこともあると述べたが、ＨＥＮＳＩＯＮとＢＡＲＤＬＥの場合、驚かせはしても記憶には残らない。単にイライラさせるだけだ。このことから、驚きだけでは不十分なことがわかる。なるほどと思えるような洞察も必要なのだ。

人を驚かせるためには、先が読めてはならない。驚きは、予測可能性の対極にあるものだ。だが、相手を満足させるためには、驚きは「後から考えれば理解できる」ものでなければならない。振り返れば「なるほど」と思うが、そのときは予想もしなかった、というようなひねりが必要なのだ。ＰＨＲＡＵＧは後から考えれば理解できるが、ＨＥＮＳＩＯＮはできない。映画『シックス・センス』は、エンディングでそれまで張り巡らされてきた数々の伏線が結びつき、あっと驚かせる。こういう映画やテレビ番組を見終わったときの印象と、予想外だが受け狙いの結末（「それは全部、夢だった」）から受ける印象を比べればわかるだろう。

本章ではまず、驚きは推測機械が働かなくなったときに生じることを指摘した。驚きの感情は、私たちが将来に備えて推測機械を改良できるよう、推測機械の故障に注意を向けさせようとするのだ。本章ではさらに、オオカミの広告のような受け狙いの驚きと、後から理解できる意味のある驚きの違いも示した。

要するに、アイデアを記憶に焼きつくものにしたければ、相手の推測機械をいったん壊してから修理しなさい、ということだ。とはいえ、驚かせたり推測機械を壊すといっても、オオカミの広告のような受け狙いになってはならない。それを避け、予想外のアイデアから何がしかの洞察を得られるようにするには、聴き手の推測機械の核となるメッセージにかかわる部分を狙うのが一番だ。本書では、このやり方の例を既にいくつか見てきた。

第一章で紹介した新聞発行人、フーバー・アダムズの「人名、人名、とにかく人名」がそうだ。地方紙記者の多くは、このモットーを聞いても当たり前のことだと思うだろう。彼らの「優れた地方記事」のイメージには、地域社会を取り上げた記事が当然含まれているからだ。

だが、アダムズが言いたかったのは、そういうことではない。彼は、それよりずっと過激なことを考えていた。そこで彼は、こんなふうに言うことで彼らのイメージを破った。

「できることなら、電話帳をそのまま印刷してでも人名を載せたいほどだ。実際、人名を十分集められるなら、植字工を増員し、紙面数を増やしてでも全部載せるだろう」

ここで記者たちは、「人名、人名、とにかく人名」が自分たちのイメージと一致しないことに気づく。彼らのこれまでのイメージが「できるだけ地域的な視点を強調する」だったとすれば、アダムズはそれを「人名は、たとえ収益を犠牲にしても、すべてに優先する」と置き換えた。これは、意外性の威力を利用したメッセージの一例だ。

第一章で紹介したもう一つの事例は、サウスウェスト航空の「最格安航空会社」という評判だった。ここでも、サウスウェストの従業員や顧客の多くは、同社が格安航空会社であることを知っている。そういう文脈で見ると、この評判は当たり前のように思える。だが、ケレハーが顧客の求めるチキンサラダを出そうとせず、この評判を押し通したとき、初めてこの評判の意味は深く理解された。それまで、普通の従業員の推測機械が予測するのは、せいぜい「低コストで顧客を喜ばせたい」くらいのことだっただろう。だが、ケレハーによって、彼らの推測機械は「一部の顧客の意向を無視してでも、最格安航空会社となる」と改良されたのだ。

つまり、アイデアを記憶に焼きつくものにするには、次のようなプロセスをたどるとよい。

(一) 自分が伝えるべき中心的メッセージを見きわめる(核となる部分を見きわめる)。
(二) そのメッセージの意外な点を探し出す(核となるメッセージが言外に示す意外なことや、当たり前のようなのになかなか実現しない理由など)。
(三) どきりとさせる意外なメッセージの伝え方で聴き手の推測機械を破壊する。推測機械が作動しなくなったら、今度はその修正を促す。

世間の常識は、記憶に焼きつくメッセージの大敵だ。常識のように聞こえるメッセージが、右の耳から左の耳へと抜けていくのは当然だろう。言われなくても直感的にわかることなら、わざわざ記憶に焼きつけるまでもないからだ。危ないのは、常識のように聞こえても、実はそうではない場合が多いことだ。フーバー・アダムズやサウスウェスト航空の例がまさにそうだ。その場合、メッセージの常識に反する部分をさらけ出すことは、伝える者の仕事となる。

ノードストロームとタイヤチェーン

ノードストロームは飛びぬけた顧客サービスで知られる百貨店だ。だが、通常以上のサービスにはそれなりの代価が求められるので、ノードストロームで物を買うと高くつくこともある。それでも多くの人が喜んで高い値段を払うのは、他の店よりずっと快適に買い物ができるからだ。

ノードストロームの戦略が機能するには、最前線の従業員を顧客サービスの狂信的な支持者に仕立て上げることが欠かせない。従業員は最初からそうなるわけではない。サービス業経験者の場合、元の職場では上司が労働コスト削減に必死だったというケースが多い。顧客サービスの一般的なイメージは、「お客はどんどん呼び込み、どんどん追い出すこと。それも、なるべく笑顔で」といったところだ。

ノードストロームの採用面接を受けに来る人には、長年こういうイメージに基づいて行動してきた人が多い。ところが、ノードストロームの理念は、それとは打って変わって「効率を犠牲にしても顧客を満足させること」である。ノードストロームは、どうやって従業員のイメージを破壊し、別のイメージに置き換えているのだろう。

その方法のひとつが、意外性のある逸話の利用だ。ジェームズ・コリンズとジェリー・ポラスは共著『ビジョナリーカンパニー――時代を超える生存の原則』(日経BP社)の中で、ノードストロームで語られる物語をいくつか紹介している。それは、従業員の意外なサービスに関するものだ。ちなみに、同社の従業員は社内で「ノーディー」と呼ばれている。

顧客が午後の会議に着る新品のシャツに、アイロンをかけたノーディー。
顧客がメーシーズで買った商品を、喜んでギフト包装したノーディー。
顧客が買い物をしているあいだに、車を温めておいたノーディー。
パーティ準備におおわらわの奥様に、なんとか間に合うギリギリのタイミングでドレスを届けることができたノーディー。
他店で買ったタイヤチェーンの返金をしたノーディー。

こうした物語がノードストロームの新入社員に、衝撃とは言わないまでも驚きを与えることは想像に難くない。

「メーシーズの商品にギフト包装だって？　理解できない。そんなことをして何になるんだ？」といった具合だろう。これらの物語は「サービスは客が店を出るまで」、「買わない客に時間をかけるな」、「売ったらすぐ次の客にかかれ」といった顧客サービスの語られざる前提に修正を迫る。

ライバル店で買った商品にギフト包装をするなんて新入社員にとっては常識はずれで、「サービス」という既成概念からかけ離れているため、この物語を聞くと思考が停止する。推測機械が壊れてしまうのだ。従来の「優良サービス」の推測機械からは、どこを叩いても自己犠牲的なギフト包装という考えは出てこない。これらの物語は、新入社員の「優良サービス」のイメージをノードストロームのサービスのイメージに置き換えるための第一歩なのだ。

ノードストロームはこうやって常識という思い込みを打破する。「ノーディー」の物語を広める代わりに、「業界最高の顧客サービス」を提供することがわが社の使命であると言うことも可能だ。だが、言葉は真実でも、ＪＣペニーやシアーズも残念ながら同じことを言っている。メッセージを記憶に焼きつけるには、常識を脱して非常識にまで達しなくてはならない。「優れた顧客サービス」は常識だが、冬に顧客の車を温めるのは常識に反する。

これがセブン‐イレブンの従業員の逸話なら、意外性はさらに高まり、ますます常識に反しただろう。例えばこんな具合に。

「そうなんだよ。タバコを買いに行ったら、店員がシャツにアイロンをかけてくれたんだ！」

だが物語の価値は、意外性自体が生み出すわけではない。価値を生むのは、ノードストロームの目標と物語の内容との完璧な整合性だ。これがセブン‐イレブンの物語なら、別の意味で問題だ。セブン‐イレブンの経営陣は、ギフト包装する店員が続々と現れることなど望んではいないからだ。

ノードストロームの物語は、意外性が威力を発揮した好例だ。これらの物語は、受け狙いと思われるおそれはない。驚きの後で洞察が得られるからだ。つまり、良きノードストローム社員はどうあるべきかを、これらの物語は教えてくれる。これこそ、核となるメッセージに役立つ非常識だ。■

ジャーナリズム基礎講座

ノラ・エフロンは、映画『シルクウッド』、『恋人たちの予感』、『めぐり逢えたら』の脚本でアカデミー賞候補にもなった脚本家だ。彼女はニューヨーク・ポスト紙とエスクァイア誌の記者だった。ジャーナリストになったのは、高校のジャーナリズムの教師のおかげだ。

エフロンは、ジャーナリズムの授業の初日のことを今でも覚えている。生徒はジャーナリズムの経験こそなかったが、授業を受ける前からジャーナリストの仕事がどんなものかをある程度、感覚的に知っていた。ジャーナリストは事実を入手し報告する。事実を入手するために、誰が、いつ、どこで、何を、なぜ、の五つのWを突き止める。

生徒が手動タイプライターの前に座ると、教師は最初の課題を言い渡した。それは、新聞記事のリードを書くことだった。教師は事実をまくしたてた。

「ビバリーヒルズ高校のケネス・L・ピータース校長は今日、次のように発表した。来週木曜、同校の教員全員がサクラメントに行き、新しい教授法の研修を受ける。研修会では、人類学者のマーガレット・ミード、大学の学長であるロバート・メイナード・ハッチンス博士、カリフォルニア州知事のエドマンド・〝パット〟・ブラウンらが講演を行う」

ジャーナリストの卵らはタイプライターに向かい、人生初のリードを書いた。エフロンを含め大半の生徒のリードは、事実を並べ替えてまとめたものだった。

「木曜日、サクラメントでパット・ブラウン州知事、マーガレット・ミード、ロバート・メイナード・ハッチンスがビバリーヒルズ高校の教員を前に講演をする……」

といった具合だ。

教師はリード文を集めると、さっと目を通して脇に置き、しばし沈黙した。

ようやく口を開いた彼は、こう言った。

「この記事のリードは、『来週の木曜は休校となる』だ」

「一瞬、息を呑んだ」

とエフロンは回想する。

「あの瞬間、ジャーナリズムとは事実を反復することではなく、ポイントを見つけることだと気づいた。誰が、いつ、どこで、何をしたかを知っているだけでは足りない。それが何を意味するのか、なぜそれが重要かを理解する必要がある」

エフロンによると、その後の一年を通して、どの課題にも秘密が隠されていた。生徒が良い記事を書くために理解すべきポイントが秘められていたのだ。

まさに、記憶に焼きつくアイデアの真骨頂だ。この教師は生徒に大きな影響を与えたが、それは話が面白いからでも、面倒見のよい指導者だからでもなく（もちろん、それもあったかもしれない）、見事なアイデアを用意したからだった。そのアイデアは、生徒の頭にあるジャーナリズムのイメージを一瞬で書き換え、一人の生徒の職業選択に影響を及ぼし、三〇年後も記憶に焼きついている。

このアイデアはなぜ成功したのか？　この教師は生徒が抱くジャーナリズムのイメージが不完全なこと、どのように不完全かを知っていた。次に、「リードを書く」という課題を出し、不完全なイメージに基づいて取り組ませ、結果を公表させた。その上で、巧みに構成された驚きで生徒の足をすくった。彼は、正しいリード（「来週の木曜は休校となる」）を示すことによって、生徒の頭にあったジャーナリズムのイメージに素早く喝を入れ、もっとよく働くようにしたのだ。

アイデア・クリニック

米国の対外援助は多すぎる？

背景説明：ここ数年の世論調査によると、米国民の過半数は政府の対外援助は多すぎると考えている。九・一一の同時多発テロ後は、そのように考える人の割合が五〇％近くまで減ったが、米国民の半数は依然として多すぎると思っている。次の二つのメッセージは、対外援助は多いどころか少なすぎることを、国民に納得させるためのものだ。

メッセージ1：このメッセージは、「コミュニティ間の平和と正義センター」というカトリック系団体が作成したものである。

国務省をはじめとする政府機関の誠実な情報提供努力にもかかわらず、米国民は依然、わが国の対外援助は多すぎると思っている。ブッシュ大統領の対外援助増加案は歓迎できるものの、それでもなお米国の対外援助は多いとは言えない。ブッシュ政権の二〇〇三年度の対外援助は約一五〇億ドルとなる見通しだが、約半分の七〇億ドル以上が経済援助ではなく軍事援助である。連邦議会予算局の最近の試算によると、八〇億ドルという海外経済援助額は、イラク戦争の一カ月分の費用にも届かない。先進諸国の中で米国の対外援助比率は最低、しかもその状態が何年も続いている。サハラ以南アフリカ諸国への経済援助額は合計一〇億ドル強にすぎず、B-2爆撃機一機分の値段と変わらない。米国は善行で世界に名を馳せる国であると国民は思っているが、対外援助計画を見る限りそうではない。

メッセージ1へのコメント：まず、リードが埋もれている。一番効果的なのは最後の一文だ。米国人の抱く米国のイメージは、寛大で思いやりのある国、「善行で名を馳せる国」なのである。このイメージを打破するには、米国の「対外援助比率が最も低く、しかもその状態が何年も続いている」という厳然たる事実を突きつけるしかない。

一〇億ドル単位の数字が記憶に残る可能性は低い。大きな数字は実感がわきにくく、覚えにくいからだ。このメッセージの中で、「大きな数字の問題」の克服に役立つのが、サハラ以南アフリカ諸国への援助とB-2爆撃機一機分の値段を比較した部分だ。この比較はとてもいい。読んだ人が「自分なら、B-2爆撃機と引き換えにサハラ以南アフリカ諸国への援助額を倍増するか?」という意思決定モードに置かれるからだ。

このメッセージをもっと記憶に焼きつくものにするために、二つのことを試みてみよう。まず、もともと書かれていた素晴らしい素材の位置を入れ替え、一〇億ドル単位の数字の位置づけを弱める。次に、より共感を得られる具体的な比較対象を選ぶ。B-2爆撃機は、人によっては妥当な支出対象と見なす。もっと意外性があり、誰が見ても重要性の低い比較対象を考え出そう。

メッセージ2:米国は善行で世界に名を馳せる国であると国民は思っているが、対外援助計画を見る限りそうではない。米国は対外援助に相当な額を費やしていると国民は思いこんでいるが、実際の金額はそれよりはるかに少ない。世論調査によると、米国人は連邦政府予算の一〇~一五%が海外援助に充てられていると思っているが、実は一%にも満たず、先進諸国の中で最低である。

サハラ以南アフリカ諸国への経済援助額は、合計一〇億ドル強にすぎない。米国民全員が月に一度だけ缶ジュースを我慢すれば、アフリカへの援助額を二倍に増やすことができる。また、一年に一度、映画を我慢すれば、アフリカとアジアへの援助額を倍増できる。

メッセージ2へのコメント：メッセージをもっと記憶に焼きつくものにするために、以下の工夫をした。まず、「寛大な米国」というイメージを単刀直入に打破し、関心をつかむ。また、一〇億ドル単位の数字よりもパーセンテージの方がわかりやすいので、そちらを多く使った。次に、B-2爆撃機の類推を缶ジュースと映画の類推に置き換え、具体性を高めた。B-2爆撃機の値段や価値が「直感的に」わかる人はまずいないが、缶ジュースや映画なら身近でわかりやすい。缶ジュースや映画は取るに足りない支出なだけに、アフリカの深刻な人道的ニーズとの対比を実感できる。

【採点表】

項目	**メッセージ1**	**メッセージ2**
単純明快である	ー	○
意外性	○（B-2との比較）	◎（導入部および比較）
具体的である	○	○
信頼性	○	○
感情に訴える	ー	○
物語性	ー	ー

結論：人々の関心をつかむ最良の方法は、既存のイメージを単刀直入に打破することだ。

■関心をつなぎとめる

土星の輪の謎

本章の冒頭に二つの問題を提起した。一つは「どうやって関心をつかむか」という問題、もう一つは「どうやってその関心をつなぎとめるか」という問題だ。これまで紹介してきた意外性のあるアイデアの多くは、どちらかというと基本を軽く修正しただけのものだった。ノラ・エフロンのジャーナリズムの教師もそうだが、アイデアに深みはあっても、すぐに伝え切れる内容なだけに、短時間、関心をつかめばすむ。だが、メッセージがもっと複雑な場合もある。複雑なメッセージに人々の関心をつなぎとめるには、どうすればいいのか？　どうすれば関心をつなぎとめることができるのか？

数年前、アリゾナ州立大学の社会心理学者でベストセラー『影響力の武器』の著者ロバート・チャルディーニは、執筆活動や授業で科学をもっとうまく伝えたいと思い立ち、ヒントを求めて図書館に行った。彼は、科学者が素人向けに書いた本を手当たり次第手に取り、気に入った箇所をコピーした。大量のコピーに目を通して、その共通点を探した。

面白くない文章の特徴は、だいたい予想通りだった。何が言いたいかわからず、形式的すぎ、専門用語が多い。一方、「これは」と思う文章の長所も、ほぼ予想通りだった。構成が明確、事例に実感がわき、文章も流暢だ。「ところが」と、チャルディーニは言う。

「意外なことに気づいた。優れた文章は、すべて謎かけで始まっている。つじつまの合わない問題状況を書いた上で、読者を謎解きの世界に誘って、物語を展開している」

チャルディーニの記憶に焼きついた文章は、天文学者が書いたもので、やはり冒頭に謎が示されていた。

太陽系の惑星にはそれぞれ特徴があるが、中でも最も目を引くのは土星の輪だ。この輪はいったい何なのか。このような輪は他には見当たらない。そもそも、土星の輪は何でできているのか?

この後、著者は次のように問いかけ、謎をさらに深めている。

「これについて、国際的に定評のある三つの研究チームが答えを出しているが、それがすべて異なるのはどういうわけだろう。ケンブリッジ大学の研究チームに言わせれば、土星の輪はガスだが、マサチューセッツ工科大学のチームに言わせれば塵粒だし、カリフォルニア工科大学チームは氷の結晶だと言う。同じものを見ているはずなのに、なぜこうも違うのか。正解は何か?」

答えはミステリー仕立てで解明される。三つの研究チームは、それぞれ有望な手がかりを追ったり、行き詰まったり、糸口を探したりと苦労を重ねた挙句、数カ月後、ついに謎を解明する。チャルディーニは言う。

「二〇ページを読み進み、最後に明かされる答えは何だと思う？　塵だよ、塵。実際には氷に覆われた塵だから、混乱があったのも無理はない。それにしてもだ。私は塵になど興味はないし、土星の輪が何でできていようと私の生活には関係ない。なのに、この書き手のおかげで、速読家のような勢いで読み進んでしまった」

謎には威力があると、チャルディーニは言う。結末を知りたいという欲求を生み出すからだ。

「『なるほど』と思わせるのが大事なことは、知っているだろう。実は、その前に『はあ？』と思わせておくと、『なるほど』の満足度がぐっと増す」

書き手の天文学者は、謎を生み出すことによって、塵に興味をもたせた。しかも、すぐに結論を明かすのではなく、科学理論や実験の説明が詰めこまれた二〇ページの文章を読むあいだ、ずっと関心をつなぎとめた。

チャルディーニが自分の授業で謎を提示してみたところ、効果はすぐに現れた。授業の冒頭に謎を示し、講義中も折にふれ謎に立ち返り、最後に答えを明かす。ところがあるとき、謎が解明される前に授業終了のベルが鳴った。

「いつもなら、終了時刻の五分か一〇分前には教室を出る準備を始める学生がいる。やおら、鉛筆を片付けたり、ノートを閉じたり、バックパックのジッパーを開けたりするんだ」

だが、この日は教室じゅうが静まり返っていた。

「ベルが鳴っても、誰も動かない。実際、謎を解明しないまま講義を終えようとしたら、抗議の嵐が起きた」

まるで、ダイナマイトを発見した気分だったと彼は言う。

チャルディーニによると、授業で謎を利用する最大のメリットは「謎解きのプロセスが科学のプロセスと驚くほど似ていること」だ。だから、謎を利用すると、その日のテーマへの関心を高めるだけでなく、科学的思考のトレーニングにもなる。

謎は科学の専売特許ではない。はっきりした答えのない問題には、謎がつきものだ。動物園でパンダを繁殖させるのはなぜ難しいのか？　わが社の新製品はなぜ顧客に人気がないのか？　子どもに関数を教える一番いい方法は？

これは、今まで述べてきた意外性よりも、一つ次元の高い意外性である。例えばノードストロームの場合、ノーディーの物語には即効性があった。ノーディーは顧客の車を温める！　そう聞けば、従来の顧客サービスのイメージが瞬時のうちに呼び起こされ、否定され、改良される。だが、謎の働きは違う。謎は、意外な一瞬ではなく、意外な旅から生まれる。目的地はわかっている（要は謎を解きたいのだ）が、そこへたどりつくための道筋は定かではない。

イメージの打破は一度しか通用しないが、一撃で相手の何かを一変させる。もし「土星の輪は乾燥機の糸くずでできている」と書いてあったら、読者のイメージは破られただろう。これは「第一段階の」意外性とでも呼ぶべきものだ。だが実際にはそうではなく、「土星の輪の謎」はもっと長くて複雑な話だ。土星の輪が何でできているかは科学者にもわからないと聞かされ、結末の読めない旅へと誘われる。これは第二段階の意外性だ。こうして、一瞬の驚きは持続的な関心へと移行する。

ハリウッドの脚本はいかにして好奇心をそそるか ■

映画『大逆転』の前半、脚のない乞食ビリー・レイ・バレンタイン（エディ・マーフィ）がスケートボードのようなものに乗っかり、腕で地面を押しながら公園をうろついている。通行人に金をせびったり、綺麗な女性をデートに誘って嫌がられていると、二人の警官がやって来て乱暴に彼の体を引っぱりあげる。すると、何不自由ない両脚が露わになる。バレンタインは詐欺師なのだ。

その後、老実業家のデューク兄弟がバレンタインの身元引受人となり、警官を説得して釈放させる。いくつかのシーンの後、重厚なオフィスに三つ揃えのスーツを着たバレンタインがいる。デューク兄弟は彼を商品仲買人に仕立て上げたのだ。

脚本セミナーを主催するロバート・マッキーは、これを例に「ターニング・ポイント」の概念を説明する。マッキーは、聴衆の関心をつなぎとめる方法を知っているようだ。なにしろ、彼が脚本セミナーを開くと、五〇〇ドルの受講料を払って聴きにきた脚本家の卵で大ホールが満席になる。ビレッジ・ボイス誌は、彼のセミナーを「脚本家だけでなく、俳優、監督、批評家、それにごく普通の映画ファンも必聴」と評している。教え子の中からは、『ＥＲ緊急救命室』、『ヒル・ストリート・

ブルース』、『Xファイル』などのテレビドラマや、映画『カラーパープル』、『フォレスト・ガンプ／一期一会』、『13日の金曜日』などの脚本家、監督、プロデューサーが生まれている。

マッキーは言う。

「好奇心とは、疑問を解消し、曖昧な状況をはっきりさせようとする知的欲求だ。ストーリーは、この普遍的欲求を逆手にとり、疑問を提示して状況を曖昧なままにする」

映画『大逆転』では、バレンタインとデューク兄弟の「ターニング・ポイント」が観客の好奇心を掻き立てる。抜け目のない詐欺師のバレンタインが、商品仲買人としてどんな腕前を見せるのか、と。

マッキーに言わせると、優れた脚本はすべてのシーンが「ターニング・ポイント」だ。「どのターニング・ポイントも好奇心をくすぐる。『次はいったい何が起こるんだろう』、『この先、どうなるんだろう』と観客に思わせる。その答えは、最終幕のクライマックスまで明かされない。だから観客は好奇心のとりこになり、見続ける」

マッキーによると、「この先、どうなるんだろう」という疑問は、先が読めてもつい見続けさせるほどの威力がある。

「つまらない映画なのに、どうしても答えが気になって最後まで見てしまうことが君にもあるだろう」

「次はいったい何が起こるんだろう」、「この先、どうなるんだろう」。私たちは、この疑問への答えを求める。その欲求が私たちの関心を持続させるのだ。おかげで、つまらない映画を見続けてしまうこともあれば、長い科学論文を読み通せることもある。マッキーとチャルディーニは全く異なる問題に取り組むうちに、同じ解決策に行き着いたのだ。

だが、こうした謎がなくても強烈な興味を掻き立てている分野がある。ポケモンのキャラクターとその特徴を夢中で覚える子どもたちがそうだ。彼らにも何らかの動機があるはずだが、それは「この先、どうなるんだろう」という疑問ではない。カーマニアがカー・アンド・ドライバー誌を毎号読みふけるのは、謎が解き明かされていくからではない。とはいえ、後で述べるように、ポケモン・ファンやカーマニアと、映画の観客や魅力的な授業を受ける学生とのあいだには、何がしかの共通点がある。

人はなぜ興味を持つのかについて心理学は何十年も研究してきた。人間の興味をテーマとする研究の究極の目標は、状況的興味とは何かを説明することだ。つまり、ある状況の中のどの要素が興味を点火し、強めるのか、ということだ。何が状況を興味深いものにするのか。実は、チャルディーニとマッキーは、かなりの線までそれを解明している。

好奇心の「隙間理論」■

一九九四年、カーネギー・メロン大学の行動経済学者ジョージ・ローウェンスタインは、状況的興味をきわめて包括的に説明した。その内容は、驚くほどシンプルだった。好奇心が生じるのは、自分の知識に隙間を感じたときだというのだ。

ローウェンスタインによると、隙間は苦痛を生む。何かを知りたいのに知らないというのは、どこかが痒くて掻きたくなるのと同じだ。その苦痛を取り除くためには、知識の隙間を埋めなければならない。くだらない映画を見るのは苦痛なのに、我慢して最後まで見るのは、結末がわからない苦痛の方がはるかに大きいからだ。

この興味の「隙間理論」こそ、いくつかの分野が熱烈な興味を掻き立てる理由だろう。つまり、そうした分野はおのずと知識の隙間を生み出す。映画についてもマッキーが同じことを言っている。「物語の働きは、疑問を提示し、状況を曖昧なままにすることである」

私たちは、映画を観れば「次はいったい何が起こるんだろう？」と思い、ミステリー小説を読めば「誰がやったんだろう？」と思う。スポーツの試合を見れば「誰が勝つだろう？」と思い、クロスワードパズルをすれば『精神分析学者』がヒントの六文字の単語とは何だろう？」と思う。そして、ポケモン・カードを集める子どもは、「足りないのはどのキャラクターかな？」と思うわけだ。

隙間理論は、ある重要なことを示唆している。つまり、隙間を埋める前には、隙間をつくる必要がある、ということだ。私たちは、ついたくさんの事実を告げたくなる。だがその前にまず、その事実の必要性を相手に認識させる必要がある。ローウェンスタインによると、メッセージの必要性を相手に納得させるための秘訣は、まず欠けている知識に光を当てることだ。相手の知識の隙間を突く質問やクイズでもいいし、あなたの知らないことを他の誰かが知っていると指摘してもいい。選挙やスポーツ、ミステリーのように、結末のわからない状況を提示したり、結末を予想させる手もある（そうすれば、「何が起きるのか」と「自分の答えは合っていたか」という二つの知識の隙間を生み出すことができる)。

地方テレビ局のニュース番組では、次の放送への期待を煽るCMが流される。その煽り文句が笑えるほど大げさだ。その夜のトップニュースの予告ならこんな具合だ。

「一〇代の若者に蔓延する新種の麻薬――あなたの家の常備薬は大丈夫か!?」

「あの有名レストランの製氷機に細菌が!?」

「家の中の目に見えない化学物質が、今この瞬間もあなたの体を蝕んでいる!」

これは隙間理論をセンセーショナルに利用した例だ。こうしたCMが効果を発揮するのは、視聴者が知らないことをちらつかせて悩ませるからだ。それまで気にも留めていなかったことでも、自分が知らないという事実に気づくと、気になりはじめる。

「うちの娘も私の古い処方薬で中毒になっているのだろうか?」

「細菌の出たレストランって、私の食べたことのある店?」

このCMのやり方をほんの少し真似れば、私たちもコミュニケーションをもっと面白いものにできる。次のクリニックでは、そのやり方を説明しよう。

アイデア・クリニック

資金調達に関する社内プレゼンテーション

背景説明：あなたは地方の劇団の資金調達責任者である。仕事は、劇団の活動資金となる寄付を集めることだ。そろそろ年度末なので、あなたは劇団役員会への総括報告の準備をしている。

メッセージ1：（ここに挙げたメッセージはいずれも架空のものだ）

今年は、三五歳未満の演劇ファンをターゲットとして寄付を集めてきた。われわれの目標は、若年層からの寄付を増やすことだ。これまで若年層は、観客全体に占める割合が高いわりに寄付者に占める割合は低かったからである。この層を獲得するために、われわれは電話での寄付依頼計画を実施した。開始から半年でほぼ二〇％の反応があり、成功と考えている。

メッセージ1へのコメント：このメッセージは典型的な要約手法である。事実を論理的に順を追って並べ、嚙み砕いて話すやり方だ。プレゼンテーションの進め方としては、無難でノーマル。リスクは全くない。

このメッセージを改良するには、事実を無理やり呑み込ませるのではなく、興味を引き出す方法を考える必要がある。そこで、ニュースのCMの手法をほんの少し、加味してみよう。

メッセージ2：今年は、ある疑問の解消に取り組んだ。その疑問とは、当劇団の観客の四〇%は三五歳未満なのに、彼らが寄付者全体に占める割合がわずか一〇%なのはなぜか、という疑問である。われわれは、当劇団の活動がどれほど寄付に支えられているかを、若年層は知らないのではないかと考えた。そこで、この層に電話をかけ、当劇団事業の概要と今後の上演予定を伝えることにした。この試みを始めて半年になる。当初の予測では、反応率が一〇%なら成功と考えていた。結果を報告する前に、まずどのようにこの企画を立ち上げたかを説明する。

メッセージ2へのコメント：この手法は隙間理論にヒントを得ている。要約するよりも知りたいと思わせ、その上で、相手の知りたがっていることを教えようとしている。土星の輪の謎と同じように、最初にまず謎を投げかけ（なぜ若年層はもっと寄付をしてくれないのか）、その上で仮説を提示し、その検証方法を説明する。謎は聴き手を巻き込み、その後どうなったのか、仮説は果たして正しいのかなど、あれこれ考えさせる。

ここでは、内容よりも組み立てを改良している。確かに、さほど興味深い謎ではない。人気番組『ロー&オーダー』には、間違っても登場しないエピソードだ。だが、謎が登場すると、誰もが俄然関心を持つ。ミステリー形式には固有の魅力がある。

【採点表】

項目	メッセージ1	メッセージ2
単純明快である	－	－
意外性	－	○
具体的である	－	－
信頼性	○	○
感情に訴える	－	－
物語性	－	－

結論：聞き手の興味をつなぎとめたければ、好奇心の隙間理論を利用すればいい。ちょっとした謎が大きな効果を発揮する。

ニュースの期待を煽るＣＭの手法は、どんな文脈でも、またどんなタイプのアイデアにも利用できる。コミュニケーションの効果を高めるには、「どんな情報を伝えるべきか」から、「どんな疑問を抱かせたいか」という考え方に切り換える必要がある。

自信過剰に打ち勝つ

隙間理論は、相手が知らないことを指摘できるかどうかにかかっている。問題は、多くの人が自分はたいていのことは知っていると思っている点だ。調査結果を見ると、人は通常、自分の知識量を過信していることがわかる。

例えば、こんな調査がある。回答者に自分たちの大学で深刻化している駐車スペース問題について考えさせた。回答者は一定の時間内に、できるだけ多くの解決策を考えるように言われる。回答者が出した解決策の数は、合計約三〇〇。これをおおまかに七つのカテゴリーに分類した。駐車のニーズを減らす方法の提案（駐車料金の値上げなど）、駐車スペースの利用効率化（「小型車専用」スペースを設けるなど）などだ。

専門委員会が別途考えた最良の解決策のうち、回答者が解決策として出したのは平均三〇％未満だった。これは、しかたのないことだ。大量の解決策をひとりで考え出せというのは無理な話だ。ところが、各回答者に自分の成果を評価してもらったところ、解決策の概ね七五％は提案したと考えていることがわかった。回答者は、解決策の半数以上を見過ごしながら、半数以上を思いついた気になっていたのである。

自分は何でも知っていると思っている相手に、隙間理論は使いにくい。そんな自信過剰に打ち勝つ方法がある。例えば、ノラ・エフロンのジャーナリズムの教師は、生徒が抱いていたジャーナリズムのイメージを壊すことで、自信過剰を防いだ。既成概念に基づいてリードを書かせたうえで、足をすくったのである。

自分の予想を責任を持って貫かせることは、自信過剰防止に役立つ。ハーバード大学の物理学教授であるエリック・メーザーは、「コンセプト・テスト」という画期的な教育法を考案した。メーザーは授業でよく概念的な質問をする。そして、その答えに公開で投票させる。一つの答えに肩入れするという単純な行為によって、学生たちの結果に対する関心や好奇心が高まるのだ。

自信過剰な人は、他人が自分に同意していないと気づいたとき、知識の隙間を認識する場合が多い。ナンシー・ロウリーとデービッド・ジョンソンは、小学校五、六年生の児童が授業であるテーマについて話し合う様子を観察した。一方のグループでは全員の意見が一致するよう議論が導かれ、もう一つのグループでは正解に対して異論が出るよう議論が導かれた。

すると、安易な合意に達した児童はテーマにあまり関心を持たず、調べ物もあまりせず、図書館で追加情報を得る児童も少なかった。両グループの違いが最も鮮明に表れたのは、休み時間にテーマに関する専門的な映画を見せたときだった。休み時間をつぶして映画を観た児童の割合は、意見の一致したグループでは一八%だったのに対し、異論の出たグループでは四五%。知識の隙間を埋めたい、誰が正しかったかを知りたいという欲求を、すべり台やジャングルジムで遊びたいという欲求より強くすることは可能だ。

隙間は知識から

好奇心が知識の隙間から生まれるなら、知れば知るほど知識の隙間は減り、好奇心も薄れると考えるかもしれない。だが、ローウェンスタインに言わせれば、実際はその逆だ。人は情報を得れば得るほど、自分の知らないことに目を向けがちだと彼は言う。全米五〇州のうち一七州の州都を知っている人は、自分の知識を得意がる。だが、四七州の州都を知っている人は、自分は三つの州都を知らないと思うことが多い。

分野によっては、おのずと知識の隙間に脚光が当たる。三面記事が魅力的なのは、人間がどういうものかはわかっていても、ドラマチックな体験をした人の気持ちはわからないからだ。オリンピックでメダルをとるのは、どんな気持ちなのだろう？　宝くじに当選したときの気分は？　シャム双生児のチャン・バンカーとエン・バンカーはどういう気持ちなのだろう？（どちらも結婚し、子どもを一〇人もつくったというのだから、別の意味でも興味がわくだろう）

人がゴシップ好きなのは、当の人物のことはよく知っているのに、足りない情報があるからだ。だから、ちょっとした知り合いの噂話はしなくても、有名人のゴシップにはことのほか興味を掻き立てられる。タイガー・ウッズやジュリア・ロバーツが何者かを知っているだけに、パズルの足りないピース、奇行や恋愛のもつれ、秘められた悪事を埋めたくなるのだ。

好奇心は、知識の隙間が生み出す。といっても、もともとたいした知識がない場合はどうか？　一九六〇年代、当時設立されたばかりの民放テレビ局ＡＢＣが、ＮＣＡＡ（全米大学体育協会）のアメリカンフットボールの放映権を獲得した。大学スポーツは典型的な内輪ネタである。根っからのスポーツファンを除き、たいていのファンは母校のチームのことしか気にかけない。しかも、ＡＢＣが放映できるのは、一週間に各地区で数試合だけ。採算をとるには、視聴者の関心を母校チーム以外の試合にも向けさせる必要があった。

テキサス州の小都市カレッジステーションの視聴者に、ミシガン大学とオハイオ州立大学の対戦を見てもらうには、どうすればいいのか？　二九歳のルーニー・アーレッジという社員が、大学アメフト試合の番組改善提案書を書いた。それまでの彼の主な仕事は、野球とボクシングとアメフトの試合の撮影スタッフの割り振りだった。

アーレッジの目から見れば、改善の余地は十分にあった。従来のスポーツ中継といえば、カメラを据え、フィールドに焦点を合わせ、何かが起きるのを待つだけだった。それ以外はすべて無視。ファンも、チームカラーも、応援合戦も視野に入っていない。「まるで小さなのぞき穴からグランドキャニオンを見ているようだった」と、アーレッジは言う。

ある土曜の午後、朝からだらだらと過ごしていたアーレッジは、気をとり直してタイプライターの前に座り、上司への提案書を作成した。

これまでテレビは、視聴者に試合を届けるという偉業を成し遂げてきたが、これからは、視聴者を試合へと誘うことになる！……

オープニングの番組提供クレジットの後、いつものようにフィールドの全体像を映す代わりに、事前に撮影した大学キャンパスや競技場の様子を放映し、視聴者を誘いこむ。熱狂的なアメフトファンの集うオハイオ州コロンバスにやって来た気分、あるいはオレゴン州コーバリスの小さくても熱狂的なファン集団に加わった気分を視聴者に味わわせる。そして、周辺地域や大学キャンパスの風景、試合を見ている人々の数、試合を見に来た地元の人の服装、二つの大学にとってこの試合が持つ意味などを、視聴者に理解させる。

提案書は三ページから成り、カメラのアングル、激しいプレーの撮影、オープニング画像まで論じていた。だが、なんと言っても提案書の要は、視聴者の関心を引きつける新しい手法だった。視聴者は普段、オレゴン州コーバリスの大学スポーツ試合など気にもかけていない。だが、試合の背景情報を十分に与えれば、気になりはじめる。そこが狙いだとアーレッジは訴えた。

ABCの社内はアーレッジの提案に沸き立った。二日後、ろくに実績もない二九歳のアーレッジが、自分の提案通りにアメフトの番組をプロデュースするよう依頼された。

アーレッジは、ローウェンスタインの隙間理論を直感的に利用した。テーマに関心を持たせるには、知識の隙間を指摘すればいい。だが、相手にたいした知識がなく（例えばジョージア・ブルドッグというチームについてほとんど知らず）、隙間どころか大きな穴がぽっかりと開いていたら？　その場合は、穴を埋めて隙間程度にするための知識を与えるしかない。アーレッジは、大学のある地域について説明し、地元のファンの様子を見せ、キャンパスの風景を映し出した。選手の気持ち、対抗意識、チームの歴史を興味深く語った。その結果、試合がはじまる頃には、視聴者は勝利の行方が気になりはじめた。それどころか、試合に釘づけになる視聴者もいた。

アーレッジが次に担当を命じられたのは、後に「ワイド・ワールド・オブ・スポーツ」と改称されたシリーズ番組だった。この番組は自転車レースのツール・ド・フランス、ル・マン自動車レース、ロデオのチャンピオンシップ、スキーやサッカーの試合など、米国人がそれまで見たことのないスポーツイベントを紹介する内容だった。アーレッジは、大学スポーツのために考案したやり方をここでも応用した。文脈を設定し、十分な背景情報を与えれば、視聴者は知識の隙間が気になる。ル・マン二四時間耐久レースで脱落するのは誰か？　教師から乗馬に転じた選手はロデオチャンピオンになれるのか？　イエローカードとは何なのか？

二〇〇二年、アーレッジは他界した。彼はＡＢＣスポーツとＡＢＣニュースを相次いで統括し、人気番組の「ワイド・ワールド・オブ・スポーツ」、「マンデー・ナイト・フットボール」、「20／20」、「ナイトライン」を立ち上げ、エミー賞を三六回受賞した。彼が大学アメフト試合のために考案した手法は、時代を経てその効果が実証された。背景情報を与えて関心をつかむ。これは、今ではどこでも使われているテクニックで、当たり前のように思える。だが、背景情報をふんだんに与えるこのやり方は、二九歳の青年が大学アメフトを面白くする方法について書いた提案書に由来する。

教師の中にも、アーレッジと同様のやり方で生徒の関心を高めようとしている人が多い。「アドバンス・オーガナイザー」とも呼ばれるこの教授法は、新しい題材に生徒の関心を引きつけるため、生徒が既に知っていることに光を当てるという考え方だ。地学の教師なら、プレート・テクトニクスを論じる前に、地震の被害写真を生徒に持って来させてもいい。アーレッジ風に背景情報を提供して、生徒に興味を持たせる手もある。化学教師なら、メンデレーエフが元素の整理に長年情熱を燃やした話をしてから、元素の周期表を教えるのもいいだろう。そうすれば、推理小説のような文脈の中で周期表を紹介することができる。

知識の隙間は興味を生み出す。だが、知識に隙間があることを実証するためには、まず何らかの知識に光を当てる必要がある。

「あなたは、これだけのことを知っています。でも、これは知らないでしょう」

というふうに。文脈を設定すれば、相手は次に何が起きるか気になる。ミステリー作家やクロスワードパズル制作者がヒントを提示するのは、たまたまではない。あとひと息で謎が解けると思えば、好奇心に駆られて最後まで進めるからだ。

映画に出てくる宝探しの地図は、曖昧で判然としない。描かれているのは、いくつかの目印と、宝のありかを示す×印だけ。最初の目印をどうにか見つけられるだけの情報を頼りに、主人公は長い宝探しの旅の第一歩を踏み出す。これが地図サイトで作成した道順案内つきの地図だったら、冒険映画は成り立たない。情報は順を追って提示してこそ価値がある。大量の情報を一度に投げ与えるのではなく、ヒントを小出しにするのだ。この手法は、授業というより異性の口説き方に似ている。

意外性のあるアイデアは知識に隙間を開け、じらしながら誘惑する。発見すべきものは大きな赤い×印で示しながら、そこにたどり着く方法は必ずしも教えるわけではない。次に見るように、この巨大な赤い×印は、何千人もの人々を何年にもわたって行動へと駆り立てることもある。

月面着陸とポケットサイズのラジオ

第二次世界大戦後、瓦礫と化した東京で、ある若い企業が倒産の危機に直面していた。後のソニーである。少数ながら優秀な研究者と技術者を擁していたが、第一号発明品の電気炊飯器が失敗し、短波ラジオの修理でなんとか生き延びていた。

技術部門を率いる井深大はその頃、米国のベル研究所で発明されたトランジスタに興味を持った。井深には、五〇人の研究者と技術者を奮起させる一大プロジェクトがどうしても必要だった。トランジスタに大きな可能性を感じた彼は、ベル研究所から技術ライセンスを取得しようとした。ところが、通産省から待ったがかかった。これほどの最先端技術が、この若い企業の手に負えるのかと疑われたからだ。

一九五三年、井深は無事、トランジスタのライセンスを取得する。彼には、トランジスタを用いたラジオを開発するというビジョンがあった。トランジスタラジオの利点は技術者には明らかだった。当時のラジオは大きな真空管を用いていたため、かさばる上に感度が悪かった。それがトランジスタなら、真空管をなくせるのだ。ベル研究所からは「トランジスタラジオ」は不可能だと言われていた。それでも井深の率いる技術者たちは、このビジョンを追究した。

ここでしばし井深の心境を想像してみよう。会社は経営難、優秀な部下は奮起できる仕事を求めている。考えられる方向性は無数にある。炊飯器でもラジオでも電話でも、開発部門が開発できそうなものなら何でもいい。だが、最も有望なのはトランジスタラジオのはずだ。

つまり、核となるメッセージはトランジスタラジオという夢である。このメッセージに意外性をもたせるには、どうすればいいか。どうやって部下の好奇心と興味を掻き立てればいいのか。部下を動機づけるには、「トランジスタラジオ」の概念そのものだけでは弱い。価値よりも技術が主眼になってしまうからだ。「トランジスタラジオ？　それがどうした？」で終わりかねない。

では、お馴染みの経営的概念を持ち出すのはどうだろう。競争なら「トランジスタラジオの研究でベルに勝とう」、品質なら「世界一流のラジオメーカーをめざそう」、技術革新なら「世界最先端のラジオを開発しよう」というふうに。

だが、井深が部下に提案したのは、

「ポケットに入るラジオ」

だった。

今では当たり前のことのように思えるが、初めてこれを聞かされたソニーの技術者たちは、「なんと不遜な（意外で非常識な）アイデアだろう」と思ったはずだ。当時、ラジオはポケットに入れるものではなく、家具の一つで、ラジオ工場には専任の家具職人が雇われていた。

それに、優秀なベル研究所の人間が無理だと言っている大発明を、新興の日本企業がやってのけるなどというアイデアに、信憑性はなかった。一九五〇年代の「メイド・イン・ジャパン」は粗悪品の代名詞だったのだから。

だが、ソニーの技術者には才能とハングリー精神があった。「ポケットに入るラジオ」という井深のアイデアは社内に受け入れられ、ソニーを驚異的成長へと駆り立てることになる。一九五七年には従業員が一二〇〇人にまで増え、同年三月、世界初のポケットサイズ・ラジオ「TR-55」を発売。トランジスタのライセンスを手にして、わずか四年後のことだった。TR-55は一五〇万台を売り、ソニーは世界的企業の仲間入りを果たした。

ところで、「ポケットに入るラジオ」は「記憶に焼きつく」アイデアというより、優れた製品アイデアにすぎないのではないか？　いや、そうではない。その両方であり、どちらの要素も不可欠なのだ。確かに、あのとき井深が世界最高級の炊飯器の道を選んだとしても、いずれ世界の誰かがトランジスタラジオを発明しただろう。トランジスタラジオは、いつかは実現するはずの技術だった。だが、最初に完成したトランジスタラジオは、ポケットサイズには程遠かった。井深の意表をつくアイデアがなければ、技術者は本当に使いやすい小型サイズを実現する前に、技術の追究をやめていたかもしれない。井深は、数百人の技術者に全力投球を迫る意外なアイデアによって、何年もかかる取り組みへと彼らを駆り立てたのだ。

一九六一年五月、ケネディ大統領は議会の臨時会議で演説を行った。冷戦が国際政治を支配していた時代のことだ。冷戦下では、国家の成功を勝ち負けで測れるような分野は限られており、中でも特に目立つ分野で米国は大きく出遅れていた。その分野とは宇宙だった。

この演説の四年前、最大の技術先進国を誇る米国を驚愕させる出来事が起きた。ソビエト連邦が世界初の人工衛星スプートニクを打ち上げたのだ。結局、米国も独自の人工衛星を打ち上げたものの、ソ連はその後も次々と世界初の偉業を成し遂げ、米国をリードした。一九六一年四月、ソ連の宇宙飛行士ユーリ・ガガーリンが世界初の有人宇宙飛行を達成。その一カ月後、米国の宇宙飛行士アラン・シェパードがこれに続いた。

ケネディはこの演説で、米国が冷戦下でリーダーシップを維持するために必要な国民の支援を説明した。大統領は、国際開発庁プログラムの設立、NATO拡大、中南米と東南アジアにおけるラジオ・テレビ局の開設、民間防衛の強化など、数々の戦略目標の達成に資金が必要なことを訴えた。ところが演説の終盤、口調が微妙に変化した。大統領が最後に提案したことは、国際援助とも民間防衛とも無関係だった。

「わが国は、六〇年代の終わりまでに人類を月に着陸させ、無事地球に帰還させるという目標の達成に、全力を尽くすべきだ……これに賛同するなら、一人のみならず国民全員が月に行くことになる。一人を月に立たせるためには、われわれ全員の努力が必要だからである」

井深のアイデアもケネディのアイデアも、意外性があり驚きを生む。ラジオは家具であってポケットに入るものではない。人間は月を歩かない。月はずいぶん遠いし、空気もない。

また、どちらからも洞察が得られる。話を一歩ずつ進めるのではなく、いきなり劇的に今後の展開を垣間見せる。それも、どんなふうに展開するかというだけでなく、なぜそうなるのかも示している。

どちらも知識の隙間を生み出す。隙間理論の生みの親ローウェンスタインは、知識の隙間が苦痛であることを忘れるなと言う。

「好奇心が快適なら、それを解消しようとするはずがない。なぜミステリー小説は、結末を読むまでやめられないのか。なぜ野球の試合が接戦だと、最終イニングまでテレビを消せないのか」

井深のアイデアもケネディのアイデアも、意外なだけでなく知識の隙間を大きく開く。ただし、埋めるのが無理と思えるほど大きな隙間ではない。ケネディは「人類を水星に」とは言っていないし、井深は「人体に移植できるラジオを」とは言わなかった。どちらも大胆で挑発的な目標だが、思考を麻痺させるほどではない。「人類を月に」という演説を聞いた技術者らは、すぐさまブレーンストーミングを始めたはずだ。「まず、この問題を解決して、それからこの技術を開発する必要がある、それから……」

「ポケットに入るラジオ」というビジョンは、ある企業を困難な成長期を通じて支え、国際的な技術企業へと導いた。「人類を月に」というビジョンは、ほぼ一〇年間にわたり何十もの組織、何万人もの人々を支えた。いずれも壮大で強力、記憶に焼きつくアイデアである。

相手の関心をつかみ、その関心をつなぎとめられるかどうか自信のないときには、ケネディと井深からヒントをもらおう。また、もっと身近な例なら、ノラ・エフロンのジャーナリズム教師やノードストロームの経営者がいる。核となる部分に役立つ意外性は、驚くほどの持続性を発揮する場合もある。

第三章
具体的である

ある夏の暑い日、キツネがブドウ畑を歩いていた。ふと見ると、高いところによく熟れたブドウがなっている。「ちょうどいい、喉がカラカラだったんだ」。キツネは二、三歩さがって助走し、ブドウに飛びかかった。だが届かない。引き返して、今度はもっと勢いをつけて助走し、再び飛びかかった。また失敗。キツネは何度も何度も飛びかかった挙句、疲れ果てて諦めた。キツネは何くわぬ顔で立ち去りながら、こう言った。

「どうせあのブドウは、酸っぱいに違いない」

手に入らないものを蔑むのは簡単だ。

この『キツネとブドウ』は、イソップの寓話だ。古代ギリシャの歴史家ヘロドトスによると、イソップは奴隷だった（後に解放される）。彼は世界史上、最も記憶に根付いた物語をいくつも書いた。『ウサギとカメ』、『オオカミと少年』、『金の卵を産んだガチョウ』、『羊の皮を着たオオカミ』など、イソップの代表的作品は誰もがどこかで聞いたことがあるはずだ。本書では数々の逸話や物語を紹介しているが、数千年後にまだ語り継がれているものがあるとすれば、それはたぶん『キツネとブドウ』だろう。

英語圏の人なら、『キツネとブドウ』を知らなくても、この話の教訓を表した「酸っぱいブドウ（sour grapes）」という表現は知っているはずだ。ハンガリーにも、「酸っぱいブドウ」という意味の「savanyu a szolo」という言葉がある。中国では「手が届かないブドウは酸っぱい」と言う。スウェーデン語ではやや地域色が加わり、「あのナナカマドの実は酸っぱいと、キツネは言った」となる。

イソップはまぎれもなく、あらゆる人間が持つ弱点を示した。人間性にまつわる深い真実を伝えた寓話でなければ、二五〇〇年以上も生き延びるはずがない。だが、同様に深い真実でも、さまざまな文明の日常的な会話や思考に必ず浸透するとは限らない。イソップの真実がことのほか記憶に焼きつくのは、記号化のしかたによる。ブドウ、キツネ、酸っぱいブドウに対する負け惜しみといった具体的な情景を想起するからこそ、このメッセージは生き残った。これが「失敗しても負け惜しみを言わないこと」などという「イソップの有益な助言」だったなら、アイデアの寿命はもっと短かったはずだ。

世界は、多くの寓話を求めている。インターネットの風刺的なサイトに「ビジネス用語作成表」なるものが紹介されている。三つの語群から一語ずつ選んで並べると、「相互・コストベース・リエンジニアリング」、「顧客志向的・ビジョナリー・パラダイム」、「戦略的・物流・価値」などの造語ができあがる（どの言葉も妙にそれらしく聞こえるから不思議だ）。教師には教師向けの専門用語がある。「メタ認知技能」、「内因性動機づけ」、「ポートフォリオ評価」、「発達上適切」、「テーマ学習」などだ。医師に至っては、例を挙げるまでもないだろう。私たちのお気に入りの医学用語は「特発性心筋症」だ。「心筋症」とは患者の心臓に何らかの問題があるということで、「特発性」とは「その患者の心臓が機能しない理由がわかりません」ということだ。

言語は抽象的になりがちだが、生活はといえば、抽象的なものではない。教師は戦争や動物や本について生徒に教え、医師は胃や背中や心臓の病気を治す。企業はソフトウェアを開発し、飛行機をつくり、新聞を配達し、昨年のモデルより安く、速く、高性能な自動車をつくる。どんなに抽象的な企業戦略も、最後は人間の具体的な行動に落とし込まれる。そうした具体的な行動は、抽象的な戦略の説明より理解しやすい。ブドウにケチをつけるキツネの方が、人間心理にまつわる抽象的な助言よりわかりやすいのと同じだ。

抽象的であれば、アイデアの理解や記憶が難しい。同じ抽象的表現でも人によって全く違う解釈をすることがあるから、他人の行動と調和させるのも難しくなる。具体的であれば、こうした問題を避けられる。これこそ、イソップが私たちに残した最大の教訓かもしれない。

自然管理委員会 ■

自然管理委員会（ザ・ネイチャー・コンサーバンシー、TNC）は、五〇年にわたり、世界各地の希少な自然環境をごく簡単な方法で保護してきた。その方法とは、対象となる土地を買い上げることだ。市場価格で土地を購入し、開発や森林伐採など環境を破壊する用途を禁じる。TNC内部で「ドルとエーカー」と呼ばれるこの戦略は、寄付者や後援者にも受けがよい。自分たちの寄付の成果が手に取るようにわかるからだ。高額の寄付をすれば、広い土地を買うことができる。少額の寄付なら、狭い土地を買うことができる。ある寄付者の言葉を借りれば、TNCは「自分の足で踏みしめることができる成果」を生み出した。

二〇〇二年、TNCカリフォルニア支部の最高執行責任者（COO）であるマイク・スウィーニーは、大きな試練に直面していた。カリフォルニアには重要な自然環境が多くあり、TNCにとってとりわけ重要な地域だった。同州は世界に五つしかない地中海性気候地域の一つだ（他の四つは、南アフリカのフィンボス、チリのマトラル、オーストラリアのクウォンガン、そしてもちろん地中海沿岸）。これら地中海性気候圏が世界の陸地面積に占める割合はわずか二％だが、世界の植物種の二〇％以上がこれらの地域に生息している。地中海性気候地域の土地を買えば、同じコストでより多くの種を保護できるわけだ。

二〇〇二年、スウィーニーらはカリフォルニアの地図を広げ、自然破壊が危惧される地区に色を塗った。驚いたことに、地図の四〇％が塗りつぶされた。これではお手上げだ。こんなに多くの土地を買う資金はない。

とはいえ、同州の九％は「危機的状態」に分類されている。九％でも広すぎて買えないが、どこも環境的に重要な地域だ。ＴＮＣとしては、あっさり諦めるわけにいかない。

そこで彼らは新たな手法をとり入れた。「ドルとエーカー」戦略はこれほど広大な土地には通用しない。そのため、土地を所有する代わりに、危機的状態の地域を確実に破壊から守ろうとした。地主から「保護地役権」を買い取り、土地開発をさせないようにするのだ。州や地域に働きかけて政策を変え、私有地と公有地の環境保護を促す。土地のように買い取ることのできない重要な海域にも応用する。

この新戦略は理にかなっていた。これなら「ドルとエーカー」戦略よりも広い面積を保護できる。だが、難点もあった。寄付する側にとって、この戦略は具体性に乏しかった。いくら政府が望ましい規制を定めても、寄付者はそれを「踏みしめる」ことはできない。さらに、ＴＮＣ職員の士気が低下するおそれもあった。成果が目に見えないからだ。土地の買い取りだけやっていた頃は、「取引さえ成立すれば、祝うことができた。『ジョンとメリーがどこそこの土地を手に入れた』と発表し、彼らをねぎらえばよかった」

と、スウィーニーは言う。こうした「画期的瞬間」は士気の高揚に役立つ。だが、新しいやり方では、そんな瞬間がなかなか訪れない。新戦略にもっと具体性を持たせるには、どうすればいいのか。

あなたがこの状況に立たされたら、どうするだろう。曖昧になりがちな状況の中で、「ドルとエーカー」戦略がもっていた具体性を取り戻す方法はあるのだろうか。カリフォルニア州の四〇％（最低でも九％）を保護しなければならないのに、買い取ることはできない。寄付者や提携先にどう説明すればいいのか。

チップはスタンフォード大学の授業でこの事例を取り上げ、具体性を持たせる方法を話し合った。学生たちからは、こんな案が出た。大きすぎて達成不可能な課題（カリフォルニア州の四〇％、危機的状況の土地が九％）を、もっと具体的な「小目標」に分割する。例えば「今後二〇年間、毎年カリフォルニア州の二％を保護していく」というふうにだ。また、「エーカー」のように理解しやすい単位を用いる案も出た。米国人ならたいてい一エーカーがどれくらいの広さか想像できるからだ。だが、カリフォルニア州の二％でも約二〇〇万エーカー。スケールが大きすぎて、実感がわかない。

抽象的な大目標を具体的な小目標に分けようとするのは賢明だ。これは正解である。だがこの場合、数字が大きすぎた。それに、面積で考えるのは、必ずしも最良ではない。一五〇〇エーカーの土地の方が九万エーカーの土地よりも環境的価値が高い場合もある。「一年に何エーカー」という考え方は、美術館の学芸員が作品の時期や様式、制作者にはおかまいなしに「一年に絵を何枚」入手しようとするのと同じだ。

では、ＴＮＣはどうしたか。彼らは土地の面積ではなく「景観」を語ることにした。景観とは、独特の環境的希少性をもつひと続きの土地のことだ。ＴＮＣは今後一〇年間に五〇の景観を保護するという目標を立て、そのうち二五カ所を緊急優先課題とした。「年に五つの景観」は、「年間二〇〇万エーカー」より現実味があるし、はるかに具体的だ。

シリコンバレーの東に、茶褐色の丘陵地帯がある。ヨセミテ並みの原生自然へと続くこの丘陵地帯は、サンフランシスコ湾の重要な分水界だが、シリコンバレーの拡大で急速に開発が進んでいた。生態学的には重要な地域だが、セコイアの森林や海岸地区のように心を打つ美しい風景はない。草に覆われた丘陵のところどころに、オークの木が数本生えているだけだ。草はいつ見ても茶色い。スウィーニーも、ここの景色があまり魅力的でないことを認めていた。未開発地の保護に関心をもつシリコンバレーの地元団体でさえも、この茶色い丘陵は眼中になかった。だが、スウィーニーは言う。

「われわれは、景色がきれいだから守ろうとするわけではありません。自然界で生態学的に重要な位置を占める土地だから守ろうとするのです」

ＴＮＣはオークが点在するこの草原を「ハミルトン山原生自然地区」と名づけた（ハミルトン山

はこの丘陵地帯において最も高い山で、展望台もある)。ひと続きの景観として特定し、名前をつけたおかげで、この地区は地元団体や政策立案者の意識の中に位置づけられることになった。シリコンバレーの団体は、以前からこの近辺の重要地区を保護したがっていたが、どこから手をつけていいのかわからなかったと、スウィーニーは言う。

「『シリコンバレーの東にとても重要な地区がある』と言っても、それでは具体性がなく、存在しないも同じ。ところが、『ハミルトン山原生自然地区』と言えば、相手も俄然興味を持ってくれる」シリコンバレーの団体で、ヒューレット・パッカードの創設者の一人が立ち上げたパッカード財団が、ハミルトン山原生自然地区の保護に高額の寄付をしてくれた。サンフランシスコ湾岸地域の他の環境保護団体も、この地区の保護キャンペーンに乗り出した。スウィーニーは言う。「いつも笑うんですよ。人の作った書類を読むと、ハミルトン山原生自然地区と書いてある。『これは私たちが名づけたんだよね』と」

都市部の住民は、自分たちの住む地区に名前をつけ、定義づける傾向が強い。「カストロ」、「ソーホー」、「リンカーンパーク」などだ。こうした名称は、その地区と特徴を定義している。地区には人格がある。TNCはさまざまな景観を対象に、それと同じ効果を生み出した。ハミルトン山原生自然地区は、面積何エーカーかの土地ではない。環境保護界の「セレブ」なのだ。

この逸話の焦点は土地ではなく抽象性だ。TNCは、地図上の抽象的で曖昧なエリアを、形のある具体的な景観へと変えることにより、「年間二〇〇万エーカーの保護」といった抽象性の罠を回避した。状況や解決策が具体性を失っても、自分たちのメッセージを曖昧化させてはならないと気づいたTNCは賢明だった。具体的であることは、記憶に焼きつくアイデアに欠かせない要素なのだ。

引き算の理解

何かを「具体的」にするにはどうすればよいのか。五感で検証できるものは具体的だ。V8エンジンは具体的だが、「高性能」は抽象的だ。具体的であることとは、つまるところ特定の人々の特定の行動である場合が多い。「意外性」の章でノードストロームの一流の顧客サービスについて書いた。「一流の顧客サービス」は抽象的だが、顧客のシャツにアイロンをかけるノーディーは具体的だ。

具体的な言葉は新しい概念の理解を助ける。特に、相手が初心者の場合はそうだ。抽象性は専門家だけの特権だ。あるアイデアを大勢の人に伝えなければならないが、聞き手が何をどの程度知っているのかわからないといった場合、具体的に話すのが無難だ。

このことを理解するために、まずアジアの算数の授業を見てみる。脂肪分たっぷりの食品の消費量を除くほとんどの面で、東アジアの子どもが米国の子どもを上回っていることは、何年も前からニュースで報じられてきた。差が特に顕著なのが算数だ。数学的技能において、アメリカ人は幼い頃からアジア人に水をあけられている。小学一年生ともなると差は歴然とし、小学校の期間を通じてその差は広がっていく。

アジアの学校は何が違うのか。アジアの学校は授業時間が長く、規律に厳しく、ロボットのように効率的に運営されているというのが米国人の固定概念だ。東アジアの児童は「創造性」に劣るとも思っている。アジア人の児童がアメリカ人の児童よりも優れているのは暗記力だと思いたいのだ。ところが、事実は正反対だった。

一九九三年、ある研究チームが日本と台湾の学校一〇校ずつと、米国の学校二〇校を調査した。各校二名ずつ算数の教師を選び、その授業を四回ずつ観察したところ、どの教師も暗記を多用していることがわかった。どの国でも平均して授業の半分以上が暗記にあてられていた。ところが、暗記以外のテクニックは、国ごとに大きく異なっていた。

例えば、日本のある教師はこんなふうに質問した。

「一〇〇円もっていましたが、七〇円のノートを買いました。お金はいくら残っているでしょう」

また、台湾の教師はこんなふうに質問した。

「三人の子どもがボール遊びをしていました。後から二人来ました。それからまた一人加わりました。今、何人で遊んでいるでしょう」

この教師は、話しながら黒板に棒を書き、それから「3＋2＋1」という式を書いた。

これらの教師は、文房具の買い物やボール遊びといった身近で具体的な例を示すことによって、抽象的な数学の概念を説明した。彼らの説明は、既存のイメージを利用している。本書の「単純明快であること」の章で述べたやり方だ。既存のイメージである六人のボール遊びの成り行きを取り出し、その上に新しい抽象的概念を重ねている。

研究者はこの質問様式を「文脈のなかの計算」と名づけた。それは「暗記」とほぼ正反対だ。米国人の固定概念とは裏腹に、アジアの授業でこうした質問が行われる割合は、米国の約二倍だった（アジアは全授業の六一％、米国では三一％）。

こんな例もあった。日本のある教師が机の上にタイルを一〇個ずつ五列に並べ、そのうち三列を取り除いた。教師は残ったタイルの枚数をある児童に尋ねた。児童は正解を言った。二〇個だ。教師はその上で、この問題が引き算で解けることがわかるかどうかを児童に尋ねた。教師は児童に引き算の視覚的イメージを提供した。児童は、五〇枚のタイルから三〇枚のタイルを取り除く具体的な作業の様子を土台に、引き算という抽象的概念を構築することができた。研究者はこうした質問を「概念的知識の質問」と名づけた。この種の質問は、日本では全授業の三七％、台湾では二〇％あったが、米国ではわずか二％だった。

具体的なものを抽象性の土台として用いるやり方は、算数の授業に役立つだけではなく、理解の基本原則だ。初心者は具体的なものを必死で求める。学術報告や技術論文やレポートの抽象的で難解な言葉に面食らい、心の中で例を求めて叫んだことはないだろうか。あるいは、料理のレシピが抽象的すぎて、イライラしたことはないだろうか。

「十分粘りが出るまで煮つめます」

と言われても、何分煮ればいいのかわからないし、どんなふうになるのか写真が見たい。同じ料理を何度か作れば、感覚的なイメージがつかめてきて、「十分な粘り」の意味がわかってくるだろう。だが初めてのときは、「３＋２＋１」という式を見せられた三歳児と同じで、全く意味がわからない。

このように、具体的であることは理解を助ける。既存の知識や認識を土台に、より高度でより抽象的な洞察が得られる。抽象性には、何らかの具体的な土台が必要だ。具体的な土台なしに抽象的原則を教えるのは、家を建てはじめるときに、空中に屋根を葺くようなものだ。

具体的であると覚えやすい

具体的なアイデアは記憶しやすい。例えば、単語を考えてみよう。人間の記憶の実験によると、人は視覚化しやすい具体的な名詞（「自転車」や「アボカド」）を覚える方が、抽象的な名詞（「正義」や「人格」）を覚えるよりも得意だ。

もともと記憶に焼きつきやすいアイデアは、具体的な言葉やイメージにあふれている。「ケンタッキー・フライド・ネズミ」もそうだし、「臓器狩り」の氷風呂もそうだ。もし男が目覚めたときに盗まれていたものが腎臓ではなく自尊心だったら、これほど記憶に焼きつきはしないだろう。

イェール大学の研究者エリック・ハブロックは、『イリアード』や『オディッセイ』のような口承文学を研究している。彼によると、こうした物語の特徴は、具体的な行動に富み、抽象性に乏しいことだ。これはなぜだろう。プラトンやアリストテレスを生んだ古代ギリシャ人が、抽象的概念の理解に苦労したとは思えない。ハブロックは、時代を経るにつれ、物語から抽象性が失われていったと考えている。物語が世代間で語り継がれるときに、記憶に残りやすい具体的な細部が生き残り、抽象的な部分は徐々に抜け落ちていったというのだ。

時は流れ、現代。時代を超越したもう一つの美しい表現分野に目を向けてみよう。会計だ。会計学の教授は、大学生に基礎会計学を教えなければならない。損益計算書、貸借対照表、T型勘定、売掛金、自己株式……。会計学は目まいがしそうなほど抽象的だ。そこには、人間が感覚で確かめられるものも出てこない。

教師として活き活きとした会計の概念を学生に伝えるには、どうすればいいのか。ジョージア州立大学の教授、キャロル・スプリンガーとフェイ・ボーシックは、全く新しい方法を試すことにした。二〇〇〇年の秋学期を通して、あるケーススタディを中心に会計学を教えたのだ。このケーススタディは、クリスとサンディという架空の学生の起業を取り上げたものだ。

ルグランデ州立大学二年生のクリスとサンディは、セーフ・ナイト・アウト（SNO）という新商品を考案した。ターゲットは、車を運転できる年齢に達した若者の親だ。この装置を車に付けると、運転ルートと速度が記録されるため、子どもが親の車を安全に運転していたかどうかがわかる。

ここで、基礎会計学の学生も物語の一員となる。学生はクリスとサンディの友人という設定だ。彼女たちは、学生が会計学の授業をとると聞いて助けを求めてくる。自分たちの事業アイデアが実行可能だと思うか。学費を稼ぐには製品をいくつ売らなければならないのか。学生は、必要となる資材（GPS受信機、記憶用のハードウェア）や提携先（イーベイ）の費用を割り出すよう指導される。

一学期を通じて繰り広げられるクリスとサンディのドラマは、会計がビジネスにおいて果たす役割を浮き彫りにした。会計学の授業では、必ず固定費用と変動費用の違いを学ぶが、ドラマでは学生が自分たちの手でそれを発見した。クリスとサンディは、製品開発用のプログラミング料などの費用を何が何でも払う必要があった。これが固定費用だ。一方、原材料費やイーベイへの手数料などは、製品の製造時点や販売時点にのみ発生する。これが変動費用だ。友人が学費用の資金を投じて会社を立ち上げるとなると、その区別は重大だ。

このケーススタディは、アジアの算数の授業と同様、文脈における学びの一例だ。ただし、算数の授業では一学期に三〇〇もの事例に取り組む。この会計学の授業では事例はたった一つだが、そこに一学期分の題材が網羅されている。

学期が進むにつれ、学生はクリスとサンディの会計士という責任ある立場から事業の進展を目撃していく。クリスとサンディは地方裁判所から連絡を受け、SNOを仮出所者に使いたいと言われる。ただし、商品は購入せずリースしたいという。これにどう答えるべきか。その後、事業は急成長するが、ある日、クリスとサンディが大慌てで電話をかけてくる。小切手が不渡りになったというのだ。商品の売れ行きは絶好調なのに、銀行には現金がない。どういうことか（これは新興企業の多くが直面する問題だ。学生はここで収益性とキャッシュフローの違いを学ぶ）。一カ月分の支払伝票とイーベイの領収書にじっくりと目を通した結果、ようやくその答えがわかる。

ところで、この授業は成果を上げたのだろうか。最初は何とも言えなかった。授業内容が変わったため、期末試験の結果を前期と比べるのは難しい。学生の中には、新しい授業に夢中になる者もいれば、ケーススタディは時間がかかりすぎると不満を漏らす者もあった。しかし、具体性の高いケーススタディのメリットは、時間がたつにつれ明らかになってきた。ケーススタディ導入後、成績平均点の高い学生が会計学を専攻するケースが増えたのだ。具体性は、最も能力の高い学生に「会計士になりたい」と思わせる実効性があったわけだ。

一方、平均的な学生にも効果は現れた。学生たちは通常、二年後に次の会計学講座を受講する。講義の前半は主に基礎会計学で習った概念を土台として展開される。その最初の試験で、ケーススタディを学んだ学生の得点が顕著に高かった。実際、成績の平均がCの学生の差が最も大きく、ケーススタディを学んだ学生は平均一二点も高い得点をとった。しかも、ケーススタディ終了後、既に二年が経過しているのにである。具体性は記憶に焼きつくのだ。

■

記憶のマジックテープ理論

具体性の何がアイデアを記憶に焼きつけるのか。その答えは、人間の記憶の性質にある。

多くの人は記憶することを、倉庫に物を入れるようなものだと思っている。ある話を記憶するのは、ファイルに入れて脳の書類棚に入れるのと同じ、というわけだ。この類推に間違いはない。だが意外にも、その書類棚は、記憶の種類に応じて全く異なるらしい。

これは実際に自分で試すことができる。次のいくつかの文章を読んでみよう。それぞれ異なるものを思い出すよう指示している。先を急がず、各文章に五秒から一〇秒ずつかけて考えてみよう。すると読み進むにつれ、種類の異なるものを思い出そうとすると、それぞれ違った感じがすることがわかるはずだ。

・カンザス州の州都を思い出してください。
・「ヘイ・ジュード」(またはあなたのよく知っている歌) の出だしの歌詞を思い出してください。
・モナリザを思い出してください。
・子どもの頃に一番長く住んだ家を思い出してください。
・「真実」の定義を思い出してください。
・果物の「スイカ」の定義を思い出してください。

デューク大学の認知心理学者デービッド・ルービンは、このテストを使って記憶の本質を明らかにした。どの文章も、異なる精神活動を引き起こすように感じられる。カンザス州の州都(トピーカ)を思い出すのは、抽象的な作業だ(あなたがトピーカの住民なら別だが)。対照的に、「ヘイジュード」の歌を思い浮かべると、ポール・マッカートニーの声とピアノの音が聞こえてくるだろう(「ヘイ・ジュード」を知らない人は、この本を買うよりビートルズのアルバムを買った方がいい)。

モナリザの記憶は、あの謎めいた微笑の視覚的イメージを眼前に呼び起こす。子どもの頃の家を思い出すと、匂いや音、光景などさまざまな思い出も一緒に呼び起こされる。家の中を駆け回る自分に戻ったり、両親がいつも座っていた場所を思い出す人もいるだろう。

「真実」の定義を呼び起こすのは、ちょっと難しい。「真実」の意味は何となくわかるが、モナリザのように記憶から引き出せる既存の定義がないため、自分なりの定義を考え出すしかない。「スイカ」の定義も悩むところだ。「スイカ」という言葉は、ただちに感覚的記憶を呼び覚ます。

緑に黒い縞模様の外皮、赤い果肉、甘い匂いと味、丸ごと手に持ったときの重み――。ところが、これらの感覚的記憶をひとつの定義にまとめようとすると、ギアが入れ替わった感じがするのではないだろうか。

つまり、記憶は単一の書類棚ではないのだ。むしろそれは、マジックテープに似ている。マジックテープの両面をよく見ると、一方には無数の小さなフックが、もう一方には無数の小さな輪がついている。この両面を押しつけあうと、大量のフックが輪にひっかかる。マジックテープはこうしてくっつく。

脳には膨大な数の輪が用意されている。だから、アイデアについているフックの数が多ければ多いほど、記憶にひっかかる。頭に思い浮かべる子どもの頃の家には大量のフックがあるが、新しいクレジットカードの番号にはせいぜい一つしかない。

優れた教師はアイデアのフックの数を増やすコツを知っている。次に紹介するアイオワ州の教師ジェーン・エリオットは、数多くの感情と記憶に訴えるメッセージを考案した。彼女の児童は、二〇年後の今もこのメッセージを鮮明に記憶している。

茶色い目、青い目

一九六八年四月四日、黒人運動家の牧師であるマーティン・ルーサー・キング・ジュニアが暗殺された。翌日、アイオワ州の小学校教師ジェーン・エリオットは、担任する三年のクラスに彼の死を説明したいと考えた。ここアイオワ州ライスビルは白人ばかりの町で、児童はキング牧師を知ってはいても、誰がどんな理由で彼の死を望むのかは理解できるはずもなかった。

エリオット先生は言う。

「差別については、新学期の初日からクラスで話し合っていたので、そろそろ具体的に取り組むべきときだと思いました。とはいえ、わずか二カ月前に『今月の英雄』として紹介したキング牧師が暗殺されたことを、アイオワ州ライスビルの三年生に説明するのは不可能でした」

エリオット先生はある計画を立て、翌日、教室でそれを実行した。その目的は、差別を児童に具体的に実感させることだった。彼女は授業の冒頭、茶色い瞳の子と青い瞳の子に児童を分けた。そして、「茶色い目の子は、青い目の子より優れている」と衝撃的な宣言をした。

「この教室では、目が茶色い方が偉いのです」

二つのグループに隔離され、青い目の児童は教室の後方に座らされた。茶色い目の児童は「あなたたちの方が賢い」と言われ、休み時間も長くもらえた。遠くからでも瞳の色がわかるよう、青い目の子は特別な首輪をつけさせられた。二つのグループは休み時間に一緒に遊ぶことも許されなかった。

エリオット先生は、クラスの急速な変貌ぶりに衝撃を受けた。

「三年生の子が悪意に満ちた差別的な人間に変わるのを見て、ぞっとしました。友情はたちまち崩れ、茶色い目の子は昨日まで友人だった青い目の子を嘲るようになりました」

茶色い目をしたある児童は、エリオット先生にこう言った。

「先生は青い目なのに、よく先生になれたね」

翌日、エリオット先生は授業の冒頭、こう言った。「自分は間違っていた、実は茶色い目の子の方が劣っていた」と。子どもたちはこの運命の逆転を、たちまち受け入れた。青い目の子は歓喜の叫び声を上げ、自分たちより劣る茶色い目の子に首輪をつけようと駆け出した。

子どもたちは、自分たちの方が劣っているときは悲しい気分になり、自分のことを愚かで意地悪な悪い人間だと思った。ある少年は上ずった声でこう言った。

「自分が下のときは、嫌なことは全部、自分たちの身に起きるような気がした」

一方、自分たちが上のときは、児童は幸せな気分になり、自分は賢いよい子だと感じた。

変化は学業の成績にまで現れた。国語の時間に単語のカードをできるだけ速く読むことになった。青い目の子が下だった初日、カードを全部読むのに五・五秒かかった。ところが、彼らの方が上だった二日目には、二・五秒で読めた。

「なぜ昨日は速く読めなかったの？」

エリオット先生が尋ねると、青い目の少女が答えた。

「あの首輪をつけていたから……」

そこへ、別の児童が口を挟んだ。

「あの首輪のことが頭から離れなかったんだ」

エリオット先生のシミュレーションは、偏見を残酷なまでに具体化した。この経験は、児童の人生に後々まで影響を及ぼした。一〇年後と二〇年後に行った調査によると、このクラスの児童は同年代の人々と比べてはるかに差別意識が低かったという。

子どもたちは、このシミュレーションをいまだに鮮明に覚えている。公共テレビＰＢＳの番組『フロントライン』で放映されたこのクラスの一五年目の同窓会を見ると、彼らが深い感銘を受けていたことがわかる。レイ・ハンセンは、自分の認識が一日で一変したのを覚えていた。

「それまでの人生で最も深い学習体験の一つでした」

スー・ギンダー・ローランドはこう語る。

「偏見は幼いうちに対処しないと、一生その人につきまといます。私も時々、自分が差別をしているのに気づきますが、そんなときは三年生当時のことを思い出し、差別される側の気持ちを思い起こして自分を制します」

ジェーン・エリオットは、偏見というアイデアにフックを与えた。授業で教える他のアイデア、例えばカンザス州の州都や「真実」の定義といった重要だが抽象的な知識と同じように偏見のアイデアを教えるのは簡単だっただろう。また、第二次世界大戦中の戦闘の逸話と同じように学ばせることもできたはずだ。だがそうする代わりに、エリオット先生は、偏見を体験に変えた。友人が突然、自分をあざ笑う光景、首輪の感触、絶望的な劣等感、鏡で自分の瞳を見たときの衝撃。それらはすべて偏見というアイデアに与えられた「フック」だ。この体験は子どもたちの思い出に、何十年たっても忘れられないほど多くのフックを植えつけたのだ。

抽象性に陥るのはなぜか：設計図と機械

ジェーン・エリオットの偏見のシミュレーションは、具体的であることの威力を見事に実証した。それにしても、具体性にそれほど威力があるなら、なぜ私たちはいとも簡単に抽象性に囚われてしまうのか。

理由は簡単だ。抽象的に考える能力こそ、初心者と専門家の違いだからだ。陪審員を務める素人は、弁護士の独特の雰囲気や詳細な事実、法廷の儀式に圧倒される。一方、裁判官は過去の訴訟や判例から得た抽象的な教訓に照らして、その時々の訴訟に判決を下す。生物学の授業を受ける生徒は、爬虫類が卵を生むかどうかを覚えようとする。生物学の教師は、動物分類学という大きな体系の中で考える。

初心者は、具体的な細部を具体的な細部として認識する。専門家は具体的な細部を長年の経験から学びとったパターンや洞察の象徴として認識する。専門家は高度な洞察力があるだけに、どうしても高度な話をしたがる。チェスでビショップが斜めに動くことよりも、チェスの戦略を語りたがる。

ここに顔を出すのが、例の犯人「知の呪縛」だ。ベス・ベッキーという研究者がある製造会社を調査した。この会社は、シリコンチップ工場で使用する複雑な機械の設計と製造を行っている。こうした機械を製造するには、二つの技能が必要だ。一つは優れた設計能力をもつエンジニア、もう一つはその設計に沿って複雑な機械を組み立てる熟練工だ。

この会社が成功するためには、この二タイプの人材間の円滑なコミュニケーションが必要だった。ところが案の定、彼らの話す言葉は違っていた。エンジニアは、ものごとを抽象的に考える傾向があった。なにしろ一日中、頭をひねりながら設計図を描いている人々だ。一方、一日中、機械を組み立てている製造チームの方は、即物的なレベルで考える傾向があった。

「知の呪縛」が最も如実に現れるのは、工場で問題が起きたときだ。製造チームは時々、部品が合わないとか電力が足りないといった問題にぶつかる。製造チームがエンジニアに問題を報告すると、エンジニアはただちに作業に取りかかる。何をするのかというと、設計書の手直しをするのだ。

例えば、部品が機械に合わなかったとしよう。製造チームがその部品をエンジニアに見せると、エンジニアはやおら設計図を取り出して書き直そうとする。つまり、いきなり抽象的な次元で考えようとするのがエンジニアの本能なのだ。

ベッキーによると、エンジニアは図面を直せば問題解決のプロセスを製造チームにわかりやすく示せると考え、設計図を「どんどん複雑化していった」という。すると、図面は徐々に抽象化し、コミュニケーションをますます阻んだ。

エンジニアの行動は、外国を訪れた米国人観光客が英語をゆっくり大声で話せば理解してもらえると思いこんでいるようなものだ。「知の呪縛」にとらわれた彼らには、専門家以外の人の目に設計図がどう映るかが、想像できなくなっている。

製造チームはこう思っていた。

「とにかく工場に下りてきて、部品をどこにつければいいか教えてくれたらいいのに」

一方、エンジニアはこう思っていた。

「どうすれば、よりよい設計図になるだろう」

こうしたコミュニケーション不良は、シリコンチップ製造機に縁のない読者の多くにも心当たりがあるはずだ。では、この状況をどうやって改善すればいいのか。もっとお互いを思いやり、要は妥協するべきなのか。実は、そうではない。解決策は、エンジニアが行動を改めることだ。ベッキーが述べているように、一番重要で効果的なコミュニケーションの場は、物質つまり機械だからだ。機械のことは誰もがよく理解している。だから、機械のレベルで問題を解決するべきなのだ。

無意識のうちに専門家らしい話し方をしてしまうことがよくある。「叩き手と聴き手」ゲームの叩き手と同様、「知の呪縛」に陥りはじめているのだ。長年のあいだに知り尽くしてきた題材を具体的に語るのは、不自然に感じるかもしれない。だが、努力するだけの価値はある。自分の言っていることを相手が理解し、記憶してくれるのだから。

この物語の教訓は「ものごとをやさしく噛み砕く」ことではない。複雑な問題に直面した製造チームが求めているのは、賢明な回答だ。この物語の教訓はむしろ、誰もが流暢に話せる「普遍的な言語」を見出すことだ。その言語はおのずと具体的なものになる。

具体的であることは協調を促す

前章の終わりに、二つの意外性溢れるスローガンを紹介した。大勢の賢い人々を奮起させ、協調させるために使われたそのスローガンは、「ポケットに入るラジオ」の開発と「一〇年以内に人類を月へ」という挑戦だった。これらのスローガンには、見事な具体性があった。ソニーのエンジニアが任務がわからず戸惑うことも、NASAが「人類」や「月」や「一〇年」の意味に悩むこともなかったはずだ。

具体的であることは、目標をわかりやすくする。専門家にもわかりやすさは必要だ。新興のソフトウェア会社が「次世代の優れた検索エンジン」の開発を目標にしたとする。この会社には、同レベルの知識を持つ二人のプログラマーがいて、隣同士の席に座っている。一人は「次世代の優れた検索エンジン」を完璧な検索能力と受けとめ、少しでも関連性がありそうな情報はすべて拾い出す検索エンジンをめざす。一方、もう一人はこれをスピードと受けとめ、検索結果はそこそこだが超高速の検索エンジンをめざす。目標が具体的に示されない限り、二人の努力は嚙み合わない。

ボーイングは一九六〇年代に、727型旅客機の設計準備に取りかかった。同社はこのとき、意識して具体的な目標を立てた。それは「定員一三一人、マイアミ～ニューヨーク間のノンストップ飛行が可能で、ニューヨークのラガーディア空港の四－二二番滑走路に着陸できる旅客機」だった(四－二二番滑走路が選ばれたのは、長さが一マイル弱と短く、既存の旅客機では着陸できなかったからだ）。この具体的な目標のおかげで、技術部門や製造部門の専門家数千人が、足並みを揃えて行動できた。この目標が「世界一の旅客機」だったら、こうはいかなかった。

フェラーリ一家、バーチャルにディズニーワールドを楽しむ ■

ストーン・ヤマシタ・パートナーズ社は、サンフランシスコの小さなコンサルティング会社だ。アップルのクリエイティブ部門の元従業員、ロバート・ストーンとキース・ヤマシタが設立した同社は、具体性のある技術を利用して企業の変革を促す達人だ。

「わが社の提案のほとんどは、直感と視覚に訴えるものです」と、キース・ヤマシタは言う。コンサルティング会社の「製品」といえば、たいていはパワーポイントを利用したプレゼンテーションだが、同社ではシミュレーションやイベント、創造性溢れる展示物の場合が多い。

二〇〇二年頃、同社にヒューレット・パッカード（ＨＰ）から声がかかった。ＨＰの経営陣はディズニーとの提携を望んでおり、提案プレゼンテーションの準備に取りかかろうとしていた。ついては、ＨＰの研究力をアピールし、ディズニーのテーマパーク運営にそれがどう役立つかを示す提案づくりに力を貸してほしいということだった。

ＩＴ企業の例にもれず、ＨＰも研究所の優れた成果が必ずしも具体的な製品に活かされていなかった。研究者は技術の限界に挑戦し、複雑で高性能な製品を開発したがるが、顧客が通常求めるのは手軽で信頼できる製品だ。研究者と顧客の欲求は必ずしも合致しない。

ストーン・ヤマシタが企画した「プレゼンテーション」は、五四〇平方メートルを占める展示物だった。ヤマシタは、その趣旨をこう語る。

「フェラーリ一家という架空の三世代家族を生み出し、彼らの暮らしとディズニーワールド訪問をめぐる展示を制作した」

展示施設に足を踏み入れると、まずフェラーリ家の自宅居間があり、家族の写真が飾られている。その後、一家がディズニーワールドで過ごした休暇のさまざまなシーンを各部屋で紹介する。一家はHPの技術に助けられてチケットを購入し、スムーズに入園し、ディナーの予約をとる。お気に入りの乗り物の待ち時間も短縮された。ホテルの部屋に戻ると、最後の仕掛けが待っている。デジタル写真立てに、ディズニーワールドのジェットコースターに乗る一家の写真が自動的にダウンロードされているのだ。

パワーポイントでも、提携のメリットを訴えるメッセージを説明できただろう。だが、ストーン・ヤマシタはHPのエンジニアと協力して、メッセージを生きたシミュレーションへと変えた。同社は電子サービスというアイデアにフックを与えた。と同時に、強烈な感覚的体験によって抽象的なアイデアに具体性を与えた。

この展示には、二種類の観客がいた。一つはディズニーだ。ディズニー経営陣は技術に関しては「素人」だから、HPの技術が彼らにどう役立つかを具体的に示す必要があった。もう一つの観客はHPの従業員、とりわけ技術者だった。彼らは素人ではない。しかも、技術者の多くは「そんな展示に意味があるのか」という態度だった。ところが、展示が公開されると、ＨＰ従業員は揃って夢中になった。当初はディズニーへの売り込みに必要な期間だけの予定だったが、あまりの人気にその後も数カ月間展示が続けられた。展示を見たある従業員は言う。

「社内ですごい話題になり、皆口々にこう言いはじめました。『研究チームのあれを見たかい？　素晴らしい出来栄えだよ。うちの会社にあんなことができるなんて、知ってたかい？　連中はたった二八日であれを作ったらしいぜ』」

具体的であることは、専門家チームの協調を促した。いつも難解な技術問題に取り組んでいる多様な技術者集団が、フェラーリ一家と出会い、チケットや予約や写真といった具体的なニーズに取り組むことによって、研究所で生まれた抽象的アイデアをジェットコースターに乗る一家の写真へと変えた。目覚ましい成果である。

■具体的であることは知識を総動員する：白い物

紙と鉛筆、それに時間を計る道具（時計でも、数えるのが趣味の妻や夫でもいい）を用意してほしい。これは、具体的であることに関する自己診断テストだ。問題は二つ。制限時間はそれぞれ一五秒だ。用意ができたらタイマーを一五秒間にセットし、第一問をやってみよう。

第一問

白い物を思いつく限り書き出しなさい。

終了。タイマーを再び一五秒間にセットし、ページをめくって第二問をやってみよう。

第二問

冷蔵庫の中の白い物を思いつく限り書き出しなさい。

興味深いことに、たいていの人は冷蔵庫の中の白い物もただの白い物も、同じくらいたくさん書き出すことができる。冷蔵庫に入っている物の数が限られていることを考えると、驚異的な結果だ。単なる白い物の方が多く書き出せた人でさえ、たいてい冷蔵庫の問題の方が「簡単だった」と答える。

なぜだろう？　それは、具体的であることが脳の力を動員し、焦点を絞り込ませるための一手法だからだ。別の例として、次の二つの文章を読んでみよう。

（一）過去一〇年間に世界の人々がした愚かなことを五つ思い浮かべなさい。
（二）過去一〇年間にあなたの子どもがした愚かなことを五つ思い浮かべなさい。

面白い脳のトリックだが、それに何の意味があるのだろう。実は、このトリックを使って、海千山千の投資家から四五〇万ドルの資金を引き出した起業家がいる。

カプランと携帯型コンピュータ

起業家にとって、地元のベンチャーキャピタルに事業アイデアを売り込むチャンスを得ることは、駆け出しの俳優がインディペンデント系の監督からオーディションのチャンスを得るようなものだ。しかも、相手がクライナー・パーキンス社ともなると、スティーブン・スピルバーグの個人的なオーディションに匹敵する。なにしろ同社は、シリコンバレーでも超一流のベンチャーキャピタルだ。成功すればスター、失敗すれば人生最大のチャンスを棒に振ったことになる。

そんなわけで、一九八七年初め、クライナー・パーキンスにやって来た二九歳のジェリー・カプランは緊張していた。あと三〇分ほどでプレゼンテーションが始まる。カプランはスタンフォード大学の研究員から初期のロータス社に転じた人物だ。ロータスはその後、大ヒットした表計算ソフト「ロータス1―2―3」のおかげで、株式市場の寵児となった。そして今、カプランは次の挑戦に取りかかろうとしていた。彼には、より小型で持ち運びしやすい次世代パソコンの構想があった。

カプランが会議室前をうろついていると、彼の前の起業家のプレゼンテーションが終わった。その起業家を見ると、自分の準備不足をひしひしと感じた。見れば見るほど緊張が高まり、パニックになってきた。その起業家は、ピンストライプのスーツにいかにも仕事ができそうな赤のネクタイを締めていた。それに引きかえカプランは、スポーツジャケットに開襟シャツだ。その起業家はOHPで印象的なカラーのグラフをホワイトボードに写していた。カプランのえび茶色の書類カバンには、白紙のレポート用紙が入っているだけだ。先行きはかなり暗い。

カプランは、「お互いを知る」ための形式ばらない打ち合わせをするつもりだったが、そこに立っているうちに、自分がいかに世間知らずだったかに気づいた。彼には「事業計画も、スライドも、グラフも、財務計画も、試作品もなかった」。しかも、準備万端のその起業家でさえ、面接官から懐疑的な視線と厳しい質問を浴びていた。

いよいよカプランの順番が来て、共同出資者の一人が彼を紹介した。カプランは深呼吸をして話しはじめた。

「タイプライターよりもノートに似たコンピュータ、キーボードではなくペンで操作できるコンピュータ——そんな新種のコンピュータがあれば、机を離れて仕事をするときのさまざまなニーズを満たせます。メモを取ることもできれば、携帯電話につないでメールを送受信することもできます。住所録や電話番号簿を見たり、価格表や在庫表を確認することもできます。表計算ソフトも使えますし、その場で受注表に記入することもできるでしょう」

カプランは必要な技術をひと通り説明したうえで、最大の問題は、手書き文字の判読とコマンドへの変換が確実にできるかどうかだと述べた。その後起きたことを、カプランはこう書いている。


聞き手は厳しい表情をしていた。私の準備不足に苛立っているのだろうか。それとも私の言葉に聞き入っているのだろうか。……きっとだめだったのだろう。それなら、どうせ失うものはない。私はそう考え、思い切って芝居を打つことにした。

「もし、私が今ここに携帯型パソコンを持っていたら、きっとおわかりいただけるはずです。未来のコンピュータの模型を持ってきているとは、気づかなかったでしょう」

私はえび茶色の革カバンを放り投げた。カバンはドサッと音を立ててテーブルの真ん中に落ちた。

「皆さん、これがコンピュータ革命の次の一歩です」

やってしまった、会議室を追い出されるかもしれない。一瞬、そう思った。聞き手は唖然として、テーブルの真ん中に横たわる私のカバンを見つめていた。地味な書類カバンに突然、生命が宿ったかのように。見た目は若いが長年の共同出資者であるブルック・バイヤーズが、ゆっくりと手を伸ばした。そして、不思議なパワーを持つ何かに触れるように、書類カバンに触ると、質問の口火を切った。

「これだと、記憶容量はどのくらいかな」

すると、私より先に、ジョン・ドーアという別の共同出資者が答えた。

「そんなことは関係ないよ。メモリチップは年々小型化し、値段も下がっている。同じ大きさと値段のマシンでも、容量は毎年倍増していくだろう」

別の誰かが口を挟んだ。

「だが、手書き文字の変換を効率化しないと、かなりの容量とスペースが必要になりそうだな」

それは、サン・マイクロシステムズの共同創業者でCEOのビノッド・コースラだった。彼は同社が技術的な案件を審査する際の助言役だった。

あとは、カプランが言葉を挟む必要などほとんどなかったという。聞き手が互いに質問や意見を交わし、カプランの提案に肉づけをしてくれたのだ。ときおり、誰かが書類カバンに手を伸ばし、触ったり調べようとした。

「まるで魔法のように、ただのカバンが未来の技術のシンボルに変わったのだ」

数日後、カプランはクライナー・パーキンス社から電話を受けた。アイデアを支援することになったという。同社は、まだ存在もしないカプランの会社に四五〇万ドルを出資してくれることになった。

カプラン一人が質問攻めになるはずの会議を、ブレーンストーミングに変えたのは、えび茶色の書類カバンだった。カバンは投資家に対する挑戦だった。つまり、彼らの思考を集中させ、既存の知識を発揮させる一つの方法だったのだ。その結果、聞き手の態度は受け身で批判的なものから、能動的で創造的なものへと変わった。

書類カバンの存在が投資家のブレーンストーミングを促したのは、私たちが「冷蔵庫の中の白い物」に限定した方がいろいろな物を思いつきやすかったのと同じだ。書類カバンの大きさを目の当たりにすることで、彼らの頭に次々と質問がひらめいた。このサイズでどの程度の記憶容量が可能か？　パソコンの構成部品の中で、今後数年間に小型化しそうなのはどれか？　また、小型化しそうにないのは？　このサイズを実現するにはどんな新技術が必要か？　それは、「ポケットに入るラジオ」というアイデアを得たソニーの技術者がしたのと同じことだった。

具体的であることが生み出す共通の「場」は、人々の協力を可能にする。同じ課題に取り組んでいるという安心感を全員に与えるのだ。専門家でさえ、たとえそれがＩＴ業界のスターとも言えるクライナー・パーキンス社のベンチャー投資家であっても、具体的な話から恩恵を受ける。なぜなら、具体的な話は彼らを共通の場に立たせてくれるからだ。

アイデア・クリニック

経口補水塩療法が子どもの命を救う！

背景説明：世界では、毎年一〇〇万人以上の子どもが下痢による脱水で亡くなっている。この問題は、しかるべき液体を子どもに投与しさえすれば、ごく安い費用で予防できる。どうすれば、このアイデアに必要な資金を獲得できるだろう。

メッセージ1：これは、開発途上国の健康問題に取り組む非営利団体ＰＳＩが行った説明だ。

下痢は開発途上諸国の乳幼児の最大の死因の一つであり、毎年一五〇万人以上の子どもが下痢で命を落としている。死因は下痢自体ではなく、脱水、つまり体液の欠乏である。人間の体の約四分の三は水でできているため、体液の一〇％以上が失われると主要臓器が衰弱し死に至る。コレラのように症状が重篤な場合、わずか八時間で死亡することもある。

致命的な脱水症状を予防するには、液体の摂取量を増やし、下痢で失われた体液と電解質を十分補う必要がある。それに最も適した液体は、電解質と糖と水を混ぜた経口補水塩だ。病気で腸壁が荒れていても、経口補水塩は他の液体より素早く体液と電解質を補充してくれる。

メッセージ1へのコメント：要するに、どうすれば問題を解決できるのか。仮に自分が開発途上国の保健所の役人だったとして、子どもを救うために明日何をすればよいのか。

公平を期するために書いておくが、これはＰＳＩのホームページからの抜粋で、同団体の問題解決への取り組みを説明した文章だ。したがって、必ずしも意思決定者を説得し、行動を促すためのものではない。また、科学的な用語や解説が多いため、信頼性を感じさせる。とはいえ、問題の複雑さを印象づけてしまうと、人々の解決意欲をそぐことになる。

メッセージ2：このメッセージは、長年ユニセフの事務局長を務めたジェームズ・グラントの言葉だ。グラントは旅行に出かけるときには必ず、小さじ一杯の塩と小さじ八杯の砂糖を入れた箱を持ち歩いていた。これを一リットルの水と混ぜれば、経口補水塩ができあがる。彼は開発途上国の首相に会うと、決まってこの塩と砂糖の箱を取り出し、こう言った。「ご存知ですか。これにかかる費用はお茶一杯分にも及びません。しかし、これであなたの国の子どもを何十万人も救えるのです」

メッセージ2へのコメント：要するに、どうすれば問題を解決できるのか。子どもを救うために明日何ができるのか。グラントのメッセージは相手の参加を促し、知識を発揮させる。相手はきっと、塩と砂糖の入った箱を学校に配る方法をブレーンストーミングしたり、母親に塩と砂糖の正しい配分を教える広報活動について考えるだろう。

グラントはアイデアを記憶に焼きつける達人だ。具体的な小道具を取り出し、「お茶一杯より安いのに、大きな効果を発揮する」という意外性で関心をつかむ。一国の首相は、いつもインフラ構築や病院建設、健康的な環境の維持といった複雑な社会問題について考えている。そんな彼らにいきなり塩と砂糖の袋を見せ、これで何十万人もの子どもの命を救えますと言い放っているのだ。

PSIのメッセージは統計や科学的解説によって信頼性を感じさせていたが、グラントのメッセージにはそれはない。だが、ユニセフの事務局長である彼には、発言に疑問を抱かせないだけの信頼性があった。だから、わざわざ事実関係を説明するよりも、相手を行動へと駆り立てることに全力を傾けた。塩と砂糖はカプランのえび茶色の書類カバンと同様、聞き手が専門知識を使って問題を検討するよう促した。カバンも塩と砂糖の箱も、ひと目見ただけで、いろいろな可能性を考えずにいられなくなるのだ。

【採点表】

項目	メッセージ1	メッセージ2
単純明快である	ー	○
意外性	ー	○
具体的である	ー	○
信頼性	○	ー
感情に訴える	○	○
物語性	ー	ー

結論：この事例は、アイデア・クリニックの中でも特に気に入っている。具体的なアイデアの威力を如実に示しているからだ。この事例の教訓は、相手を議論に参加させ、知識の発揮を促す方法を見出しなさいということだ。ここでは、科学的解説よりも小道具の方が効果を発揮している。

アイデアに具体性をもたせる

メッセージを具体的なアイデアに近づけるにはどうすればよいのか。特定の人々（読者、生徒、顧客など）のニーズを指針にすれば、判断がつきやすくなる場合もある。

ゼネラル・ミルズは世界有数の食品メーカーで、傘下にピルズベリー、チェリオス、グリーン・ジャイアント、ベティ・クロッカー、チェックスなど数多くの食品ブランドを擁している。中でも最も売れているブランドの一つが「ハンバーガー・ヘルパー」だ。二〇〇四年、ミシガン出身の二八歳、メリッサ・ストゥジンスキーがハンバーガー・ヘルパーのブランド・マネジャーに起用された。

当時、ハンバーガー・ヘルパーは一〇年来のスランプ状態にあった。売上低迷に業を煮やしたCEOは、同ブランドの改善と成長を二〇〇五年の最優先目標とした。新入りのストゥジンスキーは、意欲満々で課題に取りかかった。

仕事を始めるにあたり、彼女はぶ厚いバインダー三冊分のデータと統計資料を手渡された。売上と販売数のデータ、広告戦略の概要、製品情報、顧客の市場調査などだ。バインダーは持ち上げることさえできないほど重く、まして中身を覚えるなど無理な話だった。彼女はそれを「死のバインダー」と呼んだ。

数カ月後、ストゥジンスキーのチームは、データにとらわれず新しい手法を試すことにした。ハンバーガー・ヘルパー・チームのメンバーであるマーケティング、広告、研究開発のスタッフを顧客の自宅に送り込むという計画だ。このアイデアは非公式に「フィンガーチップ（指先）」と呼ばれた。ブランドの顧客像を指で触れるように熟知する必要があったからだ。

主要顧客である母親層の中から、他人を家に招き入れ、料理中観察されてもかまわないという人を募り、合計二〇〜三〇世帯を訪問した。ストゥジンスキー自身も三軒訪ねたが、その経験は彼女の記憶に焼きついた。

「顧客に関するデータはすべて読み、空で言えました。顧客の人口統計も暗記していました。でも、顧客の家の中に入り生活のひと幕を体験するというのは、全く新しい経験でした。特に、ある女性のことは決して忘れられません。その女性は幼い子どもを抱いたまま、夕飯を調理していました。『利便性』が重要な製品特性であることは承知していますが、それと利便性へのニーズを直接眼で見るのとは、全く違います」

何より参考になったのは、母親と子どもにとって「いつもの味」がいかに大事かということだった。ハンバーガー・ヘルパーのパスタには一一種類の形があるが、それは子どもにとってはどうでもよいことだ。子どもの好みは味で決まる。だから母親は、子どもが嫌がらずに食べるいつもの味を買いたがった。ところが、ハンバーガー・ヘルパーの味付けは三〇種類以上もあり、母親は大量の陳列商品の中から目当ての味を探し出すのに苦労していた。食品や飲料のメーカーは、新しい味やパッケージの開発にいつも必死だが、それに流されないことが必要だった。

「母親たちは、新しい味は危険だと思っていたのです」

ハンバーガー・ヘルパー・チームは、母子に関する具体的な情報を使って、製品ラインの単純化を関係各部門（サプライチェーン、製造、財務など）に訴えた。その結果、費用が「大幅に」削減され、母親も家族の好みの味を見つけやすくなり満足したと、ストゥジンスキーは言う。製品ラインの単純化が必要という洞察は、価格設定や広告に関する他の重要な洞察とも相まって、ブランドの売上を好転させた。二〇〇五年度末、ハンバーガー・ヘルパーの売上は一一％増を記録した。

ストゥジンスキーは言う。

「今でもブランドに関する意思決定を迫られると、あのとき出会った女性たちのことを考えます。彼女らが私の立場ならどうするだろう、と考えるのです。驚くほど役に立ちますよ」


この考え方は、宗教団体にも役立っている。カリフォルニア州アーバインの郊外にあるサドルバック教会は、信徒数を五万人に増やすという大成功をおさめた。教会指導部は、教会に来てほしい人物像を何年もかけて詳細に描きだした。彼らはその人物を「サドルバック・サム」と呼んでいる。同教会のリック・ウォーレン牧師は、こう説明する。


サドルバック・サムは、この地域の教会に行かない男性の典型である。年齢は三〇代後半から四〇代前半、学歴は大学卒以上。……既婚で、妻の名はサドルバック・サマンサ、子どもはスティーブとサリーの二人だ。

調査によると、サムは仕事にも自分の住む地域にも満足しており、自分は五年前より人生を楽しんでいると思っている。今の人生に自己満足しており、うぬぼれさえ感じている。職業は知的専門職か管理職、あるいは成功した起業家である。

……サムのもう一つの重要な特徴は、いわゆる「組織的」宗教に対する懐疑心である。「神様は信じているが、組織的宗教は好きではない」と言いそうな人物だ。

サムのプロフィールは、さらに詳細に描かれている。サムとサマンサの大衆文化の好みや、よく行く社交的行事のタイプなどだ。

「サドルバック・サム」は教会指導部にとってどんな意味を持つのか。サムのおかげで、彼らは決定内容を嫌でも別の視点から見直す。例えば、誰かが地域住民を対象としたテレマーケティング・キャンペーンを提案したとする。信徒獲得の可能性が大いにありそうだ。だが調査結果から、指導部はサムがテレマーケター嫌いだと知っている。そこで、このアイデアは却下される。

サドルバック・サムとサマンサを想定しているのは、教会指導部だけではない。サドルバック教会は、小中学校のクラスや母親のレクリエーション・プログラム、男子バスケットボール・リーグなど何百もの布教活動を行っている。これらはすべて信徒のボランティアが運営しているが、彼らは日常的に教会職員の指示を受けているわけではない。それでもこうした多様な活動の足並みが揃っているのは、教会中の人が対象とすべき人物像を知っているからだ。

「たいていの信者は、サムの人物像を難なく説明できる」

とウォーレンは言う。

同教会は、サドルバック・サムとサマンサを信徒にとってリアルで具体的な存在にすることで、五万人ものサムとサマンサを獲得できた。

具体的であることは、記憶に焼きつくアイデアの六原則の中でも、最も受け入れやすい原則だろう。と同時に、最も効果的な原則かもしれない。

シンプルであること、つまり核となるメッセージを見出すことは、とても難しい（もちろんその値打ちはあるが、簡単だとは思わない方がいい)。また、アイデアに意外性をもたせるには、かなりの努力と創造性を要する。だが、具体性をもたせるのは難しくないし、それほど努力もいらない。唯一の問題は、つい忘れてしまうことだ。私たちは自分が抽象的な物言いをしていることを、つい忘れてしまう。自分は知っていても他人は知らないということを、忘れてしまうのだ。何かというと図面を引っ張り出し、熟練工の思いをよそに現場に下りていかないエンジニアと同じである。

Credible

第四章
信頼性がある

一生のうちに潰瘍を患う人が一〇人に一人の割合でいる。最も典型的な十二指腸潰瘍は、命にかかわる病気ではないが、ひどい痛みを伴う。長らく潰瘍の原因は謎だった。胃酸のたまりすぎで胃壁が侵食されるからだというのが伝統的な見解だった。胃酸過多の原因は、ストレスや辛い食品、アルコールのとりすぎだ。潰瘍の明確な「治療」法はなく、痛みの緩和が中心だった。

一九八〇年代前半、オーストラリア・パースの医学研究者二人が、驚くべきことを発見した。潰瘍の原因は細菌だというのだ。二人の名は、バリー・マーシャルとロビン・ウォーレン。彼らは螺旋状のごく小さな細菌が犯人であることを突き止めた（この細菌は後に「ヘリコバクター・ピロリ」すなわち「ピロリ菌」と名づけられる）。それは、とんでもない大発見だった。潰瘍の原因が細菌なら治療は可能だ。抗生剤さえ投与すれば、数日で完治する可能性がある。

しかしながら、医学界はこの発見を歓迎しなかった。ほぼ独力で数億人の患者予備軍に明るい未来を与えたマーシャルとウォーレンを賞賛する者はいなかった。理由は簡単だ。誰も彼らを信じなかったからだ。

細菌説には問題がいくつかあった。一つは常識だ。胃酸は強烈で、ぶ厚いステーキを完全に消化するし、爪さえ溶かすかもしれない。そんな環境下で細菌が生き延びられるはずがない。サハラ砂漠で氷につまずくのと同程度に、ありえないというわけだ。

もう一つの問題は、発見者だった。当時、ロビン・ウォーレンはパースの病院に勤務する病理学者、バリー・マーシャルは三〇歳の研究所の研修医で、まだ本物の医師ですらなかった。医学界では、重大な発見をするのは大学の博士か、世界一流の大規模医療センターの教授と相場が決まっていた。世界の一〇％の人間が罹る病気の治療法を、研修医が発見することなどありえなかった。場所の問題もあった。パースの医学研究者なんて、ミシシッピー州の物理学者と同程度しか信憑性がない。どこで研究しても科学は科学だが、人間は俗物根性のせいで、科学的発見はしかるべき場所でなされると思い込む傾向がある。

マーシャルとウォーレンは、医学誌に論文を掲載することさえできなかった。マーシャルが学会で自分たちの発見したことを発表すると、聴衆に笑いが漏れた。発表を聞いたある研究者は、こう感想を述べている。

「とにかく、物腰が学者らしくなかった」

公平を期するために言っておけば、聴衆が懐疑的になるのも無理はなかった。マーシャルとウォーレンの証拠は、因果関係ではなく相関関係に基づいていたからだ。潰瘍患者のほぼ全員からピロリ菌が検出されたとはいっても、ピロリ菌保有者なのに潰瘍がないケースもあった。因果関係を証明するために罪のない人に菌を投与し、潰瘍ができるかどうか観察するわけにもいかない。

一九八四年、マーシャルの我慢は限界に達した。ある朝、彼は朝食を抜き、同僚らを研究所に集めた。そして、同僚らが固唾を呑んで見守る中、約一〇億個のピロリ菌が入ったグラスの水を飲み干した。

「沼の水のような味がした」

と彼は言う。

二、三日もたたないうちに、マーシャルは痛みと吐き気と嘔吐をもよおした。胃炎、つまり潰瘍の初期段階の典型的な症状だ。同僚らが内視鏡で見ると、健康的な桃色だった胃の内壁が、赤く炎症を起こしていた。そこでマーシャルは抗生剤とビスマス（胃腸薬ペプトビスモルの有効成分）を一定期間服用し、魔法のように病気を治して見せた。

劇的な人体実験の後も、戦いは続いた。実験に難癖をつけてきた研究者がいた。マーシャルは本格的な潰瘍になる前に治療しているから、本物の潰瘍ではなくただの潰瘍症状だった可能性もあるというのだ。とはいえ、マーシャルの実験は細菌説の支持者を再び活気づかせ、その後の研究で有力な証拠がどんどん集められた。

一〇年後の一九九四年、米国立保健研究所が抗生剤投与を潰瘍の推奨治療法と認定した。マーシャルとウォーレンの研究はその後、現代医学のある重要な研究テーマに貢献した。それは、細菌とウィルスは一般に考えられているより多くの病気を引き起こしているという説だ。今では、子宮頸癌が伝染性のヒト乳頭腫ウィルス（ＨＰＶ）によって引き起こされることが知られている。また、ある種の心臓病は、サイトメガロ・ウィルス（ごくありふれたウィルスで人口の約三分の二が感染している）と関連づけられている。

二〇〇五年秋、マーシャルとウォーレンは功績が認められ、ノーベル生理学・医学賞を受賞した。二人には世界を変え、ノーベル賞に値する優れた洞察力があった。それなのに、なぜマーシャルは細菌を飲まなければ信じてもらえなかったのか？

信頼性を見出す

この疑問を可能な限り普遍化すると、こうなる、人はなぜアイデアを信じるのか？　かなり野心的な問いだ。では、わかり切った答えから見ていこう。親や友だちが信じるから。そう信じるに至る経験をしたから。宗教的信条から。信用できる権威者が言っているから。

家族、個人的体験、信仰は、三大要因だ。幸か不幸か、こうした要因が人に与える影響を私たちはコントロールできない。聴衆の母親にメモを回して信頼性を高めるわけにはいかないし、パワーポイントのプレゼンテーションで他人の信仰を消し去ることもできない。

懐疑的な相手を説得し、新たなメッセージを信じさせようとすれば、相手が人生を通じて学んできたことや培ってきた人間関係を敵に苦戦を強いられる。他人の信じることを変えさせるなんて、とても無理だと思えてくる。だが、それを言うなら、もともと記憶に焼きつくアイデアを見ればいい。荒唐無稽なことを信じさせる説得力のあるアイデアもあるのだ。

一九九九年頃、ある電子メールが人から人へと転送されて広がった。コスタリカから輸出されるバナナは、壊死性筋膜炎を起こす肉食性細菌に感染しているというメールだ。今後三週間はバナナを買わず、バナナを食べた後に発疹が見られたら、

「医師に相談すること！」

と、メールは警告していた。また、こんなことも書かれていた。

「皮膚感染で壊死性筋膜炎に罹ると激痛に襲われ、一時間に二、三センチずつ皮膚が蝕まれていく。手足の切断に至る場合が多く、死亡する可能性もある」

メールによれば、米食品医薬品局（ＦＤＡ）は全国にパニックが広がることを恐れ、全面的な警告を出すのを渋っているという（ＦＤＡが何も言わなくても、皮膚が何センチも蝕まれると言われれば、十分パニックになりそうなものだ）。この思いがけないメッセージの発信者は、マンハイム研究所とされていた。

この奇怪な噂が広まった一因は、何となく権威を感じさせるものがあったからだ。なにしろ発信元はマンハイム研究所である。しかも、ＦＤＡも問題を関知しているという。マンハイム研究所とＦＤＡと聞けば、信頼性は高まる。壊死性筋膜炎が一時間に三センチも人肉を蝕むなどという荒唐無稽な内容を真に受けてしまうのは、これらの機関に権威があるからだ。この話が本当なら、夕方のニュース番組で報道されてもよさそうなものだが。

誰かが信頼性をもっと高めてやろうと思ったらしく、その後のメールにはこう付け加えられていた。

「このメッセージは米疾病対策センターの承認を受けています」

メールが回覧され続けていたら、「ダライ・ラマの承認済み」とか「国連安全保障理事会認可」になっていただろう。

汚染バナナの例を見ればわかるように、権威は私たちのアイデアに確実に信頼性を付与する。信頼性を高める権威といえば、二種類の人物像が頭に浮かぶ。一つは資格や肩書きを山ほど持った専門家だ。神経科学ならオリバー・サックス、経済学ならアラン・グリーンスパン、物理学ならスティーブン・ホーキングといったところだ。

もう一つの「権威」は、タレントや有名人など、人々が憧れる人物だ。有名バスケ選手のマイケル・ジョーダンがマクドナルドを好きだと聞けば、どうしても気になってしまう。彼には栄養士の資格もないし、世界一流のグルメでもない。気になるのは、誰もが彼のようになりたいと思っているからだ。だから、マイケル・ジョーダンがマクドナルド好きなら自分も好きになる。人気司会者のオプラ・ウィンフリーが気に入った本には興味を持つ。「あんなふうになりたい」と思う人が薦めるものを、私たちは信用するのだ。

スティーブン・ホーキングやマイケル・ジョーダンのような専門家や有名人からお墨付きをもらえる人は、この項は読み飛ばしてくれていい。だが、そうでない人は、誰に頼ればいいのか。有名人でも専門家でもないが、信頼性を与えてくれる人を見つけることはできるのか。

意外なことに、答えはイエスである。反権威者の信頼性を利用すればよいのだ。パム・ラフィンという名の女性も、そんな反権威者の一人だった。

パム・ラフィンは反権威者

パム・ラフィンは、一九九〇年代半ばにテレビで放映された禁煙広告シリーズの主人公である。

ラフィンは有名人でもなければ医療専門家でもない。ただの喫煙者だ。

ラフィンは当時二九歳で二児の母だった。一〇歳でタバコを吸いはじめ、二四歳で既に肺気腫に罹っていた。肺移植は失敗した。

マサチューセッツ州公衆衛生局（ＭＤＰＨ）タバコ対策部長、グレッグ・コノリーは、禁煙を訴える公共キャンペーンの制作責任者だった。パム・ラフィンを知った彼は、体験談を公開してほしいと依頼し、彼女は承諾した。

コノリーは言う。

「これまでのキャンペーンで、実在の人物を使って語るのが一番説得力のあるやり方だとわかった」

ＭＤＰＨは三〇秒のスポットＣＭシリーズを撮影し、『アリーmyラブ』や『ドーソンズ・クリーク』といった人気ドラマの枠で放映した。ＣＭの内容は残酷だった。肺の機能不全のせいで呼吸困難になったラフィンが、生きようともがく姿を映し出した。彼女が先端にカメラの付いた管を口から肺まで挿入する辛い気管支鏡検査に耐えるのを視聴者は見守った。彼女の背中に残る醜い手術跡も見せつけられた。

別のＣＭでは、幼い頃と大人になってからのラフィンの写真が映し出され、肺気腫のせいで自分はむくんだ顔になり、首にこぶができたと、彼女は語った。

「年齢より上に見られたくてタバコを吸いはじめたけれど、その通りになってしまい、後悔している」

ＣＭは正視するにしのびず、『ドーソンズ・クリーク』のような軽いタッチのドラマとは不快な

ほど対照的だった。しかし、

「喫煙者に衝撃を与え、目を覚ましたことに何ら後悔はない」

とコノリーは言う。

ラフィンは禁煙運動のヒロインとなった。ＭＴＶのドキュメンタリーが彼女を取り上げ、米疾病対策センターは彼女の物語をインターネットの禁煙キャンペーンや、二〇分間の教育映画『息ができない』で紹介した。

彼女は二〇〇〇年一一月、三一歳で亡くなった。三週間後に二度目の肺移植手術を受ける予定だった。

ラフィンの物語を読めば、彼女が説得力のある代弁者だったのもうなずけるはずだ。ラフィンは個人的体験を通じて、自分が語っている内容をしっかりと理解していた。彼女には語るべき話、それも大きな影響力をもつ物語があった。

反権威者の信頼性を利用した例がもう一つある。ニューヨーク市のドウ財団は、ホームレスの人々にカウンセリングや薬物中毒のリハビリ、そして何より職業訓練を施し、自立した市民へと育成する団体だ。数年前、資金援助を期待できそうな助成機関の代表者が同財団の事務所を訪れることになった。同財団は、運転手のデニスを迎えにやり、車で本部事務所まで案内させた。

デニスも同財団に助けを求めるまでホームレスだった。彼は、事務所に着くまでの四五分間、助成機関の代表者に体験談を話した。その一人は言う。

「理事の口から活動の成果を聞くのとはわけが違う。デニスは同財団の最高の大使であり、生きた証拠だった」

同財団は内部でもこのやり方を利用している。プログラムに参加するホームレス男性全員に、二年前まで彼らと同じ境遇にあった相談相手をあてがっているのだ。

とはいえ、ラフィンやデニスが起用されたとき、彼らが効果的な権威となることがわかっていたわけではない。ラフィンを使った禁煙キャンペーンは、三〇年前にはありえなかった。当時は、公衆衛生局長官が威厳たっぷりにタバコの危険性を説いたり、人気俳優のバート・レイノルズが禁煙生活の素晴らしさを語るのが普通だった。

現代の市民はおびただしい数のメッセージに晒され、メッセージの発信源を疑う癖がついている。メッセージの影に誰がいるのか、その連中を信じるべきか、自分が信じたら向こうはどんな得をするのか、と考える。

「新しいシャンプーが髪にコシを与えます」と訴えるコマーシャルより、「新しいシャンプーで髪にコシが出たの」と喜ぶ親友の言葉の方が信頼性がある。企業はシャンプーを売りたがっているが、親友はそうではない。だから親友の方が信頼性が高い。つまり、地位やステータスがあるからではなく、誠実で信用できるからという理由で、発信者が権威者として認められる場合もあるのだ。反権威者は、ときに権威者に優る。

細部の威力

メッセージを保証してくれる外部の権威が、常に得られるとは限らない。たいていは、メッセージ自体がメッセージ内容を保証しなければならない。つまり、「内在的信頼性」が必要なのだ。もちろん、内在的信頼性はメッセージの題材によって変わってくる。数学の証明と映画批評では、内在的信頼性のあり方が違う。だが意外にも、内在的信頼性を確立するための一般原則がいくつかある。こうした原則の効果は、都市伝説を見ればよくわかる。

「ボーイフレンドの死」という有名な都市伝説がある。あるカップルが男性の車でデートに出かけたが、うら寂しい道路の木の下でガス欠になってしまう。女性は、男性が下心から仕組んだのではと疑うが、本当に車が動かないことを知る。男性は女性を車に残し、最寄の家まで徒歩で助けを求めに行く。男性はなかなか帰らず、女性は何時間も待たされたような気がしてくる。背後で車の屋根を引っかくような不気味な音がして、女性は怯える。きっと、垂れ下がった木の枝が立てる音だろう。不安な気持ちで数時間待ったあと、とうとう女性は車から出る（ここでホラー音楽！）。すると、殺されたボーイフレンドの死体が、木の枝から宙吊りになっていた。あの音は、風で死体が揺れるたびに、爪先が屋根をこする音だったのだ。

この伝説は人から人へと語り継がれるたびに、細部がつけ加えられていく。舞台は地域によって変わるが、「農業道路１２１号線で」とか「トラビス湖を見おろすあの崖の上で」というふうに、必ず実在の特定された場所になっている。民間伝説の専門家ジャン・ブランバンドによると、伝説の「信頼性と効果の大部分は、その地域ならではの細部が与えている」という。

詳細な知識は、専門知識に似た効果を発揮することが多い。歴史マニアが南北戦争の興味深い逸話を語れば、その人の信頼性はたちまち高まる。だが、具体的な細部は語り手の権威だけでなく、アイデアそのものにも信頼性を与える。興味深い細部が豊富に盛り込まれた南北戦争の逸話は、誰が語っても信頼性を感じさせる。細部はメッセージに具体性と実感を与えることにより、メッセージの現実味を増し、より信じられるものにしてくれるのだ。

陪審員とダース・ベイダーの歯ブラシ ■

一九八六年、ミシガン大学の研究者ジョナサン・シェドラーとメルビン・マニスは、模擬裁判実験を行った。被験者は陪審員役になり、架空の裁判の台本を与えられて読む。陪審員の仕事は、ジョンソン夫人の母親としての適性を評価し、七歳の息子の養育権を引き続き認めるかどうかを判断することだ。

台本には、ジョンソン夫人にとって不利な意見と有利な意見が八つずつ書かれており、うまくバランスが保たれている。陪審員は全員同じ意見を読むが、一つだけグループごとに変えられている点があった。それは、意見の詳細度だ。一方のグループの台本では、ジョンソン夫人に有利な意見には細部の鮮明な描写が盛り込まれ、不利な意見には余計な詳細情報が一切ない。別のグループの台本は、これと逆だった。

例えば、有利な意見の一つに、

「ジョンソン夫人は、子どもが寝る前にはきちんと顔を洗わせ、歯を磨かせる」

というのがあるが、鮮明な細部描写がある方には、

「子どもが使っているのは、スターウォーズのダース・ベイダーの形をした歯ブラシだ」

というくだりが加えられている。

一方、不利な意見にはこんなものがある。

「子どもが登校してきたとき、腕にひどい擦り傷があった。ジョンソン夫人は傷を消毒もせず、手当てもしていなかったので、学校の看護師が消毒を施した」

これが鮮明な方だと、看護師が傷の手当てをするときに赤チンをこぼし、白衣に赤いしみができたという細部が加えられる。

研究者は両方を慎重に検討し、客観的な重要性が同じになるよう万全を期した。つまり、細部描写はジョンソン夫人の親としての適性とは無関係なことばかりだった。肝心なのはジョンソン夫人が擦り傷の手当てをしなかったことであり、看護師の白衣が汚れたかどうかは無関係なはずだ。

ところが実際には、関係のないはずの細部が重視された。有利な意見に鮮明な細部描写のある台本を読んだ陪審員は、不利な意見に細部描写のある台本を読んだ陪審員より、ジョンソン夫人を親として高く評価した（一〇点満点で前者が五・八、後者が四・三）。細部が大きな影響を及ぼしたのだ。

むしろ、これ以上大きな差が出なかったことに安心すべきかもしれない（適性評価に八と二ほどの差があったら、わが国の司法制度が少し心配になったはずだ）。とはいえ、陪審員が関係のない細部の鮮明な描写をもとに、異なる判断を下したのは事実だ。では、なぜ細部によって差が出たのだろうか。それは、細部描写が意見の信頼性を高めたからだ。ダース・ベーダーの歯ブラシと聞けば、少年が洗面所で嬉しそうに歯を磨く様子が頭に浮かび、その結果、ジョンソン夫人はよい母親だという思いが強まる。

都市伝説とジョンソン夫人の裁判から学ぶべきことは、鮮明な細部描写は信頼性を高めるということだ。ただし、一つ付け加えておくことがある。その細部は、偽りのない細部、核心に迫る細部でなければならないということだ。「ダース・ベーダーの歯ブラシ」と同じくらい印象的で人間味があり、それでいてもっと意味のある細部、核となるアイデアを象徴し、裏づける細部を見出さなくてはならない。

二〇〇四年、スタンフォード大学経営大学院の二人の教授がワシントンDCの芸術団体を対象としたワークショップを開いた。そのとき、各芸術団体の指導者らに自分の団体の永続的原則（いかなる状況でも不変の原則）を考えさせる課題が出された。参加団体の一つ、「リズ・ラーマン・ダンス・エクスチェンジ（LLDE）」は、「創造し、演じ、教え、人々を芸術に参加させる舞踏家集団」を標榜している。ワークショップで同団体の指導者たちは、「多様性」こそ自分たちの核となる価値観だと述べた。

「よしましょうよ」

と、教授の一人は笑った。大げさなことを言っていると思ったのだ。

「多様性が大事だと、誰もが言います。でも、あなたのところは舞踏家集団だから、どうせスリムで背の高い二五歳くらいの踊り手ばかりでしょう。中には有色人種の人もいるでしょうが、それだけで多様性と言えますか？」

ＬＬＤＥのことをよく知らない他の参加者も、この懐疑的意見にうなずいた。

すると、ＬＬＤＥの芸術監督を務めるピーター・ディミューロが、こんな例を挙げた。

「実は、うちの最古参メンバーは、トーマス・ドワイヤーという七三歳になる男性です。彼は連邦政府に定年まで勤めた後、一九八八年に入団しました。ダンスは未経験でした。一七年間、彼はＬＬＤＥに所属しています」

「七三歳のトーマス・ドワイヤー」という細部は、懐疑的だった人々を黙らせ、教授は柄にもなく言葉に詰まった。

ディミューロが即座に印象的な例を挙げられたのには、立派な理由がある。多様性が本当にＬＬＤＥの核となる価値観だったからだ。この価値観は、ＬＬＤＥという組織のＤＮＡに組み込まれている。

二〇〇二年、リズ・ラーマンは全米各地でコミュニティ参加型の現代舞踏を上演した功績を認められ、マッカーサー財団から「天才賞」を受賞した。「ハレルヤ／ＵＳＡ」と題するダンス・プロジェクトでは、全国各地を訪問し、住民に「どんなことに感謝を感じるか」と尋ねた。そして、それをテーマに踊りの振付けをし、本番に地域住民を登場させた。ミネアポリスではモン族の一〇代の女性ダンサー、バージニアではボーダーコリー犬の飼い主、バーモント州バーリントンではトランプ仲間の婦人六人組（四〇年間、週一回のトランプの集いを二度を除き欠かさず続けてきた）が舞台に上がった。

現代舞踏を演じるくらいなら生き埋めにされる方がましだという人には、ピンと来ないかもしれない。せっかくの週末にボーダーコリー犬の飼い主が踊り回るのを見たいかどうかも、意見が分かれるところだ。だが、ＬＬＤＥが多様であることは、認めずにいられないはずだ。それは建前ではなく、本物の多様性なのだ。

七三歳の元政府職員、トーマス・ドワイヤーの例は、組織の核となる価値観を具体的に生々しく象徴している。彼は支援者だけでなく、ダンサーにとっての象徴でもある。スリムな若者ばかりの「ダンス・プロジェクト」なら、頭の薄い中年男性は参加する気にならない。多様性が核となる価値観だというＬＬＤＥの主張は、外部の権威ではなくドワイヤーの例という細部によって、信頼性を増した。

戦争を超えて ■

細部の鮮明な描写は、内在的信頼性を生みだす、つまりアイデア自体に信頼性の源を組み込むための一つの方法だ。他の方法は、統計を利用することだ。私たちは小学校時代から、統計で論拠を示すよう教えられる。だが、統計は往々にして退屈だ。統計を利用しつつ聴き手の関心をつかむには、どうすればよいだろう。

一九八〇年代、「戦争を超えて」という運動を率いるジェフ・アインスカウらは、ある逆説に断固立ち向かおうとしていた。それは、子どもがハサミを持って走ると人は大慌てするのに、何百万人もの子どもを殺しかねない核兵器の記事を読んでも、一瞬暗い気持ちになるのがせいぜいだという逆説である。

「戦争を超えて」は、米ソの軍拡競争に危機感を抱いたある市民団体が始めた運動だ。当時、米ソの核兵器を合わせると、世界を何度も壊滅させる殺傷能力があった。「戦争を超えて」のメンバーは、軍拡競争に対する一般市民の抗議を盛り上げようと、近所の家を一軒ごとに訪問した。だが、軍拡競争が手に負えない段階に来ていることを信じてもらえなかった。世界に備蓄された核の壊滅的な威力をどうすれば理解してもらえるか。彼らの伝えたいことは、あまりにも漠然としていた。逸話を紹介したり、細部をつけ加えるだけでは足りない気がした。核競争と戦うためには、その規模を問題にする必要がある。規模の根拠は数字だ。

「戦争を超えて」の面々はハウス・パーティを企画した。友人や近所の人々を家に招き、「戦争を超えて」の代表者がそこで話をするのだ。アインスカウは、そこで彼らが行った簡単な実演について話してくれた。彼はこうした集まりにいつも金物のバケツを持参した。話の中で頃合いを見計らい、ポケットからBB弾という玩具の銃の弾丸を一個取り出して、空のバケツに落とす。弾はけたたましい音を立ててバケツの中を跳ね、やがて止まる。そこでアインスカウは言う。

「これは広島に落ちた原爆です」

その後数分間、広島の原爆被害について説明する。何マイルにもわたって建物がぺしゃんこになったこと。何十万人もの人々が一瞬にして命を落とし、さらに多くの人が火傷や長期的障害を負ったこと。

彼は次に、BB弾を一〇個、バケツに落とす。弾は、さっきよりさらにけたたましい音を立てる。

「これは、米軍もしくはソ連軍のたった一隻の原子力潜水艦に搭載されたミサイルです」

最後に、彼は参加者に目を閉じるように言う。

「これが現在、世界にある核兵器です」

そして、五〇〇〇個の弾をバケツに流し込む（核弾頭一個につき弾一個）。すさまじい音がして、恐怖さえ感じさせる。

「音はなかなか止みませんでした」と、アインスカウは言う。「そして、死の世界を思わせる完全な沈黙が訪れました」

これは、統計数値を伝える巧みな手法だ。順を追って解説してみよう。第一に、「戦争を超えて」には中心となる信条があった。「一般市民に軍拡競争の存在を気づかせ、なんらかの手立てを講じる必要があると認識させなければならない」という信条だ。第二に、メンバーはメッセージの意外な点を見出した。第二次世界大戦後、世界の核兵器が増えていることは誰でも知っているが、どのくらいの規模で増えているかは誰も気づいていないという点だ。第三に、彼らは自分たちの信条に信頼性を与える統計を手にしていた。世界には、たった一個で一都市を壊滅させる核弾頭が五〇〇〇個もあるという事実である。問題は、五〇〇〇という数字が人にとってほとんど意味を持たない点だ。この大きな数字に意味を持たせる工夫が必要だった。

最終的にその工夫は、ＢＢ弾とバケツによる実演となった。おかげで、抽象的な概念に感覚的な面が加わった。小道具の選択も考え抜かれていた。ＢＢ弾は武器だし、弾がバケツに当たる音は恐怖を誘う効果がある。

統計数値は記憶に残らない、残るはずがないという思い込みがここでは覆されている。実演を見た人は、一週間たっても世界に五〇〇〇個の核弾頭があることを覚えていたはずだ。

彼らの記憶に焼きついたのは、大きな危険に対する突然の本能的認識だ。第二次世界大戦当時と比べて、現在世界に備蓄されている核兵器の量が格段に増えていることに気づいたのだ。核弾頭の数が四一三五個だろうが九四三七個だろうが、ここでは関係ない。大事なのは、手に負えない問題だと肝に銘じることだった。

これは、統計を効果的に使ううえで忘れてはならない大事なことだ。統計自体が意味を持つことなど、まずない。ほとんどの場合、統計は関係性を示すために使われ、それが本来のあり方でもある。数字を覚えるよりも関係性を覚えることの方が重要なのだ。

人間的尺度の原則 ■

統計に実感をわかせる方法がもう一つある。それは、人間的で日常的な文脈の中に置くことだ。

例として、次の二つの科学的記述を比べてほしい。

1・このほど、ある研究チームがある重要な物理的制約をきわめて正確に計算した。その正確さは、太陽から地球に石を投げ、的から〇・五キロメートル以内に命中させるようなものだ。

2・このほど、ある研究チームがある重要な物理的制約をきわめて正確に計算した。その正確さは、ニューヨークからロサンゼルスまで石を投げ、的から一・七センチメートル以内に命中させるようなものだ。

どちらがより正確に感じられるだろう?

お察しの通り、いずれも正確さの度合いは全く同じ。いろんな人に読み比べてもらったところ、太陽と地球の例を「非常に印象的」と評価した人は、全体の五八%。ニューヨークとロサンゼルスの例では、その数値が八三%に跳ね上がった。私たちは、太陽と地球との距離について、体験も直観力も持ち合わせていない。ニューヨークからロサンゼルスまでの距離の方がはるかに実感がわく(とはいえ、正直に言えば、それでもまだ実感とは程遠い。問題は、アメフト競技場のようにさらに実感のわく尺度を使うと、命中度の方が実感のわかない数値になってしまうことだ。「アメフト競技場の端から端まで石を投げ、的から三・四ミクロン以内に」となっては、元も子もない)。

スティーブン・コヴィーは『第8の習慣』で、多くの企業と業種から従業員合計二万三〇〇〇人を抽出して行ったアンケート調査について述べている。調査結果は以下の通りだった。

・自分の組織が何を成し遂げようとしているか、その理由は何かを明確に理解しているとした人は、わずか三七％。
・自分の部署や会社の目標に熱意を持っている人は、五人に一人。
・自分の仕事が自分の部署や会社の目標につながっているとした人は、五人に一人。
・自分が重要目標を達成できる環境を会社が与えてくれているとした人は、わずか一五％。
・自分の勤める会社を全面的に信用している人は、わずか二〇％。

真面目で冷静な書き方だが、かなり抽象的だ。これを読み終わった人はたぶん「どこの会社にも不満や混乱が多いんだな」と思うだけだろう。

コヴィーは次に、この統計をきわめて人間的な喩えに置き換えている。

「これがサッカーチームだったら、自分たちのゴールがわかっている選手は一一人中四人しかいない。それを気にとめる選手は一一人中たったの二人。自分のポジションとやるべきことを把握しているのも一一人中たった二人だ。しかもある意味、わずか二人を除いて全員が、敵ではなく味方と戦っていることになる」

サッカーの類推はこの統計に人間的な文脈を生み出し、ドラマ感と躍動感をつくりだしている。これを読めば、二人の選手が得点を入れようとするたびに、残りの選手が邪魔をする様が思い浮かぶ。

なぜサッカーの類推は役立つのだろう。類推を支えているのは、サッカーチームのイメージであり、このイメージが組織のイメージよりも明解だからだ。サッカーチームと言えばチームワークが命。だから、協調性に欠ける企業より協調性に欠けるサッカーチームの方が印象的なのだ。コヴィーが言いたいのも、まさにそれだ。つまり、企業はチームのように運営されるべきなのに、そうなっていないということだ。統計に人間味を加えれば、主張にインパクトを与えることができる。

人間的尺度の原則について、もう一つ例を挙げよう。技術設備のグレードアップの費用対効果を判断するという、ごくありふれたケースだ。大手IT企業のシスコシステムズは従業員用の無線ネットワーク導入を検討していた。無線ネットワークの維持費は従業員一人当たり年間五〇〇ドル。これは、全従業員に歯と目の保険を掛けるのと同じくらいの金額で、かなり高いという印象がある。だが、これは福利厚生ではなく投資だ。では、投資効果をどのように割り出せばよいのか。ネットワークを導入することで、従業員一人当たり年間五〇一ドル分の付加価値が生み出されるのだろうか。

シスコのある従業員が、もっと優れた考え方を提案した。

「従業員の生産性を一日に一分か二分、高めることができれば、無線ネットワークの費用は回収できる」

これなら、ずっと簡単に投資効果を評価できる。従業員が無線ネットワークを利用して数分節約する場面なら、容易に思いつく。重要な会議に書類を忘れても、その場で誰かにメールして送ってもらうことができる。

統計はそれ自体が役立つわけではない。役に立つのは、尺度と文脈だ。無線ネットワークが従業員一人当たり年間五〇〇ドルの付加価値を生むかどうか、直感的にわかる人はあまりいない。だが、適切な尺度を用いれば、すべてが変わる。既に述べたように、具体性は聞き手に知識の発揮を促す。HPのディズニー・ワールドで過ごす一家のシミュレーション展示を思い出してほしい。人間的尺度の原則は、私たちが直感を発揮して、メッセージ内容の信頼性を判断するうえで役立つのだ。

統計は、関係性を示すために使えば、内在的信頼性の源となる。序章で飽和脂肪酸を多く含む映画館のポップコーンに警鐘を鳴らしたCSPIのキャンペーンを紹介した。統計的に言えば、Mサイズの袋に三七グラムの飽和脂肪酸が含まれている。だが、それが何を意味するのか。それは良いことなのか、悪いことなのか。

CSPIのアート・シルバーマンは賢明にも、ポップコーンの飽和脂肪酸量を比較に適した文脈の中に置いた。一袋のポップコーンは、丸一日分の不健康な食事に匹敵すると言ったのだ。そう聞けば多くの人はぎょっとすることを、シルバーマンは知っていた。

シルバーマンが卑劣な人間だったら、棒つきキャンディのように身体に悪いわりに飽和脂肪酸の少ない食品を選んだかもしれない。

「一袋のポップコーンには、棒つきキャンディ七一万二〇〇〇本分の飽和脂肪酸が含まれています！」

というふうに（脂肪分ゼロのキャンディなら数値は無限大だ）。だが、この統計はまやかしだ。不健康さの意味が異なる食品を引き合いに出しているからだ。そうなると、映画館経営者は負けじともっと健康的な成分を持ち出し、こう言ってみせるだろう。

「一袋のポップコーンにはブロッコリー三二キロ分のビタミンJが含まれています!」

そういう可能性があるから、私たちは統計について書くのが不安だった。特に政治の世界では、統計をちょっといじるだけでさまざまな立場の人が得をする。分析力はあるが倫理観に欠ける人に統計を与えれば、たいていどんな主張もこじつけて証明してのけるだろう。

統計など用いない方が、嘘はつきやすい。データは否応なく限界を定める。データ自体をでっちあげるほど非倫理的な人でない限り、現実のデータから制約を受けることになる。それはよいことだが、ごまかしの余地はいくらでもある。

では、こじつけのプロではない一般人はどうなのか。普通の人にも、統計をなるべく有利に見せたいという誘惑はある。誰でもこんなふうに言った経験があるはずだ。

「今夜は教会仲間とバスケットボールをして、一六点も入れたよ」(一二本のシュートに失敗し、試合に負けたことには触れない)

「身長は一六五センチです」(ただし、高さ九センチのハイヒールを履いて)

「今年度は一〇%の増収を達成したので、ボーナスをいただけますか?」(利益は大幅に落ちましたが)

私たちに助言できるのは、統計はインプットとして用い、アウトプットとして用いないことくらいだ。判断材料として用いるのはいいが、決断した後で主張を裏づける数字を探すべきではない。そうでないと、下心がわいて面倒なことになる。だが、決断を下すために統計を利用した場合には、その数値を明らかにして自分の立場を有利にできる。そう、「戦争を超えて」のジェフ・アインスカウたちのように。

アイデア・クリニック

サメに対するヒステリックな恐怖

背景説明：数年おきに、メディアはサメが人を襲っていると騒ぎ立てる。だが、サメが人を襲うことは稀だし、事故件数は毎年変わらない。それなのに、なぜメディアも大衆もこれほど注目するのか。それは、ひとたびサメが人を襲うと、恐怖と戦慄の物語が次々と生み出されるからだ。例えば、人気トーク番組「オプラ・ウィンフリー・ショー」では、次のような逸話が紹介された。

オプラ：ベサニー・ハミルトンはサーフィンが大好きでした。八歳から毎日波に乗っていたベサニーは、サーフィンの天才で、「血管に海水が流れている」と言われていました。一三歳の若さでサーフィン界の新進スターだったベサニーは、もともと地元の有名人でした。ところが、ある事件の後、彼女の名は世界中の新聞紙面を飾ることになります。

ある朝早く、ベサニーは海に出ていました。ボードにうつぶせに寝そべり、腕を水中に垂らしていました。そのとき突然、体長五メートルの獰猛なイタチザメが彼女の腕に噛みついたのです。サメは何度も乱暴に腕を引っぱり、ついに小柄な彼女の身体から腕を食いちぎってしまいました。数秒後、サメと彼女の腕は海に消え、ベサニーは血に染まった海の真ん中に一人残されていました。

この強烈な物語と対決する羽目になったら、どうすればよいのか。あなたが、サメ救済基金の広報責任者だったら、あるいは、海水浴を怖がる中学生の娘を落ち着かせようとする親だったら、どうするだろう。事実はあなたの味方だ。サメが人を襲うことはめったにない。だが、だからといって人が信じてくれる保証はない。それなら、人々を納得させるだけの信頼性をどこから得ればよいのか。

メッセージ1：このメッセージは、フロリダ自然史博物館の統計に基づいて、私たちが書いたものだ。

サメに襲われる確率は、監視員のいる海水浴場で溺れる確率よりも低い。まして、サメに襲われて死亡する確率となると、確率はいっそう低くなる。二〇〇〇年、監視員のいる米国内の遊泳区域で溺死したのは一二人だったが、サメに襲われて死んだ人はいない（サメによる死者数は年平均〇・四人）。

メッセージ1へのコメント：悪くはないが、改善の余地がある。このメッセージは内在的信頼性、つまり統計自体の信頼性を利用している。コメントは二つ。まず、溺死者数はあまりいい比較対照とは思えない。なぜなら、溺死はよくある死因の一つと思われているからだ。「溺死するよりサメに襲われることの方が少ない」と言われても、特に意外性を感じない（それに、言ってはなんだが、学生アルバイトの監視員がいるからといって、絶対安全とも思えない）。もう一つ、一二人対〇・四人という死者数の統計比較は結構だが、人間的尺度から言えばあまり印象的でも有意義でもない。一週間後にはきっと忘れられている。

メッセージ2：このメッセージも、フロリダ自然史博物館の発表した統計に基づいている。

次のうち、どちらの動物に殺される確率の方が高いか？

サメ　　鹿

正解は、鹿だ。鹿に殺される確率（鹿と自動車の衝突による死亡）は、サメに殺される確率の三〇〇倍である。

メッセージ2へのコメント：鹿のバンビは獰猛なサメより危険という意外なアイデアがいい。

また、ただ危険なだけでなくはるかに危険性が高い（死に至る確率が三〇〇倍！）という、もっと意外な統計もいい。馬鹿馬鹿しくて笑えるが、人食いザメの逸話が生みだす恐怖を和らげるには、これくらいユーモアがあってもいい。ある意味、感情への関連づけを武器に、感情への関連づけと戦うようなものだ（次章参照）。

このメッセージも統計を用いて内在的な信頼性を生み出しているが、同時に、聴き手自身がメッセージに信頼性を与えている。聴き手は、自分が運転するとき、鹿を恐れはしない。鹿が怖くて夜の外出を嫌がる人は、まずいない。鹿が怖くないなら、サメを恐れる理由があるだろうか（これは、溺死を比較対象にするよりずっと効果的だ。たいていの人は、溺れるのが怖いとどこかで思っているからだ）。

【採点表】

項目	メッセージ1	メッセージ2
単純明快である	○	○
意外性	ー	○
具体的である	○	○
信頼性	○	◎
感情に訴える	ー	○
物語性	ー	ー

結論：統計を用いるなら、なるべく数字自体に頼るのはやめよう。数字は根本的な関係性を教えてくれるが、数字自体を使わずに関係性をうまく例示する方法もある。鹿とサメの比較は、アインスカウが用いたバケツとBB弾に匹敵する。

シナトラ・テストとセーフエクスプレス

魅力的な細部、あるいは統計を利用して、アイデア自体の信頼性を高める方法を見てきたが、内在的信頼性を高める三番目の方法は、ある種の事例を用いることだ。それは、「シナトラ・テスト」なる試験に合格する事例である。

フランク・シナトラは名曲「ニューヨーク・ニューヨーク」で、ニューヨークの街で新たな生活を始める心境を歌った。そのコーラスにこんな一節がある。

「ここでうまくいけば、どこへ行ってもうまくいくさ」

シナトラ・テストに合格する事例とは、それだけでその分野全体に通用する信頼性を確立できるものだ。例えば警備会社の場合、大量の金塊保有で知られるフォートノックス陸軍基地と契約を結べば、（たとえそれが唯一の顧客だったとしても）どこでも契約が取れるだろう。ホワイトハウスの式典で料理の注文を受ければ、どこからでも注文を取れる。そこでうまくいけば、どこでもうまくいく。それがシナトラ・テストだ。

インドの家族企業セーフエクスプレスは、シナトラ・テストを巧みに利用した。同社は運送業者だが、業界は競争が激化し、運賃がどんどん下がっていた。業界に問題もあった。配達時間や荷物の安全性を保証する業者がほとんどなく、荷物が無事届くかどうかすら怪しい業者もあった。セーフエクスプレスはそんな競合他社と差別化するため、配達時間と荷物の安全性を顧客に保証した。インドに進出する多国籍企業は、フェデラル・エクスプレスの信頼性に慣れていたので、セーフエクスプレスを歓迎した。だが、インドの国内企業は高い配送料金に慣れていないので、なかなか注文がとれない。セーフエクスプレス創業一家の一員ルバル・ジェインは、なんとしても国内企業を開拓したかった。

そこで、インドのある大手映画スタジオにターゲットを絞り、映画フィルムの配送を申し出た。スタジオ側の返事は「冗談じゃない」だった。

予想通りの反応だ。無理もない。インドでも海賊版への懸念が高まっており、映画フィルムの配送は重大な任務だった。途中でどこかに「置き忘れ」でもしたら、数週間後には路上に海賊版が出回ることになる。そんなリスクを映画スタジオが冒せるはずはない。

幸い、ジェインには強力な実績があった。セーフエクスプレスは『ハリー・ポッター』シリーズ第五巻の発売時に、配送を請け負っていた。同社はインド国内の全書店にこの本を届けた。それは、とてつもなく複雑な配達任務だった。すべての本を発売日の朝八時までに届けなければならない。だが早すぎると書店が早く売ろうとし、伏せられてきた本の内容が知られてしまう。逆に、遅れると書店の売上に響き、店主の怒りを買う。しかも、『ハリー・ポッター』シリーズにも映画フィルム同様、海賊版対策が必要だった。絶対に内容が漏れてはいけなかった。

ジェインにはもう一つ実績があった。彼は世間話から、映画スタジオ経営者の弟が最近、高校入試を受けたことを知っていた。ハリー・ポッターの話をした後、ジェインはこう言った。

「ところで、当社は弟さんの学校に試験用紙を安全に届け、回答用紙の返送も請け負いました」

同社は高校と大学の共通入学試験の配送を一手に引き受けている。

二カ月後、同社はスタジオと契約を交わした。

ジェインの事例はいずれもシナトラ・テストに合格している。事例ではなく統計数値を用いて、

「当社は九八・八四％の荷物を時間通りに届けます」

と言うこともできたし、外部に信頼性を求め、多国籍企業のＣＥＯから、

「セーフエクスプレスに国内配送をすべて任せていますが、素晴らしい会社です」

という証言を得ることもできた。いずれも信頼性を高めるよい手法だ。だが、共通試験の答案や『ハリー・ポッター』最新巻の配送業者だという事実には、「ただものではない」と思わせるものがある。その威力は数字や権威ではなく、具体的であることから来ている。この話を聞けば、「そこでうまくやれたセーフエクスプレスは、どこでもうまくやれる」と思えるのだ。

食べられる布地　■

「内在的信頼性」をもたらす三要素、細部、統計、シナトラ・テストをまとめて用いたのが、環境

として知られる。

保護活動家のビル・マクドノーだ。彼は、企業の環境改善と収支改善の両立を助けるアドバイザー

経営者の多くは、環境保護活動家から働きかけられるといぶかしみ、警戒する。たとえそれがマクドノーのように「企業に優しい」環境活動家でも同じだ。マクドノーはシナトラ・テストに合格した物語を語ることで、こうした懐疑心を払拭し、企業目標と環境目標の完全な一致が可能なことを証明している。

それは、こんな物語だ。一九九三年、マクドノーは化学者のマイケル・ブラウンガートとともにスイスの繊維会社から仕事を受けた。ローナー・テクスティルという会社は、オフィス家具大手のスチールケース社の椅子に貼る布地を製造していた。同社の企業使命は、「毒性物質を使用しない製造工程を開発すること」。繊維業界では不可能とされていることだった。

繊維業は有害化学物質をどこも使っている。染料の多くに毒素が含まれているからだ。同社が椅子に使用した生地のはぎれは、安全性が疑われる化学物質を数多く含んでいたため、スイス政府によって危険廃棄物に分類されていた。しかも、はぎれを国内で埋めたり焼却したりすることもできない。政府規制に従えば、スペインのように規制の緩い国に「輸出」するしか手がなかった（この話の鮮明で具体的な細部描写だ）。マクドノーはこう語る。

「余り布は危険廃棄物に認定されているのに、布地の真ん中は売ることができる。となると、自分たちの売っているものが危険廃棄物だということは、天才でなくてもわかる」

家具の製造工程から毒性化学物質を排除し、この問題を解決するには、化学業界で意欲のある提

携先を見つける必要があった。製造ニーズに合った安全な化学物質を供給してくれるメーカーが必要だった。そこで、彼とブラウンガートは化学メーカーの経営者へのアプローチを開始し、こう話して回った。

「将来的には、全製品を小児医薬品ぐらいに安全なものにするのが願いです。自分の赤ん坊がしゃぶっても、健康になりこそすれ病気にはならないようにしたい」

二人は化学メーカー各社に、化学物質の製造工程を説明してほしいと頼んだ。マクドノーはこう言った。

「『企業秘密だ、合法的にやっている』という言葉は聞きたくない。われわれは、素性のわからないものを使うつもりはありません」

六〇社から断られた挙句、チバガイギーの会長が「やりましょう」と言ってくれた。

マクドノーとブラウンガートは、繊維業界で通常使用されている八〇〇〇種類の化学物質について調べた。各物質を一定の安全基準に照らして審査したところ、七九六二種類が不合格だった。残ったのは三八種類。それは、マクドノーいわく「食べても大丈夫」だった（この「食べても大丈夫」も具体的な細部だ。統計によって、数多くの有毒物質に対し、好ましい化学物質は少数だったという関係性を確立している点にも注目してほしい）。

彼らはたった三八種類の化学物質だけを使って、黒以外のすべての色を含む完全な製品ラインを実現した。原料の繊維には、毛織物や植物繊維「苧麻（ラミー）」などの天然素材を選んだ。製造工程を始める際、スイス政府の検査官が工場を訪れ、廃水に含まれる化学物質が法定の基準値以内かどうかを検査した。

「検査官は最初、測定器の故障だと思ったようだ」

と、マクドノーは言う。廃水から何の化学物質も検出されなかったからだ。そこで、検査官は製造に使用している水を調べた。こちらは飲用に適した水道水だが、測定器はちゃんと作動した。「製造の過程で、繊維が水道水をさらに浄化したのだろう」

マクドノーの新製造プロセスは、安全なだけでなくコストも減らした。製造コストが二〇%も削減されたのだ。理由の一つは、有毒物質処理の手間とコストが減ったことだった。作業員に防護服を着せる必要がなくなり、はぎれはスペインに送って埋立処理する代わりに、フェルトにして農作物用の断熱材として国内農家に売れた。

優れた物語だ。記憶に焼きつく要素が多い。不可能な目標。八〇〇〇種類の化学物質のうち三八種を残して除外したこと。国の検査官に測定器の故障と思わせるほどきれいな廃水。危険廃棄物から農作物の断熱材に変わったはぎれ。「食べても大丈夫」な布地というアイデア。そして満足のいく成果(作業員の安全向上と二〇%のコスト削減)。

マクドノーが環境に優しいプロセスを提案する際にこの物語を持ち出せば、どんな業界のどんな企業も、厚い信頼を寄せるだろう。この物語はシナトラ・テストを難なくクリアしている。

これまで、権威や反権威といった外部者を利用して信頼を生む方法や、細部や統計、シナトラ・テストに合格する事例を用いてメッセージ内部から信頼性を引き出す方法を述べてきた。だが、まだ触れていない信頼性の源がもう一つある。それは、最も強力な信頼性の源かもしれない。

肉はどこ?

歴史上、最も優れたテレビCMキャンペーンの一つが、一九八四年のウェンディーズのキャンペーンだ。最初のCMは、こんなふうに幕を開ける。三人の老婦人がカウンターに立っている。三人は、カウンター上のハンバーガーの皿をぽかんと見ている。皿には、直径三〇センチもある巨大ハンバーガーが載っている。

「大きいわね」と、左の女性。

「とても大きいわね」と、真ん中の女性。

「大きくて、パンがふっくらしてるわね」と、また左の女性。

「とても大きくて、パンが……」

真ん中の女性はそう言いながら上のパンを持ち上げ、言葉を失った。下から現れたのは、焼け焦げた小さなビーフパテと、たった一枚のピクルス。パンが大きい分、パテがとても小さく見える。するると、右の女性が初めて口を開く。八〇歳のクララ・ペラーが演じるこの女性は、眼鏡越しにじろりと見て、こう言う。

「肉はどこ?」

そこへナレーション。「パンはふっくらしていても、肉が小さいハンバーガー店もあります……」

ペラー「肉はどこなの?」

ナレーター「『ウェンディーズ・シングル』は『ウォッパー』〔訳注：バーガーキングのビッグサイズのハンバーガー〕や『ビッグマック』よりもたくさん肉を使用しています」

ペラー「ちょっと！　肉はどこなの？」彼女はカウンターをのぞく。

「誰もいないみたいね」

何とも愛すべきCMだ。面白いし、よくできている。クララ・ペラーは、このCMでちょっとした有名人になった。しかも、この広告はウェンディーズのハンバーガーの真の強みを際立たせている。実際、同社のハンバーガーには他社より多く肉が使われている。それまで消費財の広告といえば、強力だが見当違いの感情を製品に重ねようとするのが定石だった。洗濯用柔軟剤のブランドと母親の子どもへの愛情を関連づけるのがその一例だ。その点、自社製品の真の強みを愉快に表現して見せたウェンディーズは立派だ。

この広告は大きな反響を呼んだ。ウェンディーズが行った調査によると、「ウェンディーズ・シングル」は「ウォッパー」や「ビッグマック」より大きいと考える人が、CM放映から二カ月で四七％も増えた。放映から一年で、同社は三一％の増収を記録した。

ウェンディーズは、自社のハンバーガーには他社より多くの肉を使っていると訴えた。たいていの人は、そんなことを深く考えたこともなかった。それが当時の常識でなかったことは確かだ。では、ウェンディーズはどうやってこの主張に信頼性をもたせたのか。

これまでの例と少し違うことに気づいてほしい。このメッセージは外部の信頼性を利用してはいない。有名スポーツ選手がハンバーガーの大きさを語るわけでも、ハンバーガー好きの太った大男といった反権威者が起用されているわけでもない。かといって、内在的信頼性を利用し、「肉が一一%も多い！」などと統計を持ち出しているわけでもない。このCMは、全く新しい信頼性を生み出している。それは聴き手だ。ウェンディーズは顧客を信頼性の源泉にしたのである。

一連のコマーシャルは、顧客がウェンディーズの主張を確かめるよう暗に仕向けている。「自分の目で確かめてください、マクドナルドと当社のハンバーガーを比べてください。大きさの違いに気づくはずです！」とほのめかしているのだ。科学的に言えば反証可能ということになる。定規と秤があれば、どんな顧客もこの主張の真偽を確かめられる（といっても、ウェンディーズの方が大きいことは、見ただけでわかる）。

顧客に自ら真偽を確かめさせるこのやり方は、「検証可能な信頼性」である。検証可能な信頼性は、聴き手が「試してから買う」ことを可能にするため、信頼性を大きく高めることが可能だ。

検証可能な信頼性

検証可能な信頼性は、都市伝説で多彩な歴史を歩んできた。一九九〇年代、飲料会社のスナップルは、同社が白人至上主義の秘密結社KKK団を支持しているという噂に苦慮していた。噂を信じる人々は、ちょっとした「証拠」があると思っていた。

「スナップルのボトルの前面には、奴隷船の絵が描かれている！」

というのだ。信じない人には、アルファベットのKを丸で囲んだ奇妙なマークを見るように言った。これこそKKK団を支持している証拠というわけだ。

確かに、スナップルのラベルには船と丸で囲まれたKの文字が描かれている。だが、KKK団とは無関係だ。船はボストン茶会事件の版画からとったものだし、丸で囲んだKは「コシャー(Kosher)」(ユダヤ教の食事規定に則った食品)のマークだ。ところが、それを知らない人々の中には、これらのシンボルを見て噂を信じる人もいた。

スナップルの噂は、ウェンディーズ広告の一種の「おとり商法」版だ。ウェンディーズは「自分の目で確かめてください。当店のハンバーグの方が肉が大きいですよ」と言い、噂好きの人々は「自分の目で確かめてください。Kのマークがあるでしょう。だから、スナップルはKKK団を支持しているのです」と言ったわけだ。「自分の目で確かめて」という言葉の正当性にまどわされ、非論理的な結論に飛びついてしまう人もいる。このように、検証可能な信頼性は皮肉な効果を発揮することもある。「自分の目で確かめて」の部分は正当でも、そこから導き出される結論には全く根拠がない場合もあるのだ。

検証可能な信頼性は、多くの分野で役立つ。例えば、ロナルド・レーガンが一九八〇年の大統領選挙戦で、

「あなたの暮らしは四年前よりよくなりましたか?」

と問いかけたのは有名な話だ。レーガンは対立候補のジミー・カーターとの討論会で、この問いを聴衆に投げかけた。インフレ率や失業率の高さ、金利の上昇といった統計をもちだして自説を主張することもできただろうが、彼は聴衆に判断を委ねた。

もう一つの例は、ポジティブ・コーチング連盟（ＰＣＡ）の設立者、ジム・トンプソンである。子どものスポーツは勝利だけを追求するのではなく、人生の教訓を学ぶ場であるべき、というのがＰＣＡの理念だ。

ＰＣＡでは、子どものスポーツ指導者向けにポジティブ・コーチングの研修を行っている。研修では、「感情タンク」という類推を用いて、「褒める」、「支えになる」、「重要な意見を与える」の三要素の適切な配分を考えさせる。

「感情タンクは、自動車のガソリンタンクのようなものだ。ガソリンタンクが空では遠くには行けないように、人間も感情のタンクが空っぽだと最大の能力は発揮できない」

「感情タンク」の類推を紹介した後、受講者に練習を行わせる。まず、隣の人が試合中に大事なところでミスをしたと想定し、「感情タンク」を空にする言葉をかけるよう指示する。スポーツの会話には気のきいたけなし言葉がつきものなので、受講者はたちまち夢中になる。

「この演習をやると、会場が笑いでいっぱいになる。ときには、なかなかユニークな言葉も飛び出す」

と、トンプソンは言う。

次に、別の人が同じミスをしたと想定し、今度はその人の「感情のタンク」を満タンにするように告げる。今度はさっきほど盛り上がらない。

「たいてい、しーんとしてしまう。しばらくして、ようやく誰かが小声で『惜しかったな！』と言うくらいだ」

スポーツ指導者は、自分の行動を振り返り、教訓を学ぶ。支えになるより批判する方が楽なこと、慰めの言葉を一つ思いつくより、けなし言葉を一〇考える方が簡単なことを思い知る。トンプソンは、自分の言わんとすることを検証可能な信頼性に変え、受講者が自ら体験できる方法を見つけたのだ。

アイデア・クリニック

直感には間違いもある。なのに、誰もそれを信じようとしない

背景説明：人はたいてい直感を信じるが、人間の直感は偏見によって歪められている。それでもたいていの人は、自分の直感に自信をもっており、それを覆すのは難しい。意思決定について研究する心理学者らが、この困難な闘いに挑むことになった。心理学入門の教科書の編集者になったつもりで、「アベイラビリティ・バイアス」という概念を説明した次の二通りの記述を読み比べてほしい。

メッセージ1：次の二つの事柄のうち、どちらで死ぬ人が多いだろう。殺人か自殺か。洪水か結核か。竜巻か喘息か。少し考えて答えてみよう。

きっと、殺人と洪水と竜巻で死ぬ人が多いと思ったのではないだろうか。ほとんどの人はそう考える。ところが、アメリカでは殺人の犠牲者より自殺者の方が五〇％も多い。結核で死ぬ人の数は洪水で死ぬ人の九倍に上り、喘息で死ぬ人の数は竜巻で死ぬ人の八〇倍もいる。

それでは、なぜこんなふうに予想してしまうのだろう。その原因は、アベイラビリティ・バイアスである。アベイラビリティ・バイアスとは、ある事象が起きる確率を、その事象が記憶の中にどれくらい存在しているかで予想する自然な傾向のことだ。私たちは、思い出しやすいことは起きる確率も高いと直感的に考える。だが、記憶に残っているものごとの集合体は、現実世界を正確に反映しているとは限らない。

頻繁に起きることよりも、より感情に訴えることの方が記憶に残る場合もあるし、頻繁に起きるからではなく、メディアで長時間取り上げられたために覚えていることもあるだろう（メディアが取り上げるのは、おそらく生々しい映像が得られるからだ）。アベイラビリティ・バイアスは直感をまどわせ、めったに起きないことをよくあることのように、起きそうにないことを起きそうに思わせる。

メッセージ1へのコメント：この文章は、「どちらで死ぬ人が多いと思うか」という、単純だが効果的な「検証可能な信頼性」を用いている。読者はきっとどれかを間違い、アベイラビリティ・バイアスという現実を自ら証明することになる。

メッセージ2：以下は、アベイラビリティ・バイアスの例を示したもう一つの文章だ。こちらは、入門書によくありがちな記述だ。

アベイラビリティ・バイアスとは、ある事象が起きる確率を、その事象が記憶の中にどれくらい存在しているかで予想する自然な傾向のことだ。私たちは、思い出しやすいことは起きる確率も高いと直感的に考える。だが、記憶に残っているものごとの集合体は、現実世界を正確に反映しているとは限らない。例えば、意思決定について研究するオレゴン大学の研究者らの調査によると、被験者は殺人の犠牲者数の方が自殺者数より二〇％多いと思っていたが、実際には自殺者の方が五〇％多い。また、被験者は洪水で死ぬ人の方が結核で死ぬ人より多いと思っていたが、実際には結核による死亡者が洪水犠牲者の九倍もいる。さらに、竜巻の犠牲者数と喘息による死亡者数はほぼ同じと思っていたが、実際には喘息による死亡者が竜巻犠牲者の八〇倍もいる。

頻繁に起きることよりも、より感情に訴えることの方が記憶に残っている場合もあるし、頻繁に起きるからではなく、メディアで長時間取り上げられたために覚えていることもあるだろう（メディアが取り上げるのは、おそらく生々しい映像が得られるからだ）。アベイラビリティ・バイアスは直感をまどわせ、めったに起きないことをよくあることのように、起きそうにないことを起きそうに思わせる。

メッセージ2へのコメント：こちらはメッセージ1ほど参加型ではない。竜巻で死ぬ人より喘息で死ぬ人の方が多いという結論を読んでも、学生は「この実験の被験者は馬鹿だなあ」と思うだけだろう。アベイラビリティ・バイアスの効果を自ら体験させる方が、はるかに効果的だ。

【採点表】

項目	**メッセージ1**	**メッセージ2**
単純明快である	○	○
意外性	○	―
具体的である	○	○
信頼性	◎	○
感情に訴える	―	―
物語性	―	―

結論：検証可能な信頼性は、聞き手が自ら試すことを可能にする。

新人研修

またしてもスポーツの話。今度は、米国のプロ・バスケットボール・リーグ、NBAである。仮にあなたの仕事が、NBAの新人選手にエイズの危険性を教育することだとしよう。NBAの選手といえば若い男性だ。特に新人には未成年者も多い。彼らはある日突然、有名になり、世間の注目を集める。生まれた頃から世の中ではエイズが問題化していたから、エイズを知らないという危険性はない。彼らにとっての危険性は、生活環境の影響で不用意な夜遊びをしてしまうことだ。

エイズの脅威に信頼性と緊迫感をもたせるには、どうすればいいのか？ 信頼性を与えてくれそうなものを考えてみよう。まず、外部からの信頼性として、マジック・ジョンソンのような有名人や専門家か、エイズ末期のスポーツ選手といった反権威者の起用が考えられる。人間的尺度で統計を示す手もある（行きずりの相手と一夜を過ごすことでエイズ・ウィルスに感染する確率を示すなど）。生々しい細部の描写も使える。日頃は安全なセックスを心がけているのに、夜遊びで盛り上がりついガードが甘くなった、などという体験談をスポーツ選手に語ってもらうのだ。どれもなかなか効果がありそうだ。だが、信頼性の源を選手自身の心の中に求めるとしたら、どうすればよいのか。NBAはある独創的な方法を思いついた。

シーズン開始の数週間前、新人選手は全員、ニューヨーク州タリータウンに集められる。彼らはここで新人研修を受けるよう義務づけられている。六日間、ホテルにほぼ缶詰にされ、ポケットベルや携帯電話の使用も禁じられる。メディアへの対応法から、降って湧いた大金の賢い投資法に至るまで、プロの選手生活について教え込まれる。

研修は極秘で行われるにもかかわらず、ある年、女性ファンのグループが研修会場に集まってきた。研修一日目の夜、選手たちの目にとまるために着飾った彼女たちが、ホテルのバーやレストランで選手たちを待ち構えていた。新人選手らはご満悦で女性ファンといちゃつき、そのうちの何人かと研修後半に会う約束をした。

翌朝、真面目な顔で研修会場にやって来た彼らは、部屋の前に昨夜の女性ファンがいるのを見て驚いた。彼女らは一人ずつ自己紹介をした。

「おはよう、私シーラよ。ＨＩＶに感染しているの」

「私はドナ。私もＨＩＶに感染しているわ」

新人たちの頭に、エイズに関する講義内容が一気に蘇った。生活をコントロールすることの難しさ、たった一夜の出来事で一生後悔する可能性を、彼らは理解した。

一方、アメリカンフットボールのプロ・リーグ、ＮＦＬは対照的だ。ある年の新人研修では、新人全員がバナナにコンドームをつけさせられた。選手らのうんざりした顔が目に浮かぶ。その後、かつてアメフト選手の追っかけをしていた二人の女性が登場し、妊娠を目当てに選手を誘惑していた頃の体験談を話した。よく工夫したメッセージで、授業は大きな効果を発揮した。だが、他人が他人を陥れようとした話より、自分が陥れられそうになった体験の方が記憶に焼きつくことは言うまでもない。

自分のアイデアを信じてもらうには、信頼性の源を見出さなくてはならない。場合によっては、誰からもそれが得られないこともある。ピロリ菌発見者のバリー・マーシャルの場合も、外部からの信頼性は役に立たなかった。パースの上司や研究所からの推薦では不十分だった。内在的信頼性も役に立たなかった。データや細部を入念に並べても、障害を乗り越えられなかった。結局、彼は聴き手の信頼性を利用した。細菌入りの水を飲むことにより、自ら検証可能な信頼性の実験台となったのだ。彼の行動は、暗にこんな言葉を突きつけていた。自分で試してみてください、あなたも私と同じようにこのドロッとした液体を飲めば、潰瘍ができますよ、と。

どの信頼性の源を利用するべきか、はっきりわかるとは限らない。だが、マーシャルは見事な忍耐力を見せた。別の源に目を向けるべきときを彼は知っていた。本章では、最もわかりやすい信頼性の源である外部からの正当化や統計が、必ずしも最良の選択ではないことを見てきた。鮮明な細部描写を少し盛り込む方が、統計を並べたてるより説得力をもつ場合もあるのだ。また、シナトラ・テストに合格する物語をたった一つ語るだけで、強い懐疑心を吹き飛ばせることもある。マーシャルのような天才的医学者でさえ、私たち同様、自分のアイデアを伝えるためにいくつも壁を超えなければならなかった。だが、最後には成功を収めた。この事実は、私たちに感動と恩恵をもたらしてくれる。

第五章
感情に訴える

かつてマザー・テレサはこう言った。

「大衆を見ても私は行動しない。個人を見たときに私は行動する」

二〇〇四年、カーネギー・メロン大学の研究者らは、マザー・テレサと同じように行動する人が多いかどうかを調べることにした。

抽象的な大義名分のための寄付と一個人への寄付のそれぞれに、人々がどんな対応をとるのか知ることが調査の意図だった。研究者らは被験者に、謝礼金五ドルでＩＴ機器の使用に関するアンケートに答えてほしいと依頼した（アンケートは実験の本筋とは関係なく、寄付に使える現金を持たせることが目的だった）。

被験者はアンケートの記入を終えると、謝礼として一ドル札五枚を受けとった。同時に、事前には知らされていなかった寄付の依頼状と封筒も手渡された。世界の子どもたちの福祉向上に取り組む慈善団体「セーブ・ザ・チルドレン」に寄付をしませんか、という内容だ。

依頼状は二種類用意されていた。一つは、アフリカの子どもが直面する問題の規模を統計で示したもので、次のような内容だった。

・マラウィの食糧難は、三〇〇万人の子どもに影響を与えています。

・ザンビアでは二〇〇〇年以降、降雨量の不足によりトウモロコシの収穫が四二％減り、その結果、約三〇〇万人の国民が飢饉に直面しています。

・アンゴラでは、国民の三分の一にあたる四〇〇万人が難民や国内避難民となっています。

・エチオピアでは、一一〇〇万人の国民が緊急食糧援助を必要としています。

もう一つの依頼状には、ある少女のことが書かれていた。

・寄付金はすべてロキアという少女に贈られます。ロキアはアフリカのマリに住む七歳の少女。極貧生活を送り、深刻な飢えに脅かされています。皆様の寄付があれば、ロキアはもっとよい暮らしを送ることができます。セーブ・ザ・チルドレンは、皆様の温かいご支援によって、ロキアの家族や地域の人々と協力しながら彼女に食事と教育を与え、基本的医療と衛生教育を与えます。

被験者は二種類の依頼状のうち、どちらか一方を手渡された後、一人にされた。そして、寄付をするかどうかを決め、寄付をする場合には金額を選び、謝礼金の中からその額を封筒に戻し、封をして研究者に返した。

その結果、統計の文面を読んだ人の寄付額は平均一・一四ドル、ロキアについて読んだ人の寄付額は、二倍以上の平均二・三八ドルだった。マザー・テレサと何がしかの共通点をもつ人は、多いらしい。つまり、私たちの心の中では、大衆より個人に軍配が上がるのだ。

統計の文面の方が寄付額が少なかったのは、「大海の一滴効果」のせいかもしれないと研究者らは考えた。問題があまりに大きいと、圧倒されて自分のささやかな寄付など無意味に思えるのでは、ということだ。だが、さらに興味深いのはここからだ。研究者らは、第三のグループに統計とロキアの依頼状を両方渡した。両方の依頼状を受け取った人の寄付額が、ロキアのグループの平均二・三八ドルを上回るかどうか知ることが目的だった。統計と物語を組み合わせれば、個人のニーズと問題の統計的規模がともに効果を発揮し、寄付の水準が一気に上がるのでは、と考えたのだ。

ところが、そうはならなかった。両方の依頼状を受け取った被験者の寄付額は、平均一・四三ドル。つまり、ロキアの文面だけ受け取った人より一ドル近く低かった。統計は、アフリカで大勢の人が苦しんでいるという証拠なのに、その統計が慈善意欲をそいでしまったわけだ。これは、どういうことなのだろう。

統計について考えると、思考が分析的になるからではないかと、研究者らは理屈づけた。ものごとを分析的に考えているときには感情的になりにくい。したがって、人々を行動に駆り立てるのは、ロキアの窮状に対する感情的反応だと、研究者らは考えた。

これを証明するため、彼らは第二の実験を行った。この実験では、一方のグループがあらかじめ分析的な思考状態になるよう、こんな予備質問をした。

「ある物体が分速一・五メートルで移動するとき、この物体が三六〇秒で何メートル移動するか計算してください」

もう一方のグループに対しては、あらかじめ感情的な思考状態になるよう、こんな質問をした。

「『赤ちゃん』という言葉を聞いたときに感じることを、ひと言で表現してください」

その上で、両グループにロキアの手紙を渡した。すると研究者の仮説通り、あらかじめ分析的な思考状態に置かれた人は、寄付の額が少なかった。心で感じてからロキアの文面を読んだ人の寄付額が、最初の調査とほぼ同じ平均二・三四ドルだったのに対し、計算してからロキアの文面を読んだ人の寄付額は、平均一・二六ドルだった。

計算しただけで慈善意欲が低下する。これは衝撃的な結果だ。いったん「分析」という帽子をかぶった人は、感情に訴えられたときの反応が変わってしまう。感じる能力がそがれてしまうのだ。

前章では、アイデアの信頼性を示し、信じてもらう方法を考えた。信じてもらうことは大事だが、それだけでは十分でない。行動を起こさせるためには、心にかけてもらう必要がある。アフリカで大勢の人が苦しんでいることは、誰もが本当のことだと思っている。この事実に疑問の余地はない。だが、そう思っているからといって、行動を起こすほど心にかけているとは限らない。脂肪分の多いものをたくさん食べると健康に悪いことは、誰もが本当のことだと思っている。この事実に疑問の余地はない。だが、そうだからといって、行動を起こすほど心にかけているとは限らない。

慈善団体はずいぶん前から、マザー・テレサ効果に気づいていた。抽象的な大義名分より個人を引き合いに出した方が、よい反応を得られると知っている。人々は「アフリカの貧困」には寄付をしなくても、特定の子どもへの経済的援助ならしてくれる（実際、慈善活動への一歩として子どもを経済的に支援する考え方は、一九五〇年代に遡る。キリスト教の若い聖職者が、韓国の恵まれない孤児の支援を米国人に呼びかけたのが最初だ）。この考え方は、相手が動物でも使える。家畜虐待の撲滅をめざす非営利団体ファーム・サンクチュアリでは、「ニワトリを養子にする」ことができる（月額一〇ドル）。ヤギ（月額二五ドル）や牛（月額五〇ドル）との養子縁組も可能だ。

慈善団体の一般管理費に寄付をしたがる人はいない。一般管理費が必要なことは、考えればわかる。日常的な必需品といえども、誰かが費用を負担しなければならない。だが、事務用品のために熱い気持ちになることは難しい。

慈善団体は人々の同情心や共感を掻き立てる方法を体得しているし、実にうまくそれをやっている。そうしたスキルのおかげで多くの人の苦しみが和らいでいる。だが、「心にかけてもらう」ことが必要なのは、何も慈善団体だけではない。企業経営者は、従業員が会社のことを心にかけ、複雑な業務や長時間勤務をこなすよう工夫しなくてはならない。教師は生徒が文学を心にかけるよう仕向けなくてはならないし、活動家は人々が市議会の議案を心にかけるよう働きかけなくてはならない。

本章では、記憶に焼きつくアイデアの感情的要素を取り上げる。といっても、泣ける映画のように相手の感情スイッチを入れるのが目的ではない。そうではなく、メッセージを「感情を掻き立てる」ものにするのは、心にかけてもらうためだ。感情は人々を行動へと駆り立てる。

例えば、若者の多くはタバコの害を本当だと思っている。このメッセージに信頼性の問題はない。でも、彼らはタバコを吸う。では、彼らの思っていることを行動に変えるには、どうすればよいのか。心にかけさせる必要があるのだ。一九九八年、ついにその方法を見つけた人物がいた。

■真実

　そのCMは、ニューヨークの路上風景で始まる。普通のフィルムではなくビデオに撮られた映像は、薄暗く素人っぽい感じで、コマーシャルというよりドキュメンタリー映像のようだ。画面の下に「大手タバコ会社の本社前」というテロップが現れる。

　ビルの前にトレーラートラックが止まり、若者のグループが飛び降りてくる。彼らは「遺体袋」と書かれた白い袋を次々と車から降ろし、ビルの片隅に積み上げていく。袋の山はどんどん大きくなり、コマーシャルの終盤には何百もの袋が山をなす。そして、若者の一人がビルに向かってメガホンでこう叫ぶ。

「タバコが毎日、何人を殺しているか、知ってるか」

　一日当たりの死者数は一八〇〇人だという。それがタバコ会社のビルの前に積まれた遺体袋の数だ。

　この広告は、反喫煙団体アメリカン・レガシー財団が実施した「真実」キャンペーンのシリーズ広告のひとつだ。同団体は、四六州の司法長官が米大手タバコ各社を相手に起こした裁判の和解の一環として、一九九八年一一月に設立された。

「真実」シリーズの広告を見た人は、タバコ会社に怒りを覚える。広告の放送開始後、フィリップ・モリスは放映中止を求め、和解合意書に含まれていた「中傷禁止」特別条項を発動した。特別条項は、タバコ会社が反タバコ訴訟の和解合意書の多くに盛り込んでいるもので、和解金で制作した禁煙広告の内容にタバコ会社側が一定の拒否権を行使できるよう定めている。同社の青少年喫煙防止担当上級副社長キャロリン・レヴィはこの措置について、「(『真実』キャンペーンの広告は)アメリカン・レガシー財団の目的や使命にそぐわないと感じた」と語っている。

つまり、この広告は効果的だったということだ。

同時期、別の禁煙広告シリーズの放送も開始された。フィリップ・モリスは和解の一環として、独自の禁煙広告シリーズを放映することに同意していた。同社の広告のキャッチフレーズは

「考えて。吸わないで」

だった。

二つのキャンペーンはほぼ同時に開始されたが、アプローチは異なる。まるで競馬並みに刺激的なアイデアの一騎打ちだった。実際、「アメリカ公衆衛生ジャーナル」の二〇〇二年六月号では、一万六九二人の一〇代の若者を対象に、両キャンペーンの比較調査を行っている。

調査は、広告効果の差を浮き彫りにした。それまでに見た禁煙広告の中で覚えているものを挙げさせたところ、全体の二二%が「真実」キャンペーンを挙げたのに対し、「考えて」は三%だった。若者は両方の広告を見ていたが、一方が他方より強く記憶に焼きついていたということだ。「真実」

印象的なのは、ヒントを示せば七〇%以上の回答者が両方のキャンペーンを思い出したことだ。キャンペーンには、すぐに思い出せるだけの何かがあったのだ。

記憶されることは大事だが、それは第一歩にすぎない。行動への影響はどうだったのだろう。調

査では「今後一年間にタバコを吸う可能性があるか」と尋ねている。その結果、「真実」キャンペーンを見た若者では「いいえ」という回答の方が六六％多かったのに対し、「考えて。吸わないで」を見たティーンでは、「はい」の方が三六％多かった。タバコ会社の幹部たちは、内心さぞほっとしたことだろう。

効果の差を浮き彫りにしたのは、アンケート調査だけではない。「真実」キャンペーンが最初に展開されたフロリダ州では、同州の未成年者の喫煙状況を全国と比較する研究調査が行われた。それによると、キャンペーン実施から二年後、高校生の喫煙率は一八％低下し、中学生では四〇％低下していた（喫煙率の低下には、調査期間中に導入されたタバコ増税の影響も半分くらいあるかもしれない）。

つまり、「セーブ・ザ・チルドレン」のときと同じことが起きている。「考えて。吸わないで」キャンペーンが訴えているのは、言うまでもなく「考えなさい」ということ。つまり「分析の帽子」を被せている。あらかじめ分析的思考を求められた人が、ロキアへの寄付にどんな反応をしたか、思い出してほしい。

では、「真実」キャンペーンはどうか。こちらは、権威に対する怒りという、若者の典型的感情に訴えている。かつての若者は、タバコを吸うことで反抗した。だが、「大手タバコ会社は欺瞞に満ちている」という構図を巧みに描いた「真実」キャンペーンによって、若者はいまやタバコを吸わないことで反抗するようになった。

「真実」キャンペーンが求めているのは、理性的な判断ではなく反抗だ。多くの若者がこのメッセージを心にかけ、「吸わない」という行動を起こした。

意味の拡張と関連づけの効果

ロキアへの同情にせよ、「真実」キャンペーンの怒りにせよ、ここまで述べてきた複雑で基本的な人間感情は、「感情に訴える」という本章のタイトルから予想できる範囲内だったのではないだろうか。しかし、本章の最大の課題は、メッセージを心にかけてもらうにはどうすればよいかという、さらに基本的なことだ。幸い、アイデアを心にかけてもらうといっても、無から感情を生み出す必要はない。実際、既存の感情にアイデアを関連づける一種の便乗戦略を利用したケースは多い。

ある映画評にこんな一文がある。

「『羅生門』はアインシュタインの相対性理論の映画版である」

「羅生門」は、黒澤明監督の一九五〇年代の代表的作品だ。この作品では、四人の登場人物が同じ殺人と強姦事件を自分なりの視点で描写する。各人が見たままの事件を語り、その回想場面が次々に映し出される構成になっている。登場人物の話はどれも利己的で、かつ矛盾しており、実際に何が起きたかわからないまま映画は終わる。「羅生門」は絶対的真実の存在、もしくは、それを明らかにする人間の能力に疑問を投げかけている。

くだんの映画評はこの「絶対的真実」を、アインシュタインの相対性理論と比較している。だが、アインシュタインの相対性理論が言おうとしているのは、「すべては相対的である」ということではない。実は、本来の意味はその逆なのだ。相対性理論は、どの座標系においても物理の法則は不変であることを説明するものだ。アインシュタインに言わせれば、ものごとは予測不能ではなく、驚くほど秩序だっている。

この映画評論家は、なぜ「羅生門」を相対性理論と結びつけたのだろう。アインシュタインの権威に訴えているわけではなさそうだ。「羅生門」はアインシュタインの理論に「匹敵する」と言っているのだから。むしろこの類推の目的は、すごいと感じさせることのように思える。「羅生門」を見れば、何か深遠なものに触れられるとほのめかしているのだ。

相対性理論を関連づけの対象として持ち出したのは、それがこの作品に、感情に響く深遠さや畏怖のオーラを与えてくれるからだ。この映画評以外にも、こうした例は無数にある。「相対性理論」はある意味、パレット上の絵の具のようなものだ。畏怖の念を掻き立てたければ「相対性理論」の色を塗ればいい、というわけだ。同様に、「不確実性の法則」、「カオス理論」、量子力学の「量子の跳躍」といった科学用語も、このパレット上の絵の具となっている。

一九二九年、アインシュタインはこう抗議した。

「子どもが人形で遊ぶように哲学者がこの言葉を弄んでいる……この言葉は、人生の何もかもが相対的という意味ではない」

「相対性」の感情共鳴効果を利用しようとする人が、「相対性」の理解に努める人より多くなり始めたことに、アインシュタインは失望していた。

こんなふうに、ある用語への関連づけがあるときは的確に、あるときは粗雑に扱われると、言葉の威力もその根底的概念も薄まってしまう。猫も杓子も黄緑色の絵の具を使えば、黄緑色は目立たなくなってしまうのだ。

スタンフォード大学とイェール大学の研究によると、専門的な用語や概念を利用した感情への関連づけは、コミュニケーションの一般的な特徴だという。感情に強く訴えるアイデアや概念は、何かと乱用されることが多い。この研究では、こうした乱用を「意味の拡張」と呼んでいる。

科学とは関係のない例を見てみよう。かつて英語の「ユニーク（unique）」という言葉は、同じものは二つとないという意味だった。「ユニーク」は特別だったのだ。

研究者らがデータベースを利用して、アメリカの大手新聞五〇紙の二五年分の記事をすべて調べたところ、「ユニーク」という表現を用いた記事の割合は、この期間に七三％も増えていた。昔より今の方がユニークなものが増えたのか、「ユニークさの基準」が下がったのかのどちらかということだ。

ロボット型の掃除機やお騒がせアイドル女優のパリス・ヒルトンを思い浮かべ、「最近は、ユニークなものがずいぶん増えた」と言う人もいるだろう。だが、「ユニークな」という言葉の使用例が増える一方で、「変わった（unusual）」という言葉の使用例は減っている。一九八五年には「ユニークな」よりも「変わった」を使用した記事が二倍以上多かったが、二〇〇五年には両者が同じ割合で使われている。

ユニークとは、同じものが二つとないということであり、したがって世の中で最も変わっているということだ。つまり、ユニークなものは変わったものの中に含まれるはずだ。もし、本当にユニークなものが増えたのなら、「変わった」ものも増えているはずだ。変わったものが減っているのにユニークなものが増えているという事実は、意味拡張が行われている証拠だ。かつて「変わっている」と表現されたものが、意味拡張によって「ユニーク」と呼ばれるようになったのだ。

では、「相対性理論」や「ユニーク」の何が感情に訴えるのか。要するにこういうことだ。心にかけてもらうための最も基本的なやり方は、相手がまだ心にかけていないものと既に心にかけているもののあいだに関連性をもたせることだ。人は誰でも関連づけのテクニックを無意識に使っている。「相対性理論」と「ユニーク」は、関連づけにおける絵の具の乱用の危険性を教えてくれる。時がたつにつれ、関連づけが過度に行われるようになると、その価値は薄まってしまい、「本当にすごくユニーク」などと言わざるを得なくなるのだ。

「いけてる」とか「すごい」とか「超」といったある世代の最上級の表現が、時とともに色褪せるのは、やたらと多くのものと関連づけられるからだ。自分の父親が「いけてるね」などと言いだしたら、その言葉にもうインパクトはない。大学の経済学教授が口に出す頃には、もはや学生のあいだでは死語だ。つまり、関連づけの使用は軍拡競争のようなものだ。誰かがミサイルを一基つくれば、こちらは二基つくらなければならない。あいつが「ユニーク」なら、自分は「超ユニーク」でなければ、というわけだ。

こうした関連づけの軍拡競争は、アイデアを心にかけてもらおうとする人にとっては問題だ。実は、次に紹介する「スポーツマン精神」という言葉も、こうした軍拡競争のおかげで破綻したようなものだ。

意味拡張との戦い：「スポーツマン精神」のケース

前章で、ポジティブ・コーチング連盟（ＰＣＡ）の設立者ジム・トンプソンが主催するスポーツ指導者研修を紹介した。トンプソンは、ＰＣＡを設立した一九八八年以来、ある重要な課題に取り組んでいる。それは、青少年スポーツとよく関連づけられる素行の悪さを一掃することだ。この課題に取り組む中で、トンプソンは意味拡張の問題と直面する。

テニス選手のジョン・マッケンローといえば、かつてはスポーツマン精神に欠ける選手の典型だった。ラケットは放り投げるし、審判には食ってかかる。だが、今時の若者のスポーツ試合を見れば、マッケンローの行動など可愛く思える。最近では、選手ばかりか親や観客にもマナーの悪さが目立つ。米全国青少年スポーツ連盟によると、青少年のスポーツ試合で親やコーチと主催者側がやりあうケースは、数年前は全体の五％だったが、いまや一五％近くに増えているという。

その昔、スポーツマン精神は、競技における強力な概念だった。それが今や、印象の薄い言葉になってしまったとトンプソンは感じていた。

「スポーツマン精神賞は敗者への残念賞と思われている」

と彼は言う。ある女性は、うちの高校のバスケットボール部の監督は、スポーツマン精神賞なんかとったら校庭を走らせると言うんですよ、と彼に話した。トンプソンは言う。

「どうやらスポーツマン精神は、悪いことをしないという意味になってしまったようだ。『審判に向かって怒鳴らない』とか『ルールを破らない』という意味に。しかし、悪いことをしないだけでは十分ではない。青少年スポーツの参加者には、より多くを求める必要がある。残念ながら、『スポーツマン精神に則って』というかけ声では、もはや青少年スポーツは変えられない」

とはいえ、優れたスポーツマン精神の実例には、誰もが喜んで耳を傾ける。トンプソンがその例として挙げるのが、自転車選手ランス・アームストロングだ。彼は、自転車レースの最高峰ツール・ド・フランスでライバルのヤン・ウルリッヒが転倒した際、チャンスとばかりに差をつけるかと思われたが、意外にも速度を落とし、ウルリッヒが態勢を立て直すのを待った。ウルリッヒのように優れた選手と走った方がいい走りができるからと、彼は後に語った。これぞスポーツマン精神である。

スポーツマン精神の根本的理念が今も敬われていることを、トンプソンは知っていた。親は子どもがスポーツを通じて敬意やマナーを学ぶことを求めていたし、監督は勝利を追求するだけでなく、人生のよき指導者になりたいと思っていた。子ども自身も、自分のチームへの敬意ある態度を求めていた。三者ともときには愚かな行動をとるが、スポーツマン精神へのニーズと欲求はなくなっていないと、トンプソンは見ていた。ところが、「スポーツマン精神」には、よい行動の動機となる威力がもはやなかった。

「スポーツマン精神」は多用されすぎていた。「相対性理論」と同様、もともとの意味とはかけ離れたところまで来てしまった。かつては、ランス・アームストロングがヤン・ウルリッヒに対してとったような態度を意味していたのに、時代とともに意味が拡張され、「負けても文句を言わない」

とか、「試合中、審判を非難しない」といった当たり前の行動まで含むようになった。

トンプソンとＰＣＡは、悪い態度をやめさせるだけでなく、良い態度を促すための新しい方法を必要としていた。彼らはそれを「試合の尊重」と呼んだ。スポーツを心にかける人は、試合を心にかける。試合とその完全性を保つことは、個々の参加者より重視される。「試合の尊重」はそう訴えるための手段だった。それは、愛国主義のスポーツ版とも言えるもので、自分のスポーツに基本的敬意を払う義務をほのめかしている。アームストロングは「良きスポーツマン」だったというよりも、「試合を尊重」したのだ。「試合の尊重」は選手以外の人々にも使える。それは、スポーツが公共のものであることをあらゆる人々に思い出させる。公共物を汚すのは見苦しく、下劣なことだ。

「試合の尊重」が効果を発揮したという証拠がある。テキサス州ダラスのあるバスケットボール・リーグが集めたデータによると、「二〇〇二年のシーズンには、平均して一五試合に一度、テクニカルファウルがあった。その後、『ダブル・ゴール・コーチ』というワークショップを六回実施したところ、二〇〇四年のシーズンには、テクニカルファウルが五二試合に一度になった」。北カリフォルニアのある野球リーグでは、「ポジティブ・コーチング」研修実施後、マナー違反で試合退場になる選手の数が激減した（九〇％減）。チームの士気も上がり、リーグに加盟する選手数が二〇％増えた。唯一の不満は、野球場が足りないことだという。

トンプソンは、青少年スポーツの文化を変えるだけでなく、あらゆるスポーツの文化を変えたいと思っている。

「私にはこんな夢がある。野球のワールド・シリーズを見ていると、監督が球場に駆け出し、気に入らない判定をした審判を非難する。すると、全国放送のテレビで人気スポーツキャスターのボブ・コスタスがこう言う。『監督が試合への尊重を踏みにじるとは、情けないですね』（ちなみに、この夢が素晴らしく具体的なことに注目してほしい）。

青少年スポーツから無作法な振る舞いが消えたわけではないが、トンプソンが取り組んだ場所では目に見えて成果が上がっている。彼は「試合の尊重」という言葉によって、意味拡張を避けながら、人々に配慮を促すアイデアを表現した。

このことから、心にかけてほしければ、相手が心にかけていることを利用するべきだとわかる。皆が同じものを利用したら、軍拡競争が始まってしまう。それを避けるには、別の場所で勝負するか、トンプソンのように自分のアイデア独自の関連づけを見つけることだ。

■

自己利益に訴える

私たちは、アイデアを心にかけてもらう方法を探している。アフリカの貧しい少女ロキアや、喫煙、慈善、スポーツマン精神を心にかけてもらう方法だ。そのためには、相手が大切に思っているものに訴える必要がある。

だが、聴き手は何を大切に思っているのだろう。ここまで、関連づけについて述べてきたが、それよりもっと直接的なやり方がある。それは、誰にでも一目瞭然のやり方かもしれない。人が大切に思うもの、それは自分自身だ。ならば、心にかけてもらうための確実な方法は、相手の自己利益に訴えることだ。

一九二五年、ジョン・ケープルズは連邦音楽学校の主催する通信音楽講座の宣伝コピー担当に任命された。ケープルズは広告業界での経験こそなかったが、天性の宣伝マンだった。タイプライターの前に座った彼は、印刷広告史上最も有名なコピーを叩き出した。

「私がピアノの前に座ると、みんな笑った……でも弾きはじめるとみんな黙った」

典型的な敗者復活の物語を、たった一文で表現している。みんなに笑われた「私」が演奏でみんなを黙らせたのだ（あまりに魅力的なコピーなので、「なぜピアノの前に座っただけでみんな笑うのだろう」とか、「自分も人がピアノの前に座ったときに笑ったことがあったっけ」などという常識的な反応は吹っ飛んでしまう）。

このコピーのおかげで、くだんの通信講座は大人気になった。数十年たった今でも、この表現はさまざまなコピーに借用されている。ある会社は、このコピーの登場から六〇年後に、こんな類似コピーで売上を前年比二六％も伸ばした。

「私が通販で絨毯を注文したら夫は笑った。でも絨毯代を五〇％も節約できたので黙った」（私たちも本書の副題を「私たちがこの本を書いたらみんな笑った。でも自分が氷風呂で目覚めると黙った」にしようとしたが、出版社に断られた。）

ケープルズは通販広告の確立に貢献した。今で言うインフォマーシャル（情報ＣＭ）の草分けだ。他の広告と違って通販広告では、広告効果を正確に測定できる。例えば、新聞か雑誌に「株選びの手引き」の広告を載せたとしよう。購入希望者は広告に掲載された宛先に小切手を送る。ところが、掲載する住所を広告媒体によって少しずつ変えてあるので、宛先を見ればどの新聞や雑誌の広告を見て注文したのかがわかる。

練り歯磨きのように典型的な消費財は、通信販売広告とは対照的だ。ある消費者が「クレスト」ブランドのチューブ式歯磨きを買ったとして、その理由は何なのか。新しいテレビ広告のおかげか、小売店の値引きセールのおかげか、母親がいつも使っていたブランドだからか、はたまた店頭にそれしかなかったからか。意外にも、答えを知る手立てはほとんどない。

効果を測りやすい通販広告は、消費者を動機づける表現の実験場となっている。心にかけてもらう方法を知りたければ、通販広告のコピーライターに聞け、というわけだ。史上最高のコピーライターとしてしばしば名の挙がるジョン・ケープルズは、こう述べている。

「何よりもまず、あらゆるコピーに相手の自己利益を盛り込むことだ。欲しかったものがここにあると思わせるようなコピーを書く。そんなことはごく基本的なルールで、当たり前だと思うかもしれない。だが、毎日、大勢のコピーライターがそのルールを破っている」

ケープルズの広告はどれも、わずかな金額で大きな便益が得られると約束することによって、自己利益に訴えている。

・簡単なプランを実行するだけで、お金の悩みを吹き飛ばそう
・五日間で魅力溢れる性格に……しかも無料で
・背を高くする秘密

・一夜で記憶力を高める方法
・五五歳で引退しませんか

ケープルズに言わせると、多くの企業は消費者へのメリットを訴えるべきところで、商品の特徴を強調している。

「広告が成功しない理由で一番多いのは、自分たちの達成したこと（「世界一の芝の種」）で頭が一杯なあまり、なぜ相手がそれを買わなければならないか（「世界一美しい芝生」）を言い忘れてしまうことだ」

広告界では昔から「メリットのメリットを述べよ」と言う。消費者は直径〇・六センチの電動ドリルがほしいのではなく、子どもの写真をかけるための直径〇・六センチの穴がほしいのだ。

とはいえ、ケープルズの作品を見ていると、どうも落ち着かなくなる。彼の広告の多くは怪しげで嘘臭い。「魅力溢れる性格になれるキット」のメーカーが良心の咎めを感じないのは自由だが、たいていの人は本当のことを知りたいと思っている。

では、ケープルズのテクニックから宣伝臭や低俗さを取り払うと、何が残るのか。最大の教訓は、自己利益を見過ごすなということだ。元テレビ・プロデューサー兼脚本家で、現在は企業経営者にスピーチの指導をしているジェリー・ワイスマンは、自己利益は単刀直入に伝えるべきだと述べている。どんなスピーチでも、「あなたにこんなメリットがありますよ」というメッセージを中心に据えるべきだと言うのだ。

そういうことをはっきり打ち出すのを嫌がる人もいると、ワイスマンは言う。彼らの言い分はこうだ。「私のスピーチを聞きに来る人は馬鹿ではない。そんなことを私がいちいち説明したら、聴衆は馬鹿にされたと思う」。だが、聴衆が話に集中してくれているとは限らないから、はっきり打ち出すだけの価値はある。「こちらが説明した特徴と、それがほのめかすメリットを、聞き手が頭の中で結びつけるのにほんの数秒かかるだけでも、その間にこちらは次の話題に移ってしまう。そうなると、聞き手はメリットも次の話題も、きちんと理解できない」

教師は常に生徒からこんな言葉をぶつけられる。

「こんなこと習って、なんの役に立つの？」

それはつまり、「私にどんなメリットがあるの？」ということだ。もし、代数を習ってテレビゲームがうまくなるのなら、教師は迷わずそう言っていたはずだ。生徒がもっと真剣に授業を聞くのは間違いないのだから。

聴き手の自己利益をかなえられるのであれば、回りくどい言い方はやめて、隠さず伝えよう。ほんの少し言い方を変えるだけでも、伝わり方が違ってくるかもしれない。自己利益を受ける本人を主語にすることが大事だと、ケープルズは言う。

「『グッドイヤーのタイヤを使うと、誰でも安心できます』と言わず、『グッドイヤーのタイヤを使うと、あなたは安心できます』と言うべきだ」

通販広告ほどわざとらしい言い方をしなくても、自己利益に訴える方法はもちろんある。それを探るために、まずアリゾナ州テンペで実施された風変わりな調査を見てみよう。

テンペのケーブルテレビ

一九八二年、アリゾナ州テンペの住宅所有者を対象に、説得力に関する心理学調査が行われた。学生ボランティアが住宅所有者を訪問し、「授業のプロジェクトに使うのでアンケートへの記入をお願いします」と依頼した。

当時、ケーブルテレビはまだ登場したばかりで、ほとんどの人は知らなかった。調査では、住宅所有者にケーブルテレビの潜在的メリットを伝える文面を二種類用意し、その効果を比較した。

一方の住宅所有者グループには、ケーブルテレビにどんな価値があるかを説明した。

ケーブルテレビは加入者に幅広い娯楽情報サービスを提供します。ケーブルテレビを使いこなせば、加入者はさまざまな特別番組や特集を計画的に楽しむことができます。ベビーシッター代やガソリン代を使ってわざわざ出かける代わりに、家族や友人と、あるいは一人で、もっとゆったり自宅で過ごせます。

もう一つの住宅所有者グループには、詳細なシナリオに自分を当てはめて想像してもらった。

想像してみてください。ケーブルテレビがあなたにどれほど幅広い娯楽情報サービスを提供することでしょう。あなたはケーブルテレビを使いこなすことで、自分の見たい特集や特別番組を事前に計画できます。想像してみてください。ベビーシッター代やガソリン代を使ってわざわざ出かける代わりに、あなたの家族や友人と、あるいはあなた一人で、もっとゆったり自宅で過ごせるのです。

一読しただけでは違いがわからない人もいるだろう。確かに微妙な違いだ。しかし、「あなた」という言葉が出てくる回数を数えながら、もう一度読み比べてほしい。

ある意味これは、抽象的メリットを語らず個人的メリットだけを語れというケープルズの助言（「グッドイヤーのタイヤを使うと、誰でも安心できます」より「グッドイヤーのタイヤを使うと、あなたは安心できます」）の手の込んだ焼き直しだ。だが、この調査ではさらに一歩踏みこんで、グッドイヤーのタイヤから得られる安心感を想像させている。

住宅所有者はアンケート用紙に記入し、学生を送り出した。調査はこれで終わったかに見えた。だが、調査者にはもう一つしなければならないことがあった。一カ月後、テンペでケーブルテレビが開始された。地元のケーブル会社が住宅所有者を訪問し、加入を勧めた。調査者は、この会社から加入者データを入手し、どの住宅所有者が加入し、どの住宅所有者が加入しなかったかを分析した。

その結果、ケーブルテレビの価値を説明された住宅所有者の加入率は二〇％で、地域全体の加入率と同じだった。ところが、ケーブルテレビ加入後の自分を想像した住宅所有者では、加入率が四七％だったのだ。この調査に基づく論文は、こんな副題をつけて発表された。「想像すれば実現するか」。答えはイエスだった。

よくある通販広告と比べると、「ケーブルテレビを想像してください」というのは、かなり控えめな自己利益への訴え方だ。ここで示されているメリットは、ケーブルズ流の夢のようなメリットではない。ケーブルテレビに加入すれば外出のわずらわしさがなくなるというだけのことだ。事実、このメリットを抽象的に説明しただけでは、加入者を増やすことはできなかった。聞き手が自分を主役に据え、「家で夫と面白い映画を見ている私……。好きなときに席を外し子ども部屋の様子を見に行く私……。しかもベビーシッター代がどれだけ浮くことか！」と想像したときに、初めて興味が増したのだ。

この調査結果から、心にかけてもらうためには、メリットの大きさを訴えるより、メリットを実感させることが必要だとわかる。お金持ちになれるとか、異性にもてるようになるとか、魅力的な性格になれるなどと約束しなくても、相手が手軽に実感できるほどほどのメリットを約束すればよいということだろう。

セーブ・ザ・チルドレンがこれを寄付募集のコピーに盛り込んだら、どうなるだろう。現在の「あなたは、マリの少女ロキアを月三〇ドルで支援できます」でも成功は収めているが、これをもっと膨らませるのだ。

「マリの少女ロキアを支援するご自分を、想像してみてください。あなたの仕事机には、自分の子どもの写真と並んでロキアの写真が飾られています。この一年、あなたはロキアと三度手紙のやり取りをしました。手紙によると、ロキアは読書好きで、弟のいたずらに困っているとのことです。ロキアは来年、サッカーチームに入れることを喜んでいます」

効果的である（それに下世話でもない）。

マズロー ■

もちろん、自己利益だけが大事なわけではない。まして、「自己利益」を世間一般のように富や安心感という狭義でとらえるなら、なおさらだ。自己利益がすべてなら、兵役に就く人はいなくなる。ケープルズの広告には決して登場しないが、人々が心にかけるものがある。

一九五四年、心理学者エイブラハム・マズローが、心理学における動機づけの研究を調査した。既存の膨大な研究結果から、人間が実現しようとするニーズや欲求のリストを作成したのである。

- 超越の欲求：他者の潜在能力発揮を助ける
- 自己実現の欲求：自分自身の潜在能力、自己実現、至高体験を実現する
- 美的欲求：対称性、秩序、美、均衡
- 学習の欲求：知る、理解する、知的に結びつける
- 自尊の欲求：達成する、有能である、承認を得る、独立、地位
- 帰属の欲求：愛情、家族、友人、好意

・安全の欲求：保護、安全、安定
・生理的欲求：飢え、乾き、身体的快適さ

このリストを「マズローのピラミッド」、あるいは「マズローの欲求段階」として記憶している人もいるだろう。マズローの欲求リストは見事な洞察に満ちている。だが、彼がこれを「段階」としたのは誤りだ。マズローがイメージしたのは、一番下から一段ずつ上っていくような、梯子状の階層だった。安心への欲求が満たされない限り、自尊への欲求は満たせないし、生理的欲求を満たさない限り、美的欲求は満たせないというわけだ（マズローの世界には、飢えた芸術家はいないらしい）。

その後の研究で、マズロー説の階層的な面は誤りであることが示されている。人はこれらすべての欲求をほぼ同時に追求する。確かに、飢えた人の多くは、まず食べてから超越をめざすだろうが、その間にはかなりの重複がある。

「自己利益」を語る場合、たいていの語り手は「身体」、「安全」、「自尊」の層を想定している。感受性豊かな人なら「帰属」も含めるかもしれないが、これ以上踏みこむ営業マンや経営者は多くない。一見、「美」のカテゴリーに当てはまる広告も、ひと皮むけばたいてい「自尊」と関わっている（高級車の広告など）。

人がこれらのカテゴリーを重視するには、それなりの理由があるのだろう。心からこれらのことを大事に思っているのかもしれない。「自己実現」や「超越」といった他のカテゴリーは、確かにやや観念的だ。最近、この問題を検証する研究が行われ、人々がマズローのどの欲求カテゴリーを心にかけているかが明らかになった。

ある会社が、業績目標を達成した従業員に一〇〇〇ドルの特別手当を与えると発表したとする。特別手当を従業員に提示する方法は三つある。

(一)一〇〇〇ドルの持つ意味を考えてみてください。ずっと夢見ていた新車や住宅リフォームの頭金が手に入るのです。

(二)銀行口座にこの一〇〇〇ドルがあれば、どれだけ安心感が増すか考えてみてください。

(三)一〇〇〇ドルの持つ意味を考えてみてください。あなたが会社の業績に重要な役割を果たしていることを、会社が認めてくれるのです。会社は無駄なものにはお金を出しません。

個人的にひかれるのはどれかと尋ねると、たいていの人は三番目だと答える。自尊心をくすぐられるし、一番目や二番目に関しては、一〇〇〇ドルの使い道や貯金の意味くらい言われなくてもわかっている。たいていの人は、自分が一〇〇〇ドルを使う図を難なく想像できる(貯金する図を思い浮かべたがる人は、多少珍しいかもしれないが)。

だが、「おや?」と思うのはここからだ。(自分ではなく)他人をひきつけるには、どれがベストかと尋ねると、一番目を挙げる人が最も多く、次いで二番目だった。つまり、自分を動機づけるのは自尊心だが、他人を動機づけるのは頭金、というわけだ。多くの大企業の報奨制度のあり方は、これを見ただけでほぼ説明できる。

こんなバージョンもある。会社の成功がかかった新しい職務を引き受けるよう、社員を説得するという設定だ。新しい職務の売り込み方は次の三つだ。

（一）この職務がどれだけ安心感を与えてくれるか、考えてみてほしい。これほど重要な職務を担当すれば、あなたはこれから先、ずっと会社から必要とされる。

（二）この職務に就くことでどれだけ脚光を浴びるか、考えてみてほしい。これほど重要な職務を担当すれば、大勢の人があなたの仕事ぶりに注目する。

（三）これほど中枢的な仕事であれば、どれだけやり甲斐があるか考えてみてほしい。会社のしくみの実態を学ぶまたとない機会だ。

ここでもまた、自分か他者かで違いが出る。多くの人は、自分を最も動機づけるのは三番目（学習の魅力）だと答える一方で、他人を最も動機づけるのは一番目（安全）と二番目（自尊心）だろうと答える。

つまり、たいていの人は、他人は皆マズローのピラミッドの底辺にいると思っているのだ。自分は最上階の住人だが、他人はみんな下の階の住人、というわけだ。マズローのピラミッドの底辺層にばかり訴えていると、多くの人を動機づけるチャンスを逃しかねない。「底辺層」（段階的な言い方を避けるなら、より即物的で身体的な欲求）が動機づけにならないと言っているのではない。もちろん、こうした欲求も動機づけになる。誰だって特別手当や安定した仕事や帰属感を求めてはいる。だが、こうした欲求だけに目を向けていると、心の奥に潜む動機を呼び覚ますチャンスを失う。心の奥に潜むこうした動機をうまく利用した人物がいる。ある退役軍人、それも戦闘司令官ではなく、食堂の切り盛りをしていた男だ。

■イラクの食堂

軍隊での食事は大方の予想通り、味気ない。大鍋でくたくたに煮た料理には、パセリの飾りもない。軍の食堂とは要するに「カロリー工場」であり、兵士が任務を遂行するのに必要なエネルギーを供給する場所だ。軍には昔から「軍隊は腹で動く」という言葉がある。

だが、バグダッド空港のすぐ外にあるペガサス食堂は、一味違うと評判だ。ヒレステーキの焼け具合は絶妙だし、果物の盛り合わせにはスイカやキウイ、ブドウが美しく盛り付けられている。ペガサスで食事をしたい一心で、わざわざグリーンゾーン（バグダッドでも米国人が多く、警備が行き届いた区域）からイラクで最も危険な道路を通ってやってくる兵士もいるという。

ペガサスの責任者フロイド・リーは、海兵隊と陸軍で二五年間、調理担当を務めたキャリアを持つ。だが、イラク戦争開戦時は引退していた。彼は引退生活を捨ててペガサスの仕事を引き受けた。「兵士に食事を出す第二のチャンスを神が与えてくれた。生まれてこのかた、この仕事を待っていた。そして今、こうしてバグダッドにいる」

兵士生活が過酷であることをリーは知っている。兵士の多くは一週間に七日、一日一八時間働く。イラクでは常に危険に晒されてもいる。兵士たちのためにペガサスを束の間の安らぎを得られる場にすることがリーの願いだ。彼は指導者としての任務を明確に意識している。

「食事サービスの責任者だけでなく、軍の士気を高める責任者でもあると自分では思っている」

士気を高める責任者であるというのは、つまりマズローの欲求段階説で言うなら、リーは「超越」をめざしているということだ。

このビジョンは、スタッフのちょっとした普段の仕事ぶりにも現れている。簡易食堂にありがちな白い壁が、ペガサスではスポーツチームの旗で飾られている。窓には金色の装飾が施され、テーブルには房のついた緑色のクロスがかけられている。味気ない蛍光灯は、シーリングファン付きの照明器具に付け替えられ、給仕は白いシェフ用の帽子を被っている。

ペガサスは料理の美味しさで有名だが、注目に値するのは、他の基地食堂と全く同じ配給食材を用いている点だ。他の食堂と同様、ペガサスも軍の定めた二一日周期の献立通りに食事を出している。食材の供給業者も同じ。違うのは、その姿勢である。毎日、果物が届くとコックの一人が選別を行う。傷んだブドウの実を取り除き、スイカやキウイの一番美味しい部分を選んで、完璧な果物の盛り合わせを作る。夜には、デザート台に五種類のパイと三種類のケーキを用意する。日曜日に出すヒレステーキは、二日前からタレに漬け込んでおく。ニューオーリンズ出身のあるコックは、主菜の味を引き立てるため香辛料を郵送で取り寄せている。デザート担当のコックは、自分の作るイチゴケーキは「官能的」だと言う。軍隊食では耳にすることのない形容詞だ。

食事を出すのは仕事だが、士気を高めるのは使命だと、リーは認識している。食事を出すだけならお玉があればいいが、士気を高めるには創造性と実験と熟練が必要だ。

毎週日曜、夕食のためにペガサスに来るというある兵士は「ここにいると、イラクにいることを忘れる」と言った。リーは、マズローの欲求段階の忘れられた層に訴えている。それは、「美」と「学習」と「超越」への欲求だ。彼は食堂の使命を一新する中で、砂漠にオアシスを生み出すという目的に向かってスタッフを奮い立たせている。

ポップコーンメーカーと政治学

狭義の自己利益以外にも強力な動機が存在することは、通販広告のコピーライターであるジョン・ケープルズも認めている。彼は、消防署が使う防火教育ビデオのマーケティング担当者の逸話を紹介している。このマーケティング担当者は、消費者に訴える基本的要素はセックス、物欲、不安の三つだと教え込まれていた。

彼の勘では、この場合は物欲に訴えるのが一番だった。そこで、消防士にこのビデオを試してもらうための景品をいくつか用意し、どの景品が一番効果的か調べるため、地元の消防署に片っ端から電話をかけた。電話ではビデオの説明をし、試しに見て消防署の教育プログラム向けに購入を検討してもらえないかと尋ねた。すると、相手は一様に「ぜひ見たい」と答えた。

続けて彼は、景品に関する質問をした。

「ビデオを見てくださった方に、大型電気ポップコーンメーカーか高級ナイフセットを差し上げています。どちらがお好みですか？」

最初の二つの消防署は、どちらもきっぱりこう答えた。

「うちが安物のポップコーンメーカーなんかにつられて、防火教育プログラムを採用すると思ってるのか⁉」

彼は景品についての質問はしないことにした。


このように、自己利益は相手の心を動かすこともあれば、逆効果の場合もある。これをどう理解すればよいのだろう。

政治を見ると、その謎はいっそう深まる。一般に、有権者は自己利益の塊と見なされている。高額所得者の限界税率引き上げ案が出れば、富裕層は反対し、富裕層以外はこぞって賛成すると考えられている。

だが実は、そうではない。狭義の自己利益で世論を予測できるという証拠は薄いのだ。一九九八年、ミシガン大学の政治学教授ドナルド・キンダーが、このテーマに関する三〇年間の研究結果を概観して論文にまとめ、大きな反響を呼んだ。彼は、自己利益が政治的意見に及ぼす影響など「取るに足りない」と言い切っている。以下はその引用だ。

人種差別是正措置に対する意見は、白人も黒人も個人的な損得勘定抜きだった。失業者が全員、不況対策に賛成するわけでもない。医療費に困っている人々が手厚い保険に加入している人々より、政府の医療保険制度案を支持するわけでもないし、子どもを公立学校に通わせる親がそうでない人々より、政府の教育補助金を支持するわけでもない。徴兵される可能性のある人々がそうでない人々より、軍事介入や紛争激化に反対することもない。勤めに出ている女性も専業主婦も、働く女性への支援策を同様に支持している。人種差別撤廃のための強制バス通学、禁酒法、大学進学適性試験の義務づけ、住宅政策、二言語教育、法の遵守、訴訟の判決に対する満足度、銃規制など多様な問題において、自己利益がほとんど重要性をもたないことがわかったのである。

新鮮な結論だが、直感に反している。有権者は、自己利益を支持していないなら、誰の利益を支持しているのか。

その答えは複雑だ。第一に、政策の及ぼす影響が大きく具体的で差し迫ったものである場合には、自己利益はかなり重視される。例えば、一九七八年、カリフォルニアの住民投票で「提案一三号」が可決された。この結果、同州では不動産税の大幅な引き下げと引き換えに、学校、図書館、警察、消防などの公共サービスが大幅に削減されることになった。この問題では、住宅所有者（不動産価格上昇による不動産税支払いの大幅増に不満を持っていた）が提案一三号を支持し、図書館員や消防士は反対した。第二に、自己利益はその人が関心を持つ方向性を定めるが、意見にまで影響を与えるとは限らない。例えば、提案一三号について確固たる意見を持つ人は住宅所有者と公務員に多かったが、その意見は各人の自己利益に反する場合もあった。

しかし、自己利益ですべてが説明できるわけではない。平等、個人主義、政府の理想像、人権といった原則は、直接的な自己利益に反しても尊重される。自分は過激な政治団体の意見を聞きたいと思わなくても、彼らが意見を言う権利は支持する。なぜなら、言論の自由を尊重しているからだ。だが一番重要なことは、政治的意見の予測には自己利益よりも「集団の利益」の方が役立つということだろう。キンダーによると、人が意見を決める際に考えるのは、「自分にどんなメリットがあるか」ではなく「自分の集団にとってどんなメリットがあるか」だという。その人がどの集団に帰属するかは、人種、階級、宗教、性別、地域、政党、業種、その他無数の相違点によって決まる。

スタンフォード大学のジェームズ・マーチ教授の考え方も、これに関連している。彼は、意思決定の二つの基本的モデルを提案している。一つは、結果を計算するモデルだ。人は選択肢を見比べ、それぞれの価値を判断し、最も大きな価値をもたらす選択肢を選ぶ。このモデルは経済学における意思決定の標準的な考え方で、人間を利己的で理性的な存在と見なしている。理性的な人間は、「この値段で、最も座り心地と見栄えのよいソファはどれか」、「自分の経済的、社会的利益に最も役立つ候補者は誰か」と自問する。一方、もう一つのモデルは全く違う。このモデルでは、人は自分らしさに基づいて意思決定をすると仮定している。ここでは人は「自分は何者か」、「自分はどういう状況にいるのか」、「自分と同じような人々はこういう状況でどうするのか」を自問する。

意思決定の第二のモデルを見れば、消防士がポップコーンメーカーに腹を立てた理由がわかって

くる。注意してほしいのは、このポップコーンメーカーが賄賂ではなかった点だ。もしマーケティング担当者が

「消防署でこのビデオを注文してくだされば、ご自宅にポップコーンメーカーを届けます」

と言ったのなら、ほとんどの人が倫理的理由から断ったはずだ。だが、これは何の罪もない景品だった。「わざわざビデオを見ていただくお礼として、ポップコーンメーカーを差し上げます。購入してもしなくても、ポップコーンメーカーは差し上げます」と言っているのであり、この申し出を受けても何ら倫理に反することはない。

それどころか、自己利益を追求し、価値を最大化するという観点で言えば、この申し出を断る方が馬鹿げている。Aと決断すればポップコーンメーカーがもらえて、Bと決断すればポップコーンメーカーはもらえない。それ以外はすべて同じだ。ならば、ポップコーンメーカーが自分の価値観を壊さない限り、Aと決断した方がいいはずだ。

しかし、アイデンティティに基づく意思決定モデルから言えば、ポップコーンメーカーを断ることは完璧に筋が通っている。その思考プロセスはこんな感じだろう。

「私は消防士だ。こいつはポップコーンメーカーをダシに、安全教育ビデオを見せようとしている。だが、消防士たるもの、つまらない景品などなくても、安全について学ぶ意欲はある。人助けのために、命がけで燃えさかる建物に入っていくのだから。私にポップコーンメーカーが必要だって？　馬鹿にするな」

この二つの意思決定モデルを統合する方法もある。ビデオを見てくれれば、どこかの学校の防火

安全プログラムに五〇ドル寄付すると提案するのだ。これなら、消防士のアイデンティティにあからさまに反することもない。

自己利益は重要だ。自己利益に訴えれば、心にかけてもらえるのは確かだ。だが、それでは絵の具の色が限られてしまう。いつも自己利益を軸にアイデアを構成するのは、いつも決まった色だけで絵を描くようなものだ。それでは窮屈だし、人に刺激を与えることもできない。

ペガサス食堂のフロイド・リーのやり方は正しい。彼は、スタッフの自己利益だけに訴えて動機づけることもできたはずだ。例えば、よく働く者は毎晩一〇分早く勤務を切り上げてもよいことにしたり、スタッフに客より先にステーキ肉を選ばせるのだ。だが彼はそうする代わりに、一種の「ペガサス・アイデンティティ」を生み出した。ペガサスのコックは、食事ではなく軍の士気を預かっているというアイデンティティだ。きっとスタッフは「ペガサスの一員は、こういう状況でどうするべきか」と考えながら、食堂の中で無数の決断を下しているだろう。

アイデア・クリニック

代数の必要性とマズローのピラミッドの底辺部

背景説明：いつの時代も、代数の教師は生徒から二つの質問をぶつけられる。「なぜ代数を学ばなくてはならないの？」、「代数なんて、いつ使うの？」。このクリニックでは、これらの質問に対する三通りの答え方を検討する。

メッセージ1：一九九三年、「みんなの代数」と題する会議で、「なぜ代数を学ぶのか」という疑問に対して以下の点が指摘された。

・代数とは一般化の手法である。代数とは、ある集合の要素間にパターンを見出し、それを検討したり他者に伝えるために必要な言語を開発することである。
・代数は記号の操作手順を教えることにより、周囲の世界への理解を促すものである。
・代数は数理モデルを通して世界を理解する手段となる。
・代数は変数の科学である。代数は、変数（値の変わる数量）を特定し、データの中に構造を当てはめたり見出したりすることによって、大量のデータの処理を可能にする。
・代数とは変数間の関係を説明し、その関係について推論するための基本的な考え方と技法の集まりである。

メッセージ1へのコメント：このメッセージは「知の呪縛」が引き起こす問題を体現している。きっとこの会議の出席者は代数の専門家ばかりだったため、他の専門家が読んで遜色のない答えを考えたのだろう。だが現実として、落ち着きのない生徒に「代数は記号の操作を教えることにより、周囲の世界への理解を促すものである」と言っても、代数に飛びつくとは思えない。これらは代数の定義としては非常に論理的だが、代数を勉強する理由としては役立たない。生徒が代数を心にかけるようになるメッセージが必要だ。

メッセージ2：次の答えは、インターネットで見た文例を参考に、私たちが考えたものだ。自分の生徒に代数を学ばなければならない理由を告げるとき、私ならこう言う。

・高校の卒業証書をもらうため。
・今後、君が履修する数学や理科の授業では、必ず代数の知識が必要になる。
・いい大学に入るためには、数学でよい成績をとる必要がある。
・大学に行く気がなくても、代数で身につけた推論のスキルは、家を買ったり予算を立てるときに役に立つ。

私の弟は、あるハイテク企業で営業をしている。学校では数学が苦手だったが、一生懸命勉強したおかげで分析力が高まり、顧客にもわかりやすく説明できるようになったと言っている。

メッセージ2へのコメント：この教師は、現実的な話をして「知の呪縛」を逃れてはいるが、マズローのピラミッドの底辺部にとどまっている。なぜ代数を勉強するのか。第一の理由は、

「とにかく勉強しなければならないから」であり、第二の理由は「もっと代数を勉強するために必要だから」だ。ここでは主に「尊敬」への欲求に訴えている。有能でありたい、承認や地位を得たいという欲求だ。最も効果的なのは、弟が一生懸命勉強した甲斐があったと言っている、というくだりだ。弟の逸話は、ケーブルズ的な成功物語（「私が方程式を間違えたら、みんな笑った。だが、私が注文を取るとみんな黙った」）を盛り込んで、「自尊」への欲求に訴えている。

メッセージ3：これは、インターネットで高校教師がこのテーマについて議論した際に、ディーン・シャーマンという代数教師が寄せた意見だ。

私の中学三年生の生徒は、一次関数の標準形が役立つことをなかなか理解できず、「これから先、いつこんなものが必要になるのですか」と訊いてくる。

以前の私は、そう訊かれると困惑し、自分の教えたことをすべて正当化するような答えを探したものだった。しかし、今ならこう答える。

「一生必要ないさ。これから先、君たちが代数を使うことはないだろう」

そして、こうつけ加える。ウェイトリフティングをするのは、路上で誰かに殴り倒されて、胸にバーベルを乗せられたときに備えるためではない。アメフトで相手のディフェンスを破ったり、重い買い物袋を運んだり、孫を抱き上げても翌日筋肉痛にならないようにするためだ。君たちが数学の問題を解くのも、論理的な思考力を高めて、よい弁護士や医者や建築家や刑務所長や親になるためだ。

数学は頭脳の筋肉トレーニングだ。ほとんどの人にとって、数学は何らかの目的を達成するための手段であって、数学自体が目的ではない。

メッセージ3へのコメント：素晴らしい答えだ。本書でこれまで見てきた要素がちりばめられている。まず、意外性のある出だしで関心をひきつけている（「一生必要ないさ。これから先、君たちが代数を使うことはないだろう」）。また、類推の使い方もうまい。ウェイトリフティングの既存のイメージを利用して、「代数の勉強」への見方を変えている（将来、直線の傾きを毎日求める必要があるわけではないが、頭脳の筋肉を鍛えることになる、と言っているのだ）。

またマズローの欲求段階において、メッセージ2より上を狙っている。つまり、「学習」や「自己実現」といった比較的高次のレベルに訴えているのだ。代数を学べば自分の潜在能力をもっと発揮できるという考え方だ。

【採点表】

項目	**メッセージ1**	**メッセージ2**	**メッセージ3**
単純明快である	－	－	○
意外性	－	－	○
具体的である	－	○	○
信頼性	－	－	－
感情に訴える	－	○	◎
物語性	－	○	－

結論：「数学は頭脳の筋肉トレーニングだ」という言葉は、ありふれた状況でもマズローの底辺部を脱し、もっと高次のニーズを狙うことが可能だと教えてくれる。

■

テキサスを怒らせるな

ダン・シレクは全米有数のポイ捨て研究家だ。これまで、ニューヨークからアラスカに至る一六の州と協力して、ポイ捨て防止法案をまとめてきた。プロジェクトに着手するときはまず、州間高速道から農道までさまざまな道路を無作為に選び、両手にカウンターを持って歩きながらゴミを数える。

一九八〇年代を通じ、シレクと彼が所長を務める応用リサーチ研究所（本部サクラメント）はテキサス州の仕事に取り組んだ。テキサスのポイ捨て問題は深刻だった。散乱ゴミの清掃にかかる費用は年一五%のペースで増え、年間二五〇〇万ドルに達していた。同州では「ゴミを捨てないでください」という標識を立て、道路沿いに「ゴミはここへ」と書いたゴミ箱を多数設置してマナーの改善を促していたが、効果はなかった。そこで、新しい戦略を考えるため、シレクを起用したのだ。

通常、ポイ捨て禁止のメッセージでは感情に訴えるが、対象となる感情はたいてい限られている。アメリカ先住民が散乱するゴミを見て涙を流すテレビ広告のように、罪悪感や羞恥心に訴えたものや、フクロウのアニメキャラクターが「ホーホー、お願いだから汚さないで」と呼びかけるキャンペーンのように、愛らしい動物への同情に訴えるものだ。

だがシレクは、この種のメッセージではテキサスの問題は解決しないことを知っていた。彼に言わせれば、この手の広告は「聖歌隊に聖書を説く」ようなものだ。テキサスでは、道路際のゴミに涙を流す気などない人たちに、メッセージを届ける必要があった。テキサスでゴミをポイ捨てする人の典型的な人物像は、小型トラックを運転し、スポーツとカントリー音楽を好み、権威者を嫌う一八〜三五歳の男性だ。このような人物が可愛いフクロウに心を動かされるはずがない。テキサス交通局のある職員は言った。

「こういう連中に『お願いします』と頼んだところで、馬の耳に念仏ですよ」

シレクは言う。

「ゴミをポイ捨てする人というのは、根っからだらしがないのです。だからまず、自分がしていることはゴミの散乱だと説明してやることが必要でした」

シレクは、小型トラックに乗ったいかつい男の写真をいつも持ち歩いていた。

「これが私たちのターゲット市場です。私たちは彼をババ（保守的な南部野郎）と呼んでいます」

この層が相手では、自己利益に訴えるポイ捨て防止キャンペーンを企画しても、効果はなさそうだった。ゴミを捨てるのをやめたところで、南部野郎がどんな得をするだろう。ゴミをきちんと捨てても手間がかかるだけで、何の得もない。ケーブルズ流に物欲や性的魅力に訴えるのは、場違いだった。高い罰金などの懲罰を打ち出し、不安に訴える方法も考えられたが、権威に逆らいがちな南部野郎には通用しそうにない（むしろ逆効果のおそれさえある）。

調査の結果、南部野郎の行動を変えるには、彼のような人はゴミをポイ捨てしないと説得するのが一番だとわかった。シレクの調査結果に基づき、テキサス州交通局は「テキサスを怒らせるな」というスローガンを軸としたキャンペーンを承認した。

初期のテレビコマーシャルでは、州内で有名なアメリカン・フットボールのダラス・カウボーイズの選手二人（ディフェンシブ・エンドのエド・ジョーンズと、ディフェンシブ・タックルのランディ・ホワイト）を起用した。コマーシャルの中で二人は、高速道路の路肩に落ちたゴミを拾っている。

ジョーンズがカメラの前に進み出て、こう言う。

「このゴミを捨てたやつに会ったら、俺から話があると伝えてくれ」

ビールの缶を手にしたランディ・ホワイトも進み出る。

「俺もひと言言いたいね」

画面の外の声が「なんて言うんだい」と尋ねる。

すると、ホワイトがビール缶をこぶしで叩きつぶし、脅すように言う。

「いや、直接会って伝えたいな」

ジョーンズがこうつけ加える。

「テキサスを怒らせるなよ」［訳注：「怒らせるな」は「散らかすな」と同じ英語表現を使った洒落］

可愛いフクロウや涙もろいアメリカ先住民とは、かけ離れたコマーシャルだ。

別の広告には、メジャーリーグのヒューストン・アストロズのピッチャー、マイク・スコットが登場する。スプリットフィンガード・ファストボールという球種で有名な選手だ。スコットは、物を投げるのは「テキサス人の得意技だ」と言い、「スプリットフィンガード・ゴミボール」を披露する。彼がゴミを路肩のゴミ箱に投げ込むと、ゴミ箱は爆発し、火柱が上がる。なかなか芸が細かい。

アメフトのヒューストン・オイラーズのクォーターバック、ウォーレン・ムーン、プロボクサーのジョージ・フォアマン、ブルース・ギタリストのスティービー・レイ・ボーン、カントリー歌手ジェリー・ジェフ・ウォーカーなど、キャンペーンに登場したスポーツ選手やミュージシャンの多くは、州外ではあまり知られていないが、地元では「テキサスっ子」としてよく知られている。カ

ントリー歌手のウィリー・ネルソンは、
「お母さん方よ、お宅の子どもに『テキサスを怒らせるな』と教えといてくれ」
というセリフを生んだ。

これらは、よくある有名人の推奨広告とは別物だ。単なる有名人の推奨よりも、ずっと手が込んでいる。これらの広告は、登場人物の知名度だけに頼っているわけではない。かのバーブラ・ストライザンドが登場したところで、南部野郎が相手ではたいした効果は期待できない。男らしくてたくましければいいかというと、そうでもない。シュワルツェネッガーはたくましいが、テキサスらしさは皆無だ。

では、同じ地元の有名人を使って、もっと平凡な公共広告らしい手法をとっていたら、どうだっただろう。「プロボクサーのジョージ・フォアマンです。ゴミのポイ捨ては、格好悪いですね」。これも、効果は期待できそうにない。なぜなら、フォアマンが南部野郎の嫌いな権威者の役どころになってしまうからだ。

このキャンペーンのメッセージは、テキサス人はゴミのポイ捨てをしないということだ。注意してほしいのは、登場した有名人の価値が、ひと目で「テキサス」、もっと具体的に言えば、「男っぽい理想的なテキサス人」を感じさせるという点である。ウィリー・ネルソンの音楽が嫌いな人も、彼がテキサス人らしいことはわかるだろう。

キャンペーンはたちまち大成功した。開始から数カ月後の調査では、テキサス住民のなんと七三％がこのメッセージを記憶しており、ポイ捨て禁止のメッセージであることも正しく認識していた。一年もたたないうちに、散乱ゴミは二九％減った。

交通局は当初、「テキサスを怒らせるな」キャンペーンと合わせて、予算一〇〇万ドルでポイ捨て取締強化を計画していた。「ポイ捨てをすると捕まって罰せられる可能性が高い」という不安に訴える戦術だ。ところが、「テキサスを怒らせるな」キャンペーンが即効性を発揮したので、取締計画は中止になった。南部野郎のアイデンティティをくすぐる魅力的なメッセージを打ち出すことによって、不安に訴える必要がなくなったのだ。

キャンペーン開始から五年で、路肩の目につくゴミは七二％減り、州内の道路沿いに捨てられた空き缶の数は八一％減った。一九八八年にシレクが行った調査によると、テキサスの道路上のゴミは、ほぼ同じ期間、ポイ捨て禁止プログラムを実施した他の州よりも少なかった。

「テキサスを怒らせるな」は、優れたスローガンだ。だが、スローガンをアイデアと混同してはならない。シレクのアイデアとは、「本当のテキサス人はポイ捨てをしない」と訴え、南部の男たちにゴミのポイ捨てを心にかけるようにさせることだった。理性的に自己利益に訴えるよりも、アイデンティティに訴える方が南部男の反応は大きいという考え方だ。仮に二流のコピーライターを起用し、スローガンが「テキサスを侮辱するな」だったとしても、このキャンペーンでテキサスの道路ゴミは減ったはずだ。

ピアノ二重奏

ここまで、アイデアを心にかけてもらうための三つの戦略を紹介してきた。関連づけを利用する（あるいは安易な関連づけを避ける）、自己利益に訴える、アイデンティティに訴える、の三つだ。これらの戦略はどれも効果的だが、宿敵「知の呪縛」には注意が必要だ。さもないと、せっかくの戦略を実行できなくなるおそれがある。

二〇〇二年、チップは、ある教授グループが主催する研修を手伝った。それは、フロリダ州のマイアミやフォートローダーデールを拠点に活動する非営利芸術団体の指導者向けの研修だった。研修の一環として、団体指導者に自分の団体の核となる使命を述べさせ、内容を見直させるという課題があった。指導者たちは難しい質問を投げかけられた。

「あなたの団体の存在理由は？」

「あなたの活動は他の団体にもできることか？　もしそうなら、活動の独自性は？」

人々が心にかけてくれるような言い方で、団体の目的を定義してください、という質問もあった。ボランティアが時間を提供し、人々が寄付金を出し、職員が（営利団体からの高収入の仕事の誘いを断ってでも）働き続けてくれるのは、その団体を心にかけているからにほかならない。研修に参加していた団体の一つに、マーレー・ドラノフ・ピアノ二重奏財団があった。彼らの順番が来たとき、チップはその代表者に、感情を掻き立てる決意表明をしてくださいと言った。

二重奏財団「当団体の存在目的は、ピアノ二重奏の保護と保存と振興です」
チップ「ピアノ二重奏の保護がなぜ重要なのですか？」
二重奏財団「最近、ピアノ二重奏はあまり演奏されなくなりました。私たちはそれを廃れさせたくないのです」

ある参加者は後で、「ピアノ二重奏」という言葉を最初に聞いたとき、酔った客がピアノに合わせて大声で歌っているような、観光客向けのバーでよく見かけるピアノ二台の掛け合い演奏を思い浮かべたと言った。ピアノ二重奏など保護するよりも、早く廃れさせるべきだと考える人もいた。会話は数分間続いたが堂々巡りで、他の参加者がピアノ二重奏を芸術として心にかけるには至らなかった。とうとう、ある参加者が口を挟んだ。「失礼かもしれませんが、ピアノ二重奏が完全に消滅したら、なぜ世界が豊かでなくなるのですか？」

二重奏財団「（面食らった顔で）うーん、そうですね……。ピアノは偉大な楽器です。オーケストラ全体の音域と音色を、一人の演奏者の支配下に置くために生み出された楽器です。ピアノほど音域の広い楽器は他にありません。この偉大な楽器を同じ室内に二台置けば、二人の演奏者が応え合い、音を積み重ねることができます。いわば、オーケストラの音を室内楽のように身近に楽しめるのです」

この瞬間、参加者は一斉に驚いた顔をし、「なるほど」という囁きがもれた。「オーケストラの音を室内楽のように身近に」。この言葉には深みがあり、感情に訴える。参加者はこのとき初めて、マーレー・ドラノフ財団がなぜピアノ二重奏のために尽力しているのか、またなぜそうするべきかを悟ったのだ。

それにしても、なぜマーレー・ドラノフ財団は、他の参加者が心にかけるメッセージを思いつくのに一〇分もかかったのか。ピアノ二重奏のための団体なら、ピアノ二重奏の価値を誰よりもうまく説明できるはずではないのか。

実際、彼らはピアノ二重奏が保存に値する理由を誰よりもよく知っていた。ところが「知の呪縛」のせいで、それをうまく表現できなかったのだ。「ピアノ二重奏の保存」という使命は、マーレー・ドラノフ内部では効果も意義もあるが、組織外の人には不可解だった。何人かの参加者は「ピアノ二重奏が完全に消滅したら、なぜ世界が豊かでなくなるのか」という質問に共感したと、後から言っている。ピアノ二重奏の何がそれほど特別なのか、そんなことを誰が気にするのか、と思っていたのだ。

長年、来る日も来る日もピアノ二重奏の問題に取り組んでいると、世界の大半の人はピアノ二重奏など聞いたこともないという事実を忘れがちだ。自分が「叩き手」で、世の中の人は「聴き手」だということを、ついつい忘れてしまうのだ。マーレー・ドラノフの代表者が「知の呪縛」から抜け出せたのは、会場中の人々がしつこく「なぜ？」と尋ねたからだ。三度目の「なぜ？」で初めて彼らは、自分たちが何をしているかという話題から、自分たちはなぜそれをしているかという話題に移った。つまり、（ピアノ二重奏を既に知っている人以外には）何の効果もない関連づけから、部外者と気持ちの通じ合える具体的で深い関連づけへと移ったのだ。

この「三つのなぜ」は、「知の呪縛」を避けるのに役立つ（トヨタ自動車は「五つのなぜ」というプロセスで、生産ラインの問題を究明している。好きなだけ「なぜ」と問えばいいのだ）。「なぜ？」という問いかけは、アイデアの根底にある核となる価値、つまり核となる原則を思い出させてくれる。

数年前、ある病院がデザイン会社のＩＤＥＯに、病院の作業フローの改善を依頼した。ＩＤＥＯの担当チームには、自分たちの提言が病院内で大きな抵抗に遭うことがわかっていた。職員を変革に向けて動かす第一歩は、問題を認識させ、それを心にかけるようにすることだった。

ＩＤＥＯは、脚の複雑骨折で緊急治療室にやって来た一患者の視点から、あるビデオを撮影した。ビデオには患者の見たままの世界が映し出されているため、患者になりきって見ることができる。まず緊急治療室の入り口を入り、受付手順の説明を探す。受付の手続きでは、受付係が難しい医学用語で話しかけてくる。ようやく移動ベッドに載せられ、運ばれていく。廊下の天井が延々と続き、画面の外から声が聞こえるが、声の主は見えない。時々、誰かがのぞきこんでくる。移動ベッドは頻繁に止まり、そのたびに待たされる。次に何が起きるのかもわからず、じっと天井を見つめるしかない。

ＩＤＥＯの心理学専門家ジェーン・フルトン・スリによると、このビデオを職員に見せるとすぐ手ごたえがあったという。

「最初は決まって『ああ、今まで気づかなかった……』という反応だった」

スリは気づくという言葉が好きだ。このビデオを見るまで職員にとって問題はなかったのだが、ビデオを見ることで、「解決しようという意欲が即座に生まれた。もはや、机上の問題ではなくなった」。

ＩＤＥＯは、職員に患者役を演じさせた。例えば、「あなたはフランス人で、入院中の父親を探しているが、英語は話せない」というような設定である。ＩＤＥＯは、従業員に顧客への共感をもたせるこの種のシミュレーションで定評がある。長年働いていると、場合によっては共感する力が衰えてくることもあるが、ＩＤＥＯのシミュレーションによって他者への自然な共感や同情心が回復する。

「ビジネスの世界では、個々の事柄より全体的な状況が重視されがちだ。全体を重視するという知的な作業が、思いやりの心を邪魔する」

と、スリは言う。

共感は全体からではなく個々の事柄から生まれ出るという気づきは、本章の冒頭で引用したマザー・テレサの言葉を思い出させる。

「大衆を見ても私は行動しない。個人を見たときに私は行動する」

アイデアを心にかけてもらうには、どうすればよいのか。相手の「分析の帽子」を脱がせる。特定の個人への共感を生み出す。アイデアを相手が既に心にかけていることと関連づける。相手の自己利益に訴えるが、同時に自分らしさにも訴える。そこには実際の自分らしさだけでなく、なりたい人物像も含まれる。

そして、聴き手にとって「どんなメリットがあるか」を考えるときには、マズローの欲求段階の底辺部を脱するよう心がける。二五〇ドルの特別手当よりも、「美」や「卓越」への欲求が満たされることの方が相手にとっては「メリット」かもしれない。フロイド・リーは言った。「自分は食事サービスの責任者であるだけでなく、軍の士気を高める責任者でもあると思っている」。彼のような指導者を誰もが求めている。

第六章
物語性

重症の新生児の処置・観察を行う新生児集中治療室で働く看護師が、数時間前から、ある赤ん坊の様子を見守っていた。肌が赤みがかった健康的な色から病的にくすんだ色に時おり変わる。問題がある兆候だ。

そんな矢先、赤ん坊がみるみる土気色になった。看護師は愕然とした。その場にいた別のスタッフが大声でX線技師と医師を呼んだ。

集まった医療チームは、肺虚脱と見なした。人工呼吸器をつけている赤ん坊によく見られる症状だ。医師らは肺虚脱の通常の処置として、胸に穴をあけて管を通し、しぼんだ肺のまわりから空気を吸い出して、肺をふくらませようとした。

しかし看護師は、肺ではなく心臓に問題があると見ていた。土気色の肌は、気心膜症を思わせる。気心膜症とは、心臓を取り巻く膜の中に空気が入り、心臓を圧迫して鼓動を妨げる症状だ。看護師はぞっとした。以前見た気心膜症の赤ん坊は、診断さえ受ける前に死亡した。

誰もが慌しく肺の処置の準備をしている。彼女は「心臓です!」と言って止めようとしたが、別のスタッフが指した心臓モニターを見ると、心臓に異常はなかった。心拍数は一分間に一三〇、新生児としては正常だ。それでも看護師は諦めなかった。医師やスタッフの手を払いのけ、静かにと叫んで黙らせると、赤ん坊の心臓に聴診器を当てた。

音がしない。心臓は止まっている。

看護師が赤ん坊の胸部圧迫をはじめたとき、新生児治療の主任医師が駆けつけた。看護師は医師に注射器を渡し、「気心膜症です。心臓に注射を」と言った。

ようやくCTスキャン画像が上がってきて、X線技師も看護師の診断を裏づけた。医師は注射器を赤ん坊の心臓に刺し、心臓を圧迫していた空気をゆっくりと抜き取った。赤ん坊は一命を取りとめ、徐々に正常な肌色を取り戻した。

医療チームは、心臓モニターで心停止が確認できなかった理由に後から気づいた。モニターは実際の鼓動ではなく、電気活動を読み取る。心臓の神経は、正常なリズムで懸命に信号を発していたが、肝心の心臓は心膜内の空気に圧迫されて収縮できなかった。看護師が聴診器を当てて鼓動を確認し、ようやく心臓が止まっていることがわかったのだ。

この物語は、心理学者ゲーリー・クラインが収集したものだ。彼は消防士、航空管制官、発電所技師、集中治療室スタッフなど、緊迫した環境下で人命を預かる人々がどのように意思決定を行うかを研究している。この赤ん坊の物語は、クラインの著書『決断の法則』の「物語の力」という章に登場する。

クラインによると、彼が調査した職場では、教訓をもたらす物語が繰り返し語られているという。物語は優れた教材だ。状況に惑わされて判断を誤る危険性や、それまで気づかなかった因果関係、ためになる意外な問題解決法の実例を示してくれる。

右の物語も重要な教訓を与えている。気心膜症という一症状の診断法や処置を教えると同時に、より広い意味で、機械に頼りすぎるなという警鐘を鳴らしている。いくら心臓モニターが正常に機能していても、聴診器を持った人間の洞察にはかなわないのだ。

こうした医学的な教訓は、医療関係者以外にはあまり役に立たない。だが、この物語を聞けば誰もが元気づけられる。集団への同調を求める暗黙の圧力に屈せず、自分の主張を貫いた女性の物語だ。弱者の逆転劇でもある。病院という序列のはっきりした環境で、看護師が新生児治療の医師に正しい診断を告げた。しかも、彼女が「与えられた立場」から一歩踏み出せるかどうかに、一人の命がかかっていた。

つまりこの物語には、シミュレーション（いかに行動すべきかという知識）と元気づけ（行動する意欲）という二段階の効果がある。大事なのは、シミュレーションも元気づけも、行動を生み出す効果があることだ。これまで見てきたように、信頼性のあるアイデアは信じてもらえるし、感情に訴えるアイデアは心にかけてもらえる。本章では、適切な物語が人を行動へと駆り立てることを見ていく。

ゼロックス社員の職場の会話

一般の人が使う機械の中で最も複雑なのは、コピー機だろう。光学、機械、化学、電気の技術を全部使った日常の機械など、他にはない。文字や絵をコピーできること自体が不思議だ。実際、できないこともしばしばある。機械の調子が悪く、用紙トレーを出し入れしても直らないときは、専門技術を持つ修理員を呼んで解決してもらうしかない。

研究者のジュリアン・オアが、ゼロックス社のコピー機の修理員に長時間、同行してある調査を行った。その結果、彼らが頻繁に物語を語り合っていることが明らかになった。例えば次の物語は、同社の販売員が昼食後にトランプをしながら語ったものだ（カッコ内は、著者の追加説明）。冒頭で彼は、最近実施されたコピー機の機械設計の変更にふれている。この変更は、よくある電圧の急上昇で複数の部品が過熱するのを防ぐ措置だった。

新しいＸＥＲの基盤構成だと、ダイコロトロンでアーク放電が起きても基盤は過熱せず、代わりに低電圧電源装置上で二四ボルトのインターロックを作動させて、機械をダウンさせる。ところが、機械が復旧すると、Ｅ０５３のエラーコードが出てしまう。［このコードは、問題がある場所とは関係のない場所を示しており、誤解を生じさせる］

廊下の突き当たりのマシンも、まさにそれだった。ウェーバーも俺も問題を突きとめるのに何時間もかかってしまったよ。原因は全部ダイコロトロンの故障だったのに。電源を入れてからしばらく待つと、ようやくＥ０５３と一緒にＦ０６６が表示された。それで、ダイコロトロンを調べたら、完全に死んでたんだ……［オアによると、この後、トランプのためにしばらく会話が中断される］まったく、笑えたよ。

彼らは昼時にトランプをしながら、よくある仕事の話をしているだけだ。Ｅ０５３のエラーコードに惑わされた話は、畑違いの人には面白くもないだろうが、誰でも似たような内輪ネタをもっているはずだ。

なぜ人は仕事の話をするのか。理由の一つは、他人と共通の話題で語り合いたいというごく基本的な人間の性質からだ。ゼロックスの修理員はみなコピー機の仕事をしているから、コピー機の話がしたい。だが、それだけではない。例えば、この話し手はこれほど詳しく説明しなくても、だいたいのことは伝えられたはずだ。

「今日の故障は本当に参った。問題を突き止めるのに四時間もかかってしまった。終わってほっとしたよ」

という具合に。あるいは、単刀直入に結論を言う手もある。

「何時間も四苦八苦した挙句、たかがダイコロトロンが焼けただけの問題だとわかった。で、君の方はどうだった？」

だが彼は、昼食仲間の興味をもっと掻き立てる物語を語った。この物語にはドラマがある。まぎらわしいエラーコードのせいで、大の男二人が散々頭を悩ませた挙句、拍子抜けするほど単純な問題だったことが判明する。なぜ、こういう物語形式は興味をそそるのだろう。それは、昼食仲間が参加できるからだ。十分な情報が盛り込まれているおかげで、仲間も「自分ならどう対処したか」をシミュレートできる。E053の誤表示問題に気づいていなかった同僚も、おかげで自分の中の「E053」のイメージを修正できた。それまでE053への対処法は一通りだけだったが、「E053の誤表示」という線もあることを彼らは学んだ。

つまり、物語は気晴らしでもあり、教訓でもある。職場での会話は、いろいろなことにどう対処するかについて大切な手がかりを伝えている。看護師は心臓モニターを盲信してはならないと学び、コピー機の修理員はエラーコードＥ０５３の誤表示に注意するようになる。

しかし、この物語は貴重な情報をもたらしているだけではない。この物語の果たす役割は、「ダイコロトロン過熱時のエラーコードＥ０５３に注意を」という社内メールと同じではない。そこには、もっと深い何かがある。こうした物語がもたらす付加価値を解明するために、ここで若干の説明をする。

受け身ではない聴き手

物語は娯楽と強く結びついている。映画、書籍、テレビ番組、雑誌、どれもそうだ。子どもが「お話をして」と言うとき、彼らは何かを教わりたいわけではなく、娯楽を求めている。

物語の「聴き手」というと、受け身の役割のように感じる。テレビで物語を観る人は、「カウチポテト族」と呼ばれるくらいだ。だが、「受け身」というのは言いすぎかもしれない。本を読むと、作者の世界に引き込まれるような気がする。友人の話を聞けばつい共感するし、映画を観ると主人公に感情移入する。

だが、こんなふうに直感的にかかわるだけではなく、もっと劇的に関与できる物語があったらどうだろう。ある研究チームの実験によって、物語の「聴き手」と「主人公」の境目がやや曖昧なことを示す画期的証拠が得られた。

人は物語をどのように理解するかに関心をもつ三人の心理学者が、コンピュータで物語を読ませる実験をした。被験者を二つのグループに分け、一方のグループには、重要な小道具が主人公と関連づけられる物語を読ませた。例えば「ジョンはジョギングに行く前にスエットシャツを着た」という具合だ。一方、もう一つのグループには、重要な小道具が主人公と切り離される物語を読ませた。こちらは、「ジョンはジョギングに行く前にスエットシャツを脱いだ」となる。

その後少しして、物語にそのスエットシャツが登場する。研究者は、被験者がスエットシャツに関する記述を読むのにどのくらい時間がかかったかを、コンピュータで記録した。すると、不思議な結果が出た。ジョンがジョギング前にスエットシャツを脱いだと思っている人の方が、スエットシャツを着たと思っている人より、読むのに時間がかかったのだ。

この実験結果は少しややこしいが興味深い。結果からわかるのは、私たちは話を聞くとき、一種の地理的なシミュレーションを行っているということだ。「物語を読むと頭に絵が浮かぶ」というのとは違う。それは誰にでも直感的にわかることだ。そうではなく、ジョンがスエットシャツを脱いで出かけると、私たちの頭の中でも、そのシャツは少し離れた家の中に残される。これを可能にするためには、単に頭の中で物語を視覚化するだけでなく、物語に述べられている空間的な関係を（ぼんやりとでも）類推しながら再現する必要がある。この実験は、受け身の聴き手なんて存在しないことを示す。物語を聞きながら、私たちは頭の中で部屋から部屋へと移動する。つまり、再現しているのだ。では、再現は何の役に立つのだろう。

カリフォルニア大学ロサンゼルス校の学生グループに、ある実験で生活上の悩みを尋ねた。ここで言う悩みとは、学校の勉強や人間関係など、「ストレスのもと」だが解決可能な問題のことだ。学生は、実験の目的は悩みの解決を手助けすることだと言われ、問題解決に関する簡単な指導を受けた。例えばこんな指導だ。

「その悩みについて考え、情報を集め、自分にできることを検討し、措置を講じることが大切です。……悩みを解決すればストレスが減り、対処できた自分に満足し、その体験を通じて成長できる」

被験者のうち「対照グループ」の学生は、指導を受けただけで帰宅し、一週間後に再び来るように言われた。

「事象シミュレーショングループ」の学生は実験室に残され、悩みが生まれた経緯を頭の中で再現するように言われた。

問題がどのようにして生じたかを思い起こしてください。最初に起きたことを詳細に回想し、問題の発端を思い起こすのです……起きたことを順を追って思い出してください。自分のとった行動を思い起こしてください。自分の言ったこと、したことを思い出すのです。そのときの状況、周りにいた人々、自分のいた場所も思い起こしてください。

事象シミュレーショングループの学生は、自分の悩みにつながった出来事を順番にたどらなくてはならなかった。これは、プログラマーがプログラムのミスを一から系統立てて修正していくように、因果関係の連鎖を見直すことが解決法の発見に役立つという前提に基づいている。

三番目の「結果シミュレーショングループ」は、悩みが好ましい結果に終わる様子を頭の中で創造するように言われた。


問題が解決に向かい、ストレスから解放されるところを想像してください。……そのときの解放感を想像しましょう。問題に対処したことで得られる満足感を思い描きましょう。悩みをうまく解決できた自分に自信を抱くところを思い描いてください。


結果のシミュレーションでは、将来の好ましい結果だけを取り上げた。悩みを乗り越えたら、どうなるかということだ。

二つのシミュレーショングループは、シミュレーションを終えてから帰宅した。どちらのグループも、毎日五分ずつシミュレーションを繰り返し、一週間後にまた来るように言われた。

ここで読者に問題だ。どのグループが一番うまく悩みに対処できたかを当ててほしい（ヒント――対照グループではない）。

正解は事象シミュレーショングループ、つまり問題の経緯を再現したグループだった。彼らはほぼすべての面で、他のグループをリードしていた。つまり、将来の結果を想像するより、過去の出来事を再現する方が、はるかに役立ったのだ。事実、この二つのグループには、実験直後から大きな差が出た。事象シミュレーショングループの学生は、帰宅した夜の段階で既に他のグループより前向きな気分になっていた。

一週間後、実験室を再訪した事象シミュレーショングループは、ますます優位に立っていた。問題解決のために具体的な行動をとったり、他人に助言や助けを求めた学生の割合が他グループより高く、何かを学び成長したとする割合も高かった。

この結果は、ちょっと意外かもしれない。巷に溢れる一般向けの心理学の本の多くは、成功した自分をイメージしなさいと勧めている。だが実際には、ポジティブ思考だけでは解決にならない。お金持ちになる方法を指南するなら、「リッチになった自分を想像しよう」と勧めるより、「貧乏になった経緯を思い出そう」と勧めるべきかもしれない。

頭の中でシミュレーションすると、なぜうまくいくのか。それは、出来事や経緯を思い描くと、実際に活動していたときと同じ脳の部位が呼び覚まされるからだ。脳のスキャンをすると、光の点滅を想像すれば脳の視覚分野が活動し、誰かに肩を叩かれるところを想像すれば脳の触覚分野が活動する。頭の中でのシミュレーション活動は、頭の中だけで済むわけではない。bやpの音で始まる単語を想像すると唇が動いてしまうし、エッフェル塔を想像すると目が下から上へ動く。さらに、頭の中でシミュレーションすると内臓まで反応する。「これはレモン汁だ」と思いながら水を飲むと、唾液がたくさん出るし、もっと意外なのは、レモン汁を飲みながら「これは水だ」と思えば、唾液の分泌量が減る。

頭の中でシミュレーションすると、感情を処理しやすくなる。これは、恐怖症（蜘蛛、人前で話すこと、飛行機に乗ることなど）の一般的療法としても用いられている。まず、患者をリラックスさせて不安を抑えたうえで、恐怖の対象物を思い浮かべさせる。最初は、恐怖の対象を取り巻くものから想像させる。例えば、飛行機恐怖症の人なら空港へ車で向かうところだ。その後、少しずつ恐怖の核心に近づいていく（「飛行機が滑走路を進んでいます。エンジン音がだんだん大きくなってきました……」）。想像が不安を生むたびに少し休み、リラックス法を用いて平静さを回復する。

注目すべきは、一貫して出来事そのもの、結果ではなくプロセスだけを思い出させている点だ。恐怖が去ったらどんなに幸せだろうと想像して、恐怖症を克服できた人はいない。

頭の中でのシミュレーションは、問題解決に役立つ。日常的なプランニングにおいても、頭の中でシミュレーションを行えば、つい見落としがちな点に気づきやすくなる。スーパーに買い物に行く自分を想像すれば、同じショッピングセンターにあるクリーニング店にも立ち寄れると気づく。シミュレーションを行うと、未来の状況に先手を打ち、適切に対応する助けとなる。上司と言い合う場面を思い浮かべ、相手の出方を想像しておけば、いざというとき、適切な言葉で対応し、余計なことを言わずにすむ。研究によると、メンタル・リハーサルは喫煙や過度の飲酒、過食といった悪習を防ぐ可能性もある。酒を断つつもりの男性は、アメフト王座決定戦が行われる日曜日をどう乗り切るか、誰かがビールを飲み始めたら自分はどうするのかを頭の中でリハーサルしておくとよい。

意外なのは、シミュレーションを行うと、技術も向上することだ。延べ三二一四人を対象とした三五の実験結果から、頭の中で練習する（黙ってじっと座ったまま、最初から最後までうまくやり遂げる自分を想像する）だけで技術が飛躍的に向上することがわかっている。このことは、さまざまな作業について証明されている。溶接もダーツも頭の中のシミュレーションで上達する。トロンボーン奏者はよりよい演奏ができるようになり、フィギュアスケートの選手もよりうまく滑れるようになった。当然、身体的要素より精神的要素の大きい作業（トロンボーンの演奏など）の方が、頭の中での練習効果は高いが、たいていどんなことでも頭の中で練習すれば大きな効果が上がる。全体の平均で見ると、頭の中で練習しただけで体を動かす練習の三分の二の効果が得られている。

つまり、シミュレーションには、実際の行動ほどではないにせよ、それに準じる効果があるのだ。記憶に焼きつくアイデアに話を戻せば、適切な物語とは要するにシミュレーションである。物語は脳の飛行シミュレーションのようなものだ。看護師と心臓モニターの物語を聞くのと、その場に居合わせるのとは同じではないが、物語にはその場にいるのに準じた効果がある。

ゼロックスＥ０５３の物語を思い出してほしい。この物語を聴く方が、「エラーコードＥ０５３の誤表示」という訓練マニュアルの注意書きを読むより役に立つ。それは、操縦士にとってフラッシュカードを何十枚も見るより、飛行シミュレーションをする方が役立つのと同じ理由による。実際にとるべき行動をシミュレートした方が、訓練効果は高まるのだ。

物語が効果的なのは、抽象的な文章にない文脈を与えてくれるからだ。それは記憶のマジックテープ理論と同じだ。アイデアにひっかかりをたくさん持たせるほど、記憶にくっつきやすくなる。Ｅ０５３の物語の重要な要素として、機械のコードに惑わされて問題を見抜けなかった苛立ち、つまり感情がある。歴史的背景も欠かせない要素だ。「ＸＥＲの基盤構成」が最近変更されたことが、今回の新たなエラーにつながっている。さらに、最後に「エラーコードを完全に信用するな」という、一種の普遍的教訓を与えている。この「コードを疑う姿勢」は、修理員が今後どんな仕事にも応用できるものだ。

医師にとって、虫垂炎の診断が下された患者を治療するのは容易だが、盲腸の炎症を胃のむかつきや食中毒や潰瘍とどう見分けるかが問題だ。初歩の代数の生徒が、複雑な方程式は解けても、同じ内容の文章題となると手も足も出ない場合もある。何が未知数Xかがはっきりわからないからだ。そこで物語の出番となる。物語の役割は、知識を日常生活で実感しやすい現実的な枠組みの中に移すこと、つまり飛行シミュレーションに近づけることだ。物語の聴き手もさほど受け身ではない。心の中で行動に備えているのだから。

アイデア・クリニック

問題のある学生への対応

背景説明：大学教授は時として、授業を妨げる学生に対処しなければならない。怒れる学生、攻撃的な学生、挑発的な学生はいるものだ。そんなとき、多くの教授は驚いて言葉を失い、どう対応してよいかわからなくなる。ここでは、そうした学生への対処法を示した二つのメッセージを比較する。

メッセージ1：これは、インディアナ大学が教員向け資料として作成したものだ。

・平静さを保つ。落ち着いて、規則正しく呼吸を続ける。弁解がましくならないこと。
・無視しない。相手の怒りを発散させること。休憩時間か授業後に会う約束をする。面会では相手の気持ちに理解を示し、きちんと耳を傾ける。職業的で丁重な話し方をすること。

メッセージ1へのコメント：意外性が全くない。常識に反することが何も書かれていない（常識で難しい学生に対処できるなら、アドバイスを印刷する必要などない）。「平静さを保つ」、「弁解がましくならない」、「怒りを発散させる」など、助言のほとんどが抽象的で当たり前すぎるため、記憶に焼きつかない（どんな教員も、問題のある学生の前でおじけづこうと思っているわけではない）。

メッセージ2：二番目のメッセージは、アリソン・バックマンという教授がインターネットの教員向けニュースグループに投稿した非公式な体験談だ。

こんな学生がいた。たいてい一番後ろに座っていて、私が授業をしていると大声で何か言う。

教壇にいる私に聞こえるくらいだから、クラス中に聞こえる。私が言うことにことごとく反論する。他の学生たちはすぐ、日誌で彼の態度に不満を訴え、いろんな対処法を提案してきた。多くは、彼に恥をかかせようとするものだった。

私は当初から、いくつかの方法を試していたが、ついにある日、授業終了時に彼とその相棒の学生を前に呼び、オフィスで会う約束をした。面会時には必ず誰かに立ち会ってもらえるようにした（オフィスを他の教員と共有するメリットの一つ）。相棒の学生に関しては、付き合わされているだけだと思った。授業妨害の道具にされていたのだ。

面会時に問題の学生はサングラスをかけて現れた。非常に挑戦的な態度だった。

「後ろでいつも何をやっているの？」

と聞くと、彼は、

「先生と意見が合わないんだ」

と答えた。この点について話し合おうとしても、沈黙したままだ。

そんな彼が初めて耳を傾けたのは、「他の学生からも不満の声が上がり、なんとかしてほしいと言われている」と話したときだった。彼の様子ががらりと変わった。その後、授業態度も一変し、以来、彼に悩まされることはなくなった。教員に侮辱的な態度を示す学生は、他の学生によって十分阻止できる。今回のことは基本的にそう理解している。結局、彼は周りの学生から注目されたかったのに、周りはそんな彼のことを見たくも聞きたくもなかったということだ。

メッセージ2へのコメント：この逸話は、問題のある学生への対処プロセスを再現しており、読み手はバックマンとともに問題を解決していく。注目すべき点は、メッセージ1の箇条書きの内容が、ここでは単に述べられるのではなく、身をもって示されていることだ。この教授も学生の怒りを「発散」させようとした。「個別に会って話す」約束もした。また、一貫して平静さを保った。

仲間からの圧力を利用して黙らせるという解決策は、具体的だし意外性もある。これは常識ではない。普通は、問題のある学生は他の学生が自分を見る目など気にしないと思われている。読み手はバックマンに感情移入し、結果を心にかける。相手が箇条書きよりも人間の方が、心にかけやすい。

【採点表】

項目	**メッセージ1**	**メッセージ2**
単純明快である	–	–
意外性	–	○
具体的である	○	○
信頼性	–	–
感情に訴える	–	○
物語性	–	○

結論：バックマン教授の逸話のような物語、問題のある学生をおとなしくさせるための飛行シミュレーターをいくつか紹介する方が、メッセージ1の箇条書きよりはるかに興味を引くし効果的だ。メッセージ1なら、たいていの大学の研修担当者にも書けるだろうが、メッセージ2の解決策は直感的に出てくるものではない。私たちはつい物語を省いて「助言」だけを書きがちだが、その誘惑と戦うことが必要だ。

■励ましとしての物語――ジャレドの逸話

一九九〇年代後半、大手サンドイッチ・チェーンのサブウェイが新製品シリーズのキャンペーンを展開した。新製品がいかに健康にいいかを、統計を根拠に訴えるキャンペーンで、脂肪分六グラム以下の七製品を「7アンダー6」として打ち出したものだ。語呂のよさのおかげで統計にしては親しみやすかったが、次のキャンペーンほどには記憶に焼きつかなかった。そのキャンペーンとは、ジャレド・フォーグルという大学生の驚くべき物語を取り上げたものだ。

ジャレドは体重のことで真剣に悩んでいた。大学二年で体重は一九三キロ。シャツのサイズは大型サイズ専門店でも最大級のXXXXXL、ズボンはウェスト一五〇センチだった。

ジャレドの父親はインディアナポリスの開業医で、何年も前から息子に体重管理をうるさく言っていたが、効き目はなかった。あるとき、医学部進学予定のルームメートがジャレドのくるぶしの腫れに気づき、浮腫ではないかと言った。診断は正しかった。血液が十分な量の液体を運べず、体内に液体がたまる症状が浮腫である。糖尿病や心臓病につながることも多く、へたをすれば若くして心臓発作を起こす。ジャレドの父親は、今の体重と健康状態では三五歳まで生きられないとジャレドに言った。

一二月に病院に行ったジャレドは、春休みまでに減量すると心に誓った。彼は「7アンダー6」キャンペーンを見て、ターキーサンドイッチを食べてみた。その味が気に入った彼は、自己流のサブウェイダイエットを考案する。昼食には長さ三〇センチの野菜サンド、夕食には一五センチのターキーサンドを食べるというものだ。

「サブウェイダイエット」を始めて三カ月たった頃、ジャレドは体重計に乗った。一五〇キロ。サブウェイの食事で、三カ月に四〇キロ以上も減量できたのだ。彼はさらに数カ月間、このダイエットを続けた。体調が回復するとすぐ、できるだけ歩くようにした。通学にはバスを使わず、デパートでもエスカレーターに乗らずに歩いた。

ジャレドの減量は、米国中に知られるようになる。きっかけは、一九九九年四月付のインディアナ・デイリー・スチューデント紙に載ったある記事だった。筆者はジャレドの元ルームメートのライアン・コールマン。彼は、減量したジャレドを見かけたとき、誰だかわからなかったという。コールマンは、ジャレドにとって肥満がどういうものかを感動的に書いている。

フォーグルが履修登録をするときの基準は、多くの学生とは違っていた。ふつうは教授や時間帯で授業を選ぶものだが、彼の場合は、教室の椅子に体が合うかどうかで決めていた。

また、たいていの学生はキャンパスの近くに車を停められるかどうかを心配するが、フォーグルが心配したのは、隣が空いている駐車スペースを見つけられるかどうかだった。運転席のドアを開けて外に出るためには、余分なスペースが必要だった。

記事はジャレドのこんな言葉で締めくくられている。

「サブウェイは僕の命の恩人。おかげで人生をやり直すことができた。感謝のしようもない」

ファストフードチェーンが誰かの人生を劇的に好転させて感謝されたのは、これが初めてだったに違いない。

その後、メンズ・ヘルス誌に「効き目のあるクレージーダイエット」という記事を書いていた記者が、偶然インディアナ・デイリー・スチューデント紙のジャレドの記事を目にした。彼はそれを「サブウェイ・サンドイッチ・ダイエット」として取り上げた。記事はジャレドの名前にも店名にも触れておらず、ただ一般的な名称として「サブウェイ・サンドイッチ」とだけ書かれていた。

鎖の輪をつないだのは、サブウェイのとあるフランチャイズ店のオーナー、ボブ・オクウィジャだ。同誌の記事を見て「これは」と思った彼は、スケジュールの合間を縫ってシカゴに行き、サブウェイの広告を担当する広告代理店を訪ねた。彼は制作ディレクターのリチャード・コードを探し出し、この記事を読むように勧めた。コードは言う。

「最初は笑ったが、実行に移すことにした」

減量物語の主人公はジャレドだが、アイデア物語の主人公はオクウィジャとコードだ。オクウィジャは物語の可能性を見抜いた英雄であり、コードは人・モノ・金を使ってそれを実行に移した英雄だ。

コードと彼の勤める広告代理店ハル・ライニーのバリー・クラウス社長は、見習社員に「サンドイッチで減量した謎の男と、その男が食べた店を探せ」とだけ命じ、ブルーミントンに送り込んだ。男の名がジャレド、店がフローズ・サブショップだということは、間もなくわかる。

とはいえ、見習社員は最初、どうしていいのかわからなかった。とりあえずブルーミントンに行って電話帳をめくり、町じゅうのサブウェイ店舗を訪ねるしかなかった。だが幸いそれほど大変な捜索にはならなかった。最初に訪ねた大学キャンパス近くのサブウェイ・フランチャイズ店で、謎の客のことを尋ねると、カウンターの店員が即座に答えた。

「ああ、ジャレドでしょう？　毎日ここに来てますよ」

見習社員は勝利の帰還を果たした。ジャレドは実在し、現実にサブウェイで減量に成功していたのだ。広告代理店の人々は思った。「われわれは素晴らしい物語を手にしている」

ところが、ジャレドの物語はここで壁にぶつかる。クラウス社長はサブウェイのマーケティング部長に電話をかけ、ジャレドの話をしたが、部長の反応は思わしくなかった。この部長は別のファストフード会社からサブウェイに移ってきたばかりだった。

「前にも同じようなことがあったが、ファストフードは健康を売り物にできないんだよ」

マーケティング部長は、商品の味を目玉にしたキャンペーンの方がいいと言った。

部長はクラウスを納得させるため、サブウェイの弁護士にジャレドのキャンペーン案を投げかけた。案の定、弁護士は、医学的な主張と見なされると法的責任が生じるだの何だのと言い、ジャレド案は無理との返事をよこした。法的責任を回避する唯一の方法は、「当社ではこのダイエット法を推奨しません。まず医師に相談してください」という免責の一文を添えることだった。

アイデアは頓挫したかに見えた。だが、クラウスとコードは諦めなかった。サブウェイのようにフランチャイズ店主体の企業が流す広告には、全国版と地方版の二段階がある。サブウェイ本部はジャレド案を拒否したが、地域のフランチャイズ経営者の中にはこの物語に興味を示し、地域広告費を使ってこの広告を流したいと言う人もいた。

だがここで、第二の壁に突き当たる。フランチャイズ側は通常、地方版コマーシャルの放映枠の代金を払うだけで、ＣＭ制作費は出さない。制作費は本部が負担するのが普通だ。いったい誰がジャレドのＣＭ制作費を出すのか。

クラウスは、無料でコマーシャルを制作することに決めた。「誰もお金を出さない広告の撮影にゴーサインを出したのは、後にも先にも初めてだった」と彼は言う。

二〇〇〇年一月一日、ＣＭが初めて放送された。全米の人間が新年の抱負にダイエットを誓う元旦に、ぎりぎり間に合った。ＣＭでは、自宅前に立つジャレドが映し出され、ナレーターがこう言う。

「彼の名前はジャレド。以前は体重が一九三キロもありました」

そこに、ウェスト一五〇センチのズボンをはいた昔のジャレドの写真が映し出される。

「でも、今では体重が八二キロにまで減りました。それはサブウェイ・ダイエットのおかげです」

ナレーターはジャレドの食事内容を紹介し、こう締めくくる。

「このダイエットと懸命なウォーキングで、ジャレドは減量に成功しました。誰にでも効果があるわけではありません。どんなダイエットも、まず医師に相談してから始めるべきです。しかし、ジャレドはこの方法で成功しました」

翌日は、朝から電話が鳴りっぱなしだったとクラウスは言う。全国紙のＵＳＡトゥデーや全国ネットの大手テレビ局、ＡＢＣとＦＯＸの報道局が電話をかけてきた。三日目には、人気司会者のオプラ・ウィンフリーから電話を受けた。

「長年、多くのマーケティング担当者からメディアの注目を浴びたいという相談を受けてきたが、オプラに何度電話をかけても取り上げてもらえたためしはなかった。オプラの協力が得られたのは、後にも先にもジャレドだけ。しかも、向こうから電話をくれた」

数日後、サブウェイ本社からクラウスに電話があり、ＣＭの全国放映を打診された。一九九九年に伸び悩んでいたサブウェイの売上は、二〇〇〇年に一八％、二〇〇一年に一六％伸びた。シュロツキーやクイズノス・サブなど、まだ小規模で伸び盛りの同業他社でさえ、成長率は年七％そこそこだった。

ジャレドの物語はシミュレーションの価値を示す好例だ。この逸話を聞けば、サブウェイダイエットがどんなものかは、だいたい想像がつく。昼食を注文し、夕食を注文し、合間に歩く、それだけ。だがこの物語は、飛行シミュレーションである以上に、見る人を元気づける話だ。こんなに太った人が自己流のダイエットで一一〇キロ以上も痩せたなんて。この物語は「あと五キロ」で四苦八苦しているすべての人に活を入れる。

本章の最初に紹介した看護師の物語もそうだったが、この物語も心の琴線に触れる。ダイエットに興味のないスリムな人でさえ、勝ち目のない戦いを戦い抜き、勝利をつかんだジャレドを見れば励まされる。励ましこそ、物語のもう一つの大きなメリットだ。励ましもシミュレーションと同様、行動を促す。

このキャンペーンは、「7アンダー6」キャンペーンよりずっと大きな成功を収めた。どちらのキャンペーンも訴えているのは「サブウェイには栄養価が高くて脂肪分の少ないサンドイッチがあります」ということだ。どちらも減量への期待を抱かせる。それなのに、一方はまずまずの成功で終わり、一方は一大センセーションを巻き起こした。

本書でこれまで述べてきたこと、そして、願わくば読者もここまで信じてくれているはずのことに照らせば、ジャレドのキャンペーンが勝つことは結果を待たなくても明らかだった。

ジャレドの物語がSUCCESチェックリストをどれくらい満たしているか、見てみよう。

・単純明快である：サブウェイ・サンドイッチを食べれば体重が減る（ただし、正直言って、これは言いすぎ。ミートボールのサンドイッチにたっぷりマヨネーズをかけては減量にならない）。

・意外性がある：ファストフードを食べて、大幅に体重が減るなんて。この物語は私たちのファストフードのイメージを打ち破る。従来のイメージには、痩せたジャレドよりも太ったジャレドの方がぴったりくる。
・具体的である：大きすぎてはけなくなったズボン、すっかり細くなった腰周り、特定のサンドイッチだけを食べるダイエット。抽象的な話ではなく、イソップ寓話に近い。
・信頼できる：パム・ラフィンを起用した禁煙キャンペーンと同様、反権威者の真実味がある。ウェスト一五〇センチのズボンをはいていた男性が、ダイエットのアドバイスをしてくれるのだから。
・感情に訴える：人は大衆よりも、ジャレドという個人を心にかける。また、この逸話はマズローの欲求段階のなかでも高度なカテゴリーに訴えている。これはサブウェイに助けられて潜在能力を開花させた男の物語なのだ。
・物語性がある：大きな障害を乗り越えて勝利をつかんだ主人公の話は、聞き手を元気づけ、同じ行動へと駆り立てる。

一方、「7アンダー6」はどうだろう。こちらもシンプルだが、核となるメッセージの魅力がずいぶんと劣る。「低脂肪サンドイッチを豊富に揃えています」というメッセージと、ジャレドの「サブウェイで食べて減量し、人生を変えよう」というメッセージを比べると、前者が電動ドリル部品を売ろうとしているのに対し、後者は子どもの写真を壁にかける方法を教えているようなものだ。

「7アンダー6」は、意外性も乏しい。ジャレドの物語は「ファストフードは太る」という強力なイメージを打ち破るだけに、インパクトがある。「7アンダー6」は同じイメージを攻撃しているにせよ、急所からかなりずれている。

「7アンダー6」には具体性がない。数字は具体的ではない。信頼はできるが、それはこの数値がさほど突飛でないからだ。サンドイッチの脂肪分が六グラム以下だと聞いて気を失う人はいない。だから、説得力もそれほど必要ではない。また、「7アンダー6」は感情に訴えず、物語もない。

このように、本書を読んだ人ならSUCCESチェックリストで分析するだけで、予算数百万ドルの広告キャンペーンを比較し、より良い方を選べる（一方、本書を読んでいない人にはそれほど簡単ではない。なにしろ、記憶に焼きつくアイデアづくりに長年取り組んできたサブウェイ本部の広告部長でさえ、ジャレドの物語を却下しようとしたのだから）。

ジャレドの物語には、もう一つ素晴らしい点がある。それは、多くの人が努力してこのキャンペーンを実現させたことだ。ジャレドがテレビに登場するまでに、普通では考えられないような出来事がどれだけあっただろう。フランチャイズ店長が雑誌の記事を制作ディレクターに見せ（普通、現場で働く人がそんなことをするだろうか?）、制作ディレクターが成果がないことを覚悟で人とモノと金をつぎ込み（本当に投資を回収できる見込みがあったわけではない）、広告代理店社長が大ヒットを確信して無料で広告を作り（そう、無料で）、サブウェイ本部のマーケティング部はプライドを捨てて、ジャレド案を早く採用しなかった過ちを認めた。

こうした行動のどれ一つ取っても、無駄ではなかった。これは、ざらにあることではない。優れたアイデアが、発信源と最終的な出口のあいだで誰かがボールを受け損なったため立ち消えになるケースは、枚挙にいとまがない。普通なら、フランチャイズ店のオーナーがジャレドの話を面白いと思っても、せいぜいトイレの前の掲示板に貼り出して、従業員を楽しませるくらいだ。ひょっとすると、それがジャレド物語のクライマックスになっていたかもしれない。

ジャレドの例からもわかるように、記憶に焼きつくアイデアは、必ずしも自分で生み出す必要はない。たいていの場合、「発見する」方が簡単だし役に立つ。歴史の教師が生徒を夢中にさせる教授法をもっと小まめに報告しあっていたら、非営利団体のボランティアが仲間を元気づける出来事や出会いに常にアンテナを張っていたら、上司が全員リスクを承知で重要なアイデアに懸けてくれる人だったら。そんなふうに考えれば、サブウェイのサンドイッチを賞賛する気にはなれなくても、素晴らしいアイデアを実現させたそのプロセスは賞賛したくなるはずだ。

発見する技

第二のジャレド物語になりうる優れたアイデアを見逃さないためには、どうすればいいのか。優れたアイデアを発見するのは難しいことではないが、自然とできることでもない。アイデアが旗を振って存在を主張するわけではないから、意識して探す必要がある。では、何を探せばよいのか。

序章でも述べたように、素人でも広告の型の使い方を訓練すれば、かなり優れた広告がつくれるようになる。広告に効果の実証された型があるように、物語にも効果の実証された型がある。こうした型を知っていれば、アイデア発見能力は飛躍的に向上する。

投資家で富豪のウォーレン・バフェットが、彼の投資するある企業の女性経営者ローズ・ブラムキンの逸話を語っている。ロシア生まれのブラムキンは、二三歳で国境警備隊の目を盗んで国外脱出し、米国にやって来た。英語も話せず、正式な学校教育も受けていなかった。

一九三七年、ブラムキンはせっせと貯めた五〇〇ドルを元手に家具店を始めた。約五〇年後、家具店は一億ドル企業に成長した。彼女は一〇〇歳になっても、週七日店に立った。一〇〇歳の誕生会を休業日の夜まで延期したほどだ。あるとき、この店の値段があまりに安いので、同業他社が公正取引法違反で訴えた。自分たちを倒産に追い込むため、損を承知で売っていると思ったのだ。バフェットは言う。

「彼女は法廷で、他社より大幅に安くじゅうたんを売っても利益が出ることを実証し、判事に一四〇〇ドル分のじゅうたんを売った」

ローズ・ブラムキンの逸話は『こころのチキンスープ』(ダイヤモンド社)には載っていないが、載っていてもおかしくない。『こころのチキンスープ』シリーズは、『お父さんのためのこころのチキンスープ』から、『看護師さんのためのこころのチキンスープ』、『ストックカー・レーサーのためのこころのチキンスープ』に至るまで三七冊あり、合計四三〇万部以上を売る大ヒットシリーズだ。

チキンスープ・シリーズが取り上げるのは、人を励ます物語だ。読む人を明るい気分にさせ、意欲と活力を与える。その点、都市伝説のシニカルで悲観的で妄想じみた世界観とは正反対だ（なにしろ、見知らぬ女性に腎臓を盗まれ、人気飲料メーカーがＫＫＫ団を信奉し、マクドナルドがハンバーガーに虫を仕込んでいるというのが都市伝説だから）。

チキンスープの興味深い点は、著者が物語を書いているわけではなく、どこかで見つけてきた物語を編纂している点だ。私たちは、人を励ます物語の何が心に響くのか知りたかった。そこで、チキンスープを含むさまざまな出典から何百もの物語を集め、潜在的な共通点を探した。

アリストテレスに言わせると、戯曲には主に四種類の筋書きがある。単純な悲劇、単純な幸運、複雑な悲劇、そして複雑な幸運である。有名映画脚本家のロバート・マッキーは著書の中で、物語には現代叙事詩や幻滅の筋書きなど二五のジャンルがあると書いている。私たちは人を励ます物語だけにジャンルを絞り、大量の物語を分析した結果、人を励ます物語には三種類の基本的な筋書きがあるという結論に達した。「挑戦」の筋書き、「絆」の筋書き、「創造性」の筋書きである。

『こころのチキンスープ』シリーズ第一作に収録された物語のうち、八〇％以上がこの三つの基本的な筋書きに分類できる。さらに驚くべきことに、芸能誌ピープルが一般人を取り上げた記事も、六〇％以上はこの三種類に分類できる。普通の人がピープル誌の記事になる場合、たいていは読者を励ます物語だ。相手に意欲と励ましを与えようとするなら、まずはこの三つの筋書きを検討するべきだ（ちなみに、『こころのチキンスープ』は励ましというより感傷的で鼻につくという人もいる。そうだとしても、三つの筋書きの型は役に立つだろう。筋書きを控え目にすることは、いつでもできる）。

挑戦の筋書き

ダビデとゴリアテの物語は、典型的な「挑戦」の筋書きだ。主人公のダビデはとてつもない困難を乗り越え、手作りの石投げ器で巨人を倒す。「挑戦」の筋書きにはバリエーションがある。敗者復活の物語、貧乏人が大金持ちになる物語、意志の力で逆境に打ち勝つ物語など、どれも聞き覚えがあるだろう。

「挑戦」の筋書きの重要な要素は、主役が圧倒的な障害に直面する点だ。ジャレドが八二キロまで体重を落とすのは「挑戦」の筋書きだが、体重九五キロの隣人がウェストを三センチ絞るのは、「挑戦」の筋書きではない。「挑戦」の筋書きは、誰でもたくさん知っているはずだ。一九八〇年レークプラシッド冬季オリンピック大会のアイスホッケーの試合で、金メダルの有力候補だったソ連チームを下した米国チーム。アラモ砦。貧乏人が大金持ちになるホレイショ・アルジャーの小説。アメリカ独立戦争や、名馬シービスケット、映画『スター・ウォーズ』。癌を克服しツール・ド・フランスで連勝したランス・アームストロングも、公民権運動の母ローザ・パークスもそうだ。

これほど劇的、歴史的でなくても、「挑戦」の筋書きは私たちを励ましてくれる。ローズ・ブラムキンの逸話に、有名人は登場しない。「挑戦」の筋書きが私たちを励ましてくれるのは、勇気や頑張ろうとする意欲を呼び覚ましてくれるからだ。もっと努力しよう、新しいことに挑戦しよう、困難を乗り越えようと思わせてくれる。ローズ・ブラムキンが一〇〇歳の誕生会を店の休業日まで延期したと聞けば、自分もガレージの片づけくらいしようと思えてくる。「挑戦」の筋書きは私たちを元気づけ、行動へと駆り立てる。

絆の筋書き

「善きサマリア人」と言えば、困っている人を進んで助けるよき隣人のことだ。もともとは聖書の物語だが、聖書のなかの「善きサマリア人」はそれ以上に深い意味を持つ。

物語はこうだ。ある律法学者がイエスのそばに来て、どうすれば天国に行けるかと尋ねる。律法学者の関心は、イエスから学ぶことよりもイエスを試すことにあった。イエスが「あなたはどう思うか」と尋ねると、律法学者は「自分を愛するように隣人を愛せ」という教えを汲んだ答えを言う。イエスはその答えを受け入れる。すると律法学者は、「ところで、私の隣人とは誰ですか」と尋ねる（愛さなければならない隣人の数を、なるべく絞りたかったのだろう）。

すると、イエスはこんな話をした。

「エルサレムからエリコに向かっていた男が追いはぎに襲われた。追いはぎは彼を身ぐるみはがし、打ちのめし、半殺しにして置き去りにした」

「一人の司祭がたまたまこの道をやって来たが、男を見ると道の反対側によけ、素通りした。レビ人も通りかかったが、やはり道の反対側を素通りした」

「ところが、サマリア人の旅人は、通りすがりに男を見て同情した。彼は男のところに行き、傷に包帯を巻き、油と葡萄酒を注いでやった。そして、男を自分のロバに乗せて宿屋まで運び介抱した。翌日、サマリア人は宿の主人に銀貨を二枚渡し、『あの人の世話をよろしく。もし足りなければ、今度来たときにお返しします』と言った」

「この三人のうち、追いはぎに襲われた男の隣人は誰か」

律法学者は「男に情けをかけた人です」と答えた。

イエスは言った。

「行って同じようにしなさい」

現代の読者のために、背景を補足する必要がある。物語に登場するサマリア人は、ただの善人ではない。彼は、社会的立場の大きな違いを乗り越えて怪我人を助けた善人なのだ。当時、サマリア人とユダヤ人（他の登場人物はすべてユダヤ人だ）は激しく敵対しており、サマリア人は今で言う「無神論者の暴走族」と同じくらい社会ののけ者だった。この物語の教訓は、「善き隣人は自分の集団に属する人だけでなく、それ以外の人にも同情する」ということだ。

これこそ「絆」の筋書きだ。「絆」の筋書きとは、人種、階級、民族、宗教、あるいは人口統計上の違いを乗り越えて、人々が関係を育む物語である。善きサマリア人の物語のように、生死に関わる話でなくてもよい。例えば、米国でヒットしたコカ・コーラのCM「ミーン・ジョー・グリーン」は、一本のコーラをめぐるささやかな「絆」の筋書きだ。このCMでは、痩せっぽっちの白人少年が、憧れの黒人アメフト選手と出会い、一本のコーラが二人を結びつける。善きサマリア人とはかなり違うが、これも確かに「絆」の筋書きである。

「絆」の筋書きは恋愛ものにも最適だ。『ロミオとジュリエット』や興行収入史上ナンバーワンの映画『タイタニック』がその好例だ。「絆」の筋書きはどれも、人間関係面で私たちを励ましてくれる。「絆」の筋書きに触れると、他人を助け、もっと寛容になり、協力し、人を愛したくなる。チキンスープ・シリーズに最もよく見られるのがこの筋書きである。

「挑戦」の筋書きが困難の克服にまつわるものであるのに対し、「絆」の筋書きは他人との関係にまつわるものだ。会社のクリスマス・パーティで何か話をするなら、「絆」の筋書きが最適だが、新規プロジェクトの発足パーティには「挑戦」の筋書きをおすすめする。

■創造性の筋書き

人を励ます物語の三番目のタイプは、「創造性」の筋書きである。その典型が、リンゴが頭に落ちて来たときニュートンが引力の法則を発見したという逸話だろう。「創造性」の筋書きは、精神面で突破口を開いたり、長年の謎を解いたり、革新的な方法で問題に取り組んだりする話だ。『冒険野郎マクガイバー』的な筋書きと言ってもいい。

インガソールランド社は、自動車工場が車体の研磨に使用する業務用研磨機など、地味な製品をつくっている大企業だ。同社は昔から新製品の開発ペースが遅く、平均四年はかかっていた。この状況に業を煮やした従業員は、こう言ったものだ。

「うちの会社の新製品開発にかかった期間は、わが国が第二次世界大戦を戦った期間よりも長かった」

インガソールランド社は、遅々とした新製品開発サイクルをなんとかするために、プロジェクトチームを発足させた。目標は、従来の四分の一、つまり一年以内に新型の研磨機を開発することだった。同社の従来の組織文化からいって成功の見込みは薄かったが、開発チームは次々と賢明な行動をとった。その一つが、物語を利用して自分たちの新しい姿勢や文化を打ち出すことだった。例えばある物語は、新型研磨機の本体ケースをプラスチックにするか金属にするかという重要な決断に関するものだった。プラスチックの方が顧客にとっては扱いやすいが、金属ほど耐久性があるかどうかが問題だった。

それまでの同社なら、両方の素材の伸張性と圧縮性について延々と時間をかけ綿密に検査するところだが、このチームには迅速な行動が求められていた。そこで、一部のメンバーが非公式の検査手順を考え出した。客先を訪問した際、両方の素材のサンプルをレンタカーの後部バンパーに紐で結びつけ、引きずりながら駐車場を走り回った。彼らは、警察がやって来てやめろと言うまでそれを続けた。その結果、プラスチックの新素材は従来の金属と同じくらい耐久性があることがわかった。これで決まりだ。

この「引きずり検査」の逸話は、研磨機開発チームで代々語り継がれている。引きずり検査はこのチームの新しい文化を印象付ける「創造性」の筋書きだ。それは「決断を下すためには適切なデータの入手が必要だが、より迅速に入手する必要がある」と示唆している。

著名な探検家のアーネスト・シャクルトンは、探検中に絶体絶命のピンチに直面し（典型的な「挑戦」の筋書きだ）、隊員の団結が至上課題となった。一人でも造反者が出れば、全員が死んでしまう。そこでシャクルトンは、不平不満の多い隊員への創造的な対処法を思いついた。シャクルトンのテントで眠るよう彼らに言い渡したのだ。隊員をグループに分けて雑用をするときには、彼らを自分のグループに入れた。常に自分が傍にいることで、彼らのネガティブな影響力を最小限にとどめた。「創造性」の筋書きに触れると、私たちはいつもと違ったやり方を模索し、創造性を発揮し、新しい方法を実験したくなる。

三つの筋書きについて述べた目的は、読者が物語を創作できるようにするためではない。小説家か広告制作者でもない限り、そんなことをしてもあまり意味がない。目的は、可能性を秘めた物語の発見法を学ぶことだ。ジャレドの記事を読んだとき、「ある男性が多大な困難にぶつかり、それを克服する。これは『挑戦』の筋書きだな」と、即座に決定要因を見抜けるようになってほしい。「挑戦」の筋書きは人々を励まし、挑戦や努力へと駆り立てる。こうした感覚が自分の目指すものと一致していれば、掲示板になど張り出さず、この物語を打ち出そう。

あなたが研磨機開発チームのリーダーで、企業文化の刷新が狙いなら、「創造性」の筋書きに目を光らせる必要がある。数人の部下が駐車場で金属を引きずり回したと聞けば、求めていた筋書きが見つかったことになる。

自分が求めているものが何かを把握すること。創作したり、誇張したり、チキンスープ物語のようにメロドラマ調にする必要はない（引きずり検査はメロドラマとは無縁だ）。必要なことはただ一つ、人生が贈り物をくれたとき、それに気づくことだ。

世界銀行での物語

一九九六年、スティーブン・デニングは世界銀行に勤務していた。世銀は、途上国に学校、道路、水処理施設などインフラ計画向けの資金を融資する国際機関だ。当時、彼は世銀のアフリカ業務責任者を務めていた。アフリカは三番目に融資額の大きい地域で、その責任者のデニングは組織のトップへの階段を駆け上っているように見えた。

その頃、よき指導者だった二人の上司のうち、一人が引退し、もう一人も転職した。その直後、彼はアフリカ部門を離れて「情報問題に取り組む」よう命じられ、上司から情報管理分野の調査を依頼された。

「世銀の関心は金の流れにあり、情報の流れにはない。辞令はシベリア送りに等しかった」

と、デニングは述べている。

仕事は地味なだけでなく難しかった。世銀は途上国で成果を上げる方法をたくさん知っていたが、情報は組織の各所に散らばっていた。世界数十カ国でプロジェクトを実施しているうえ、中央官僚機構はあっても、業務ノウハウの大半は当然、各地域の現場が握っている。個別のプロジェクトがそれぞれ一つの世界だった。ザンビアの水処理専門家は、地域の役人との政治的交渉の情報を持っているが、それをバングラデシュの高速道路建設の専門家と分かちあう機会はなかった。共通の友人がいるか、元同僚でもない限り、互いに存在すら知らないままだ。

任務に就いて一カ月後、デニングはザンビアから帰国したばかりの同僚と昼食をともにした。同僚は母子の健康問題を中心とした医療改善プロジェクトに取り組んでいた。彼はザンビアで、カマナ（ザンビアの首都から約五八〇キロ離れた小さな町）の医療従事者と出会った。カマナでマラリア対策に苦労していたその人物は、この病気の撲滅法に関する情報を求めていた。彼はインターネットに接続する方法を見つけ、アトランタの米疾病対策センター（ＣＤＣ）のサイトで求めていた情報を入手した（これは一九九六年の話で、特にアフリカでは、情報を得たいときに誰もが最初にインターネットに当たるわけではなかった）。

この話を聞いたとき、特に深くは考えなかったとデニングは言う。それは、ある同僚の優れた情報収集力をめぐる興味深い逸話にすぎなかった。だが後になって、この逸話は情報管理の威力を物語る完璧な事例だと思い立った。生死にかかわる仕事をしている人間が情報を求めていた。彼はそれを探し、見つけ、結果として大きな成果を上げた。それはまさに情報管理のビジョンだ。ただし、この医療従事者は試行錯誤で情報を探し、ＣＤＣのウェブサイトにたどり着き、そこでようやく適切な情報を得た。そうではなく、彼は世銀の情報を利用できるべきだった。

以来、デニングは同僚と話すたびにこの逸話を紹介し、世銀が情報管理に本腰を入れるべき理由を訴えた。数週間後、彼は上級管理職の会合で話をする機会を得た。一〇～一二分の持ち時間の中で新しい組織戦略を説明し、承認を得なければならなかった。難しい注文だった。

デニングは問題点を指摘し、世銀の情報蓄積の不備や情報システムのお粗末さを訴えた。普通なら、この後、情報管理の規律改善を打ち出し、二一世紀に向けた情報管理の重要性を説いた専門家の言葉でも引用するところだ。だが、デニングは違った。ザンビアの逸話を語ったのだ。

プレゼンテーションが終わるや否や、二人の幹部がデニングに駆け寄り、問題改善のためにすべきことを次々と命じた。

「おかしなものだ。一〇分前まで、彼らは私に時間を割く気すらなかったのに、今度はもっと頑張って彼らのアイデアを実行しろと言う。ひどい話だ。私のアイデアは彼らに盗まれたんだ」

だが、デニングはすぐ気を取り直した。「結構なことじゃないか！　彼らにアイデアを盗まれたということは、これが彼らのアイデアになったということだ」。

数年後、デニングは世銀を辞め、物語について学んだことを世間に広める仕事に就いた。二〇〇一年、彼は『スプリングボード』（未訳）という洞察に満ちた本を上梓した。跳躍台（スプリングボード）となる物語とは、今の問題が今後どう変わっていくかを示す物語だと、デニングは定義する。人々に可能性を伝えるのが跳躍台となる物語だ。

跳躍台となる物語の大きな強みは、懐疑的な意見を払拭し、やってみようという気にさせる点だ。デニングも最初は、物語を利用することに違和感があったという。常に単刀直入をよしとし、物語は曖昧で瑣末で寓話的すぎると思っていた。「メッセージを直接はっきり打ち出せばいいではないか。まどろっこしい逸話で相手の考えを間接的に導くよりも、要点を示して論理的に導く方がずっと簡単なのに、なぜ眉間にパンチを食らわさないのか」。彼はそう考えていた。

問題は、聞き手にパンチを食らわせると、相手も反撃してくることだ。こちらがどのようにメッセージを伝えるかを見て、相手は反応を決める。議論をふっかければ、相手はこちらの言い分を値踏みし、検証、反論、批判してくる。だが、物語を使えば聴き手を関与させることができると、デニングは言う。相手をアイデアに巻き込み、参加を求めるのだ。

「頭の中の囁き」に耳を傾けることについてデニングは述べる。その囁きは通常、話している人の要点をあれこれ議論している。

「従来のコミュニケーション観は、頭の中の囁きを無視して、囁きが静かになり、メッセージがどうにか伝わりますようにと期待することだった」

だが、彼の提唱するやり方は違う。

「頭の中の囁きを無視するのではなく……それと協調して取り組む。それに何か役割を与え、関与させる。頭の中の囁きから二番目の物語を引き出すようなやり方で、物語を語るのだ」

跳躍台となる物語は、アイデアを売り込むだけでなく、人々を動かす。物語は人々の意識を潜在的な解決法に向けさせる。目標や障害がわかりやすく示された物語を語れば、聴き手は問題を解決しようという姿勢になる。もちろん、物語によって聴き手が担う「問題解決」の度合いは違ってくる。映画『タイタニック』を見ても、観客は氷山探知システムの改善案を話し合ったりはしない。だが、観客は主な登場人物に感情移入し、彼らが困難に直面すると応援する。

「後ろを見て！」

「ガツンと言ってやれ！」

「そのドアをあけちゃだめ！」
というふうに。

それだけではない。跳躍台となる物語は、聴き手に登場人物の問題を解決させるだけでなく、聴き手自身の問題解決も促す。いわば、聴き手に応じた物語として書かれているようなもので、その物語を跳躍台に個々の聴き手が少しずつ違った方向へと向かう。

デニングがザンビアの逸話を紹介した後、その会合に出ていた二人の幹部が世銀総裁に情報管理のアイデアを伝え、世銀の未来はこれにかかっていると訴えた。デニングは総裁を含む上級幹部に招かれ、自分のアイデアを説明した。世銀総裁は年末に、情報管理を世銀の最優先課題の一つにすると発表した。

会議の物語 ■

本章冒頭で、研究者のゲーリー・クラインから得た看護師の逸話を紹介したが、クラインのもう一つの物語も、本章の内容を端的に示している。

クラインの会社がある会議の主催者から会議報告書の作成を依頼された。主催者は会議の要点をまとめた実用的な報告書を求めていた。発言記録より簡潔で、発表資料の寄せ集めより統一感のある報告書だ。

クラインの会社は、並行して開催される五つの小委員会にそれぞれ担当者をつけた。担当者は各小委員会に出席し、誰かが逸話を語るたびにそれを書き留めた。会議が終わった後、担当者はメモを見せ合った。クラインの言った通り、「面白くて悲劇的でエキサイティングな」物語が集まった。彼らは物語集を編纂し、主催者に届けた。

主催者は大喜びだった。よくある専門用語ばかりの味気ない要約集よりも、この物語集の方がずっと印象的だし、実用性があると思った。彼女は、この物語集を書籍化するため予算を申請し、発表者全員にこの物語集を送った。

ところが、発表者側はこれに激怒した。彼らは、発表の全体構成の中から逸話だけが抜き取られたことを侮辱と受けとった。逸話や寓話ばかり口にする人間として記憶されたくなかったのだ。発表者はこの会議のために、膨大な時間を費やして自分の経験を提言にまとめた。彼らが主催者側に提出した要約には、ちょっとした知恵がたくさん盛り込まれていた。「意思疎通は常に自由に行うこと」、「行動を遅らせると問題が積み重なる」といった具合だ。

クラインはこう言った。

「物語と比べて、こうしたスローガンがいかに無意味かを発表者に説明させてほしい。事故で工場が閉鎖されたとき、彼らがどうやって意思疎通の自由を保てたかという逸話を、このスローガンと比べてほしい」

しかし、発表者は頑として聞き入れず、計画は中止になった。

この逸話は、クラインの著書の中でも私たちが気に入っている逸話だ。それは、行き違いの経緯が非常にわかりやすいからだ。発表者たちをアイデア嫌いの悪者扱いする気はない。彼らの身になればその気持ちはわかる。彼らは長年の成果をまとめた素晴らしい発表を行った。目的は、長期間かけて構築してきた複雑なしくみを、聴き手に習得してもらうことだった。いわば、彼らは知の大建造物を築き上げたのだ。そこへクラインの手下が現れ、建物の壁からレンガを数個抜き取り、長年の苦労をそれだけで語ろうとした。何たるずうずうしさだ。

問題は、知の大建造物を九〇分間の発表で聴き手の頭に移築するのは不可能ということだ。せいぜい、レンガをいくつか運べるくらいだ。だが、てっぺんからレンガを抜き取っても意味はない。「意思疎通は常に自由に行う」といった提言は、まさにそれなのだ。

仮にあなたが高級百貨店ノードストロームの経営者で、財界の会合で発表を行うとしよう。最後のスライドには、「ノードストロームの教訓、小売業界では卓越した顧客サービスが最大の競争力の源泉である」といったことが書いてある。ひょっとすると四番目のスライドあたりで、「メーシーズで買った商品にギフト包装をするノーディー」をユーモラスな余談として紹介したかもしれない。ユーモアがわかるクラインたちは、ギフト包装の逸話だけを残し、結論を省略しようとした。実に適切な判断だ。

「単純明快である」と「意外性がある」の章で、優れたメッセージは常識を脱して非常識に至ると述べた。「意思疎通は常に自由に行うこと」や「行動を遅らせると問題が積み重なる」といった提言にあるのは常識だけだ（こういう教訓は、意思疎通を拒んだり、大問題を前にぐずぐずする非常識な人を想定していると、クラインは書いている）。

ここでもまた、発表者は「知の呪縛」にとりつかれている。「意思疎通は常に自由に行うこと」

という教訓を語るとき、彼らの頭の中には熱気と感動に満ちた歌が流れている。自分がこの教訓を得たときの体験である苦労、駆け引き、過ち、心の痛みを回想しながら、机を叩いている。だが、聞き手には歌は聞こえない。彼らはそれを忘れている。

物語は「知の呪縛」を軽々と打ち破る。物語はＳＵＣＣＥＳの枠組みの大半を、おのずと実現する。物語はほぼ例外なく具体的だし、たいてい感情に訴える意外な要素を含んでいる。物語を効果的に使ううえで最も難しいのは、核となるメッセージを反映した単純明快なものにすることだ。素晴らしい物語を語るだけでなく、論点を物語に反映させる必要がある。司令官が戦闘開始直前に、兵士を並べて「絆」の筋書きを語ったら嫌だろう。

物語にはシミュレーションと励ましという、驚異的な二重効果がある。しかもこれらの効果は、それほど創造性がなくてもたいてい使いこなすことができる。必要なのは、日常生活が生み出す優れた物語をいつでも発見できるよう、アンテナを立てておくことだ。

終章

記憶に焼きつく要素

アイデアの中には、どんなに避けようとしても記憶に焼きついてしまうものもある。一九四六年、レオ・デュローシャー監督率いるドジャースは、ナショナル・リーグの首位に立っていた。一方、宿敵ニューヨーク・ジャイアンツは低迷していた。

ドジャース対ジャイアンツのある試合中、デュローシャーはスポーツ記者の前でジャイアンツを馬鹿にした。記者の一人がからかい混じりに彼に言った。

「たまには気分を変えて、いい人になったらどうです？」

すると、デュローシャーは、ジャイアンツのダグアウトを指して言った。

「いい人だって？　あそこを見ろよ。ジャイアンツのメル・オット監督ほどいい人がいるかい？　実際、あのチームは世界一のいい人揃いさ。で、成績はどうだ？　七位じゃないか」

ラルフ・キーズが誤った引用をテーマとする著書『いい人は七位で終わる』に書いているように、デュローシャーの言葉は一年後に変形し始めた。ベースボール・ダイジェスト誌がデュローシャーの言葉を「いい人は二部の最下位で終わる」と引用したのだ。その後、口コミで伝わるうちにどんどん単純化、普遍化し、最後は「いい人はビリで終わる」という冷笑的な人生訓として定着した。もはや「ジャイアンツ」も「七位」も関係ない。実際、野球にすら触れていない。いい人はビリで終わる、それだけだ。

アイデア市場が磨きをかけたこの引用句に、デュローシャーはうんざりしていた。彼は長年、自分はそんなことは言っていないと否定し続けていたが（確かにその通りだ）、最後は諦めて、『いい人はビリで終わる』を自伝のタイトルに採用した。

史上最大の誤引用といえば、名探偵シャーロック・ホームズの言葉だ。まさかと思われるだろうが、ホームズは「基本だよ、ワトソン君」とは一度も言っていない。このセリフは私たちのホームズのイメージとぴったり一致している。誰かにシャーロック・ホームズのセリフを一つ挙げてくれと頼めば、おそらくこの言葉が飛び出すだろう。ホームズの最も有名なセリフは、彼が一度も口にしなかったセリフなのだ。

ありもしないセリフが記憶に焼きついているのは、なぜだろう。だいたい想像がつく。ホームズはしょっちゅう「ワトソン君」と呼びかけるし、「基本だよ」も口癖だ。誰かがホームズ作品からセリフを引用しようとして、うっかり間違ってこの二つを組み合わせてしまう。適応力をもった突然変異体が増殖していくように、この新たな組み合わせも実に優れたセリフだったため、自然に広まってしまった。このセリフには、忙しくても忠実な親友の相手をする天才的探偵ホームズの真髄がこもっている。

「単純明快である」の章で、一九九二年米大統領選でクリントン陣営のカービルが生んだ有名な言葉「経済なんだよ、馬鹿」を紹介した。既に述べた通り、このフレーズはカービルがホワイトボードに書いた三つのフレーズの一つだ。では、雑学クイズをひとつ。他の二つは、どんなフレーズだったのだろう。

正解は「変化か、同じことの繰り返しか」と「医療を忘れるな」だ。これらのフレーズは記憶に焼きつかなかった。では、カービルは「経済なんだよ、馬鹿」というアイデアの成功を喜ぶべきだったのか。確かに、このフレーズは強い共感を呼び、選挙の枠組みを決める強力な手段となった。だがその一方で、カービルは自分のメッセージの三分の一しか伝えられなかったことになる。

この事例を持ち出したのは、アイデアを記憶に焼きつけるかどうかを決めるのは聴き手だと言いたかったからだ。デュローシャーの場合のように、聴き手がアイデアの意味を変えてしまうこともあれば、シャーロック・ホームズの場合のように、よりよいアイデアにしてくれることもある。そしてカービルの場合のように、一部のアイデアを残し、他を捨ててしまうこともあるのだ。

誰でも自分のアイデアにはこだわりを持っている。自分のメッセージは、自分が描いたままの形で生き延びてほしい。デュローシャーも聴き手がアイデアを変えてしまったときには、ひたすら否定し続けてからようやく受け入れた。

いずれにしても、「聴き手の解釈は自分のメッセージの核を保っているか」と自問する必要はある。第一章（「単純明快である」）で、核となるメッセージに焦点を絞ること、伝えるべき最も重要な真実を選び抜くことが重要であると述べた。もし世間がアイデアを受け入れ、変えてしまうなら、あるいは世間に一部が受け入れられ、残りが捨てられるなら、アイデアの変異体が核を保っているかどうか見きわめればいい。「経済なんだよ、馬鹿」のように核が保たれているなら、謙虚に聴き手の判断を受け入れるべきだ。最終的に、アイデアの創造者として成功したかどうかは、模倣や引用の回数よりも自分の目標を達成できたかどうかで決まる。

発見力

カービルもデュローシャーも、推理作家のコナン・ドイルも、アイデアの創造者だ。彼らは無からアイデアを生み出した。だが忘れないでほしい。記憶に焼きつくアイデアを発見すれば、記憶に焼きつくアイデアを生み出すのと同じ効果が得られるのだ。

ノードストロームのことを考えれば、それがわかる。「メーシーズの商品に快くギフト包装をする店員」といった逸話を、ネタもないのに次々と創作することはできない。ただし、その手の実話を小耳に挟んだら、アイデアの可能性に気づく必要がある。これは、見かけほど簡単なことではない。

アイデアの発見が難しいのは、私たちが逸話と抽象概念を異なる方法で処理しがちだからだ。例えば、ノードストロームの経営者は、「顧客満足度を今四半期中に一〇％上げる」という抽象概念をぶつけられれば、経営者的な思考回路が作動し、さっそく「どうすれば達成できるか」と考える。ところが、タイヤ・チェーンの交換をしたり、冷えた車を温める従業員の話は、別の思考回路を作動させる。他の日常的な従業員情報のたぐいと一緒に頭の片隅に追いやられる可能性が高い。ジョンが頭を丸刈りにしたとか、ジェームズが七日連続で遅刻したといった、興味深いがごく些細な情報と同じ扱いなわけだ。私たちの頭の中には、物語のような小さな構図と大局を示す大きな構図とを隔てる一種の壁がある。アイデアを発見するためには、この壁を崩さなくてはならない。

どうすればこの壁を崩せるのか。乱暴な喩えだが、家族への贈り物選びを考えてみよう。クリスマスや誕生日が近づくと、「父さんは工具好きだから、いい工具があれば見逃さないようにしよう」と、頭の片隅で思い続けるようになる。そして、たまたま一二月八日に格納型回転式レーザーを見かけたら、ほとんど無意識にプレゼント候補として目をつける。

これをアイデアの世界に置き換えると、自分の伝えたい核となるメッセージを頭に刻み込んでおくということだ。「父親への贈り物の眼鏡」をかけると、父親の目で商品を見られるように、「核となるアイデアの眼鏡」をかければ、見聞きするさまざまなアイデアをその視点から選別できる。顧客満足度の向上に燃えるノードストロームの経営幹部も、この「眼鏡」をかければ、車を温める逸話をただの面白い話としてではなく、完璧な顧客サービスの象徴として発見できる。

序章で、天性の創造性がなくても、優れたアイデアを創りだすことはできると書いた。それは本当だ。だがそれ以上に、創造自体が不要であることをぜひ知ってほしい。本書には、創造ではなく発見されたアイデアが数多く登場する。ノーディーも、ジャレドも、土星の輪の謎もそうだ。禁煙キャンペーンの反権威者パム・ラフィンもそうだし、心臓モニターを無視して聴診器に耳を澄まし、赤ん坊の命を救った看護師の話もそうだ。アイデアを発見するのが得意な人は、創造が得意な人に必ず勝てる。なぜなら、どんなに創造性があるといっても、一人の生み出す優れたアイデアの数は、世界に生まれ続ける優れたアイデアの数にかなわないからだ。

話し手と記憶に焼きつく要素

スタンフォード大学でチップが教えている「記憶に焼きつくアイデアづくり」(Making Ideas Stick) 講座では、毎年二期目に参加型のある課題を行う。どんなメッセージが記憶に焼きつき、どんなメッセージが焼きつかないかを証明する、一種の「検証可能な信頼性」だ。まず学生に、米国の犯罪パターンに関する政府機関のデータを与える。学生の半数には、米国で軽犯罪が深刻な問題となっていることを訴える一分間スピーチをさせ、残りの半数には、軽犯罪は特に問題になっていないという立場をとらせる。

スタンフォード大学の学生は、お察しの通り頭がいい。しかも機転がきき、コミュニケーションの上手な学生が多い。一人として、下手なスピーチをする学生はいない。

学生を小グループに分け、一人ずつ他のメンバーの前で一分間スピーチをさせる。スピーチが終わるごとに聴き手が発表者を採点する。印象的な話し方だったか、説得力はあったか、といった項目だ。

すると、高得点をとるのは決まって話術に長けた発表者だ。姿勢がよく言葉が滑らかで、カリスマ性のある学生だ。これは、意外でもなんでもない。スピーチコンテストでいい点をとるのは、話のうまい学生と決まっている。

意外なのは、ここからだ。一見、課題は終わったように思える。チップはたいていここでイギリスのコメディ「モンティ・パイソン」の短編を見せ、数分間時間をつぶす。学生の気がまぎれたところで、彼はいきなり指示を出す。紙を出して、発表者のアイデアの中で覚えているものをできるだけ多く書き出しなさい、と。

学生は、自分がほとんど何も覚えていないことに気づき、愕然とする。発表が終わってから、まだ一〇分しかたっていない。しかも、それほど大量の情報に晒されたわけでもない。一分間のスピーチをせいぜい八回ほど聞いただけだ。それなのにどの学生も、発表者の言ったことで覚えているのはせいぜい一つか二つ。一部の発表者については、全く記憶がない学生も多い。その発表者のアイデアを何ひとつ思い出せないのだ。

学生は、一分間スピーチの中で統計を平均二・五個使用するが、物語を語るのは一〇人に一人。これがスピーチの統計だ。ところが、「記憶」の統計はほぼその正反対だ。発表内容を思い出すように言うと、学生の六三%が物語を思い出し、統計を思い出した学生は五%にすぎなかった。

しかも、「話術の才能」とアイデアを記憶に焼きつける能力には、ほとんど相関性が見られない。魅力的なスピーチをした学生も、そうでない学生も、アイデアを記憶に焼きつける能力に差はなかった。英語力に乏しく話術の採点ではたいてい下位の留学生も、にわかにネイティブ・スピーカーの学生と肩を並べる。アイデアを多くの人の記憶に焼きつけたのは、物語を使って証明したり、感情に訴えたり、一〇のことを言わずに一点だけを強調した学生だった。この本を読んでこの授業に臨めば、間違いなく他の学生に勝てる。英語が母国語でないコミュニティ・カレッジの学生も、この本を読めば何も知らないスタンフォードの大学院生に勝てるはずだ。

話術に長けた頭のよい人が、アイデアを聴き手の記憶に焼きつけられないのはなぜか。それには、本書で述べた悪役のいくつかが関係している。第一の犯人は、大量の情報の中にリードを埋没させてしまう癖だ。知識が豊富な人や多くの情報を入手できる人の厄介な点は、どうしても全部伝えたくなることだ。高校の教師に聞いてみるといい。生徒にレポートを書かせると、調べたことを何もかも書こうとする。目的や明確さよりも、集めたデータの量に値打ちがあるといわんばかりだ。核となる部分を際立たせるために情報量を減らすことは、自然にできることではない。

第二の犯人は、メッセージよりもプレゼンテーションを重視する傾向だ。人前で話をする人が、落ち着きやカリスマ性や意欲を示したがるのは当然だ。それに、カリスマ性があれば適切に組み立てられたメッセージを記憶に焼きつけるのに役立つ。だが、スタンフォード大の学生が痛い思いをして学んだように、情報量が多く総花的なスピーチをしていては、どんなカリスマ性も役立たない。

犯人は他にもいる

スタンフォード大の学生が戦う必要のない重要な犯人がまだ二つある。一つは判断の停止、つまり選択肢が多すぎたり状況が曖昧なために起きる不安と不合理だ。魅力的な講演会と素晴らしい映画のどちらに行くか決められないばかりに、どちらも諦めた学生のことを思い出してほしい。あるいは、パーム・パイロット開発グループを率いるジェフ・ホーキンスが、メンバーの意識を多くの問題から少数の問題に集中させるのに、どれほど苦労したか思い出してほしい。

判断停止に打ち勝つには、核心を見出すという困難な作業をしなくてはならない。弁護士なら、主張したいことが一〇あっても最終弁論では一、二点に絞り込む必要がある。教師なら、授業計画の段階では教えたいことが五〇項目あっても、効果的な授業をしたければ、一番重要な二、三項目を生徒の記憶に焼きつけることに労力の大半を費さざるを得ない。経営者なら、従業員が曖昧な状況の中でも決断を下せるよう、「人名、人名、とにかく人名」とか「最格安航空会社」といったスローガンを打ち出す必要がある。

記憶に焼きつくアイデアの最大の宿敵は、ご存知の通り「知の呪縛」だ。スタンフォード大学の学生は犯罪データに詳しくなかったため、「知の呪縛」に陥らずにすんだ。彼らは、知らないということがどういうことかを忘れた専門家より、リードを埋没させまいと苦労する新聞記者に近かった。

「知の呪縛」は相手として不足のない敵だ。ある意味、それは必然だからだ。メッセージを相手に届けるプロセスには二つの段階がある。「答え」の段階と「他者に伝える」段階だ。「答え」の段階では、専門知識を駆使して人に伝えたいアイデアに到達する。博士は一〇年も研究を重ねて「答え」を出そうとし、企業経営陣は何カ月も検討を重ねて「答え」に到達する。

問題は、「答え」の段階では強みになったものが、「他者に伝える」段階では裏目に出ることだ。「答え」を出すには専門知識が必要だが、専門知識は「知の呪縛」と切っても切り離せない。他人が知らないことを知っていて、それを知らないということがどんなことか忘れてしまっている。だから、「答え」を伝える段になると、相手が自分と同じ人間であるかのような伝え方をしがちだ。

「答え」を見つけるときに必要だった統計をやたらと紹介しても、スタンフォード大学の学生がそうだったように、誰にも思い出してもらえない。何カ月にも及ぶ調査と分析から得た結論だけを伝えても、現場の社員に「株主価値の最大化」を説くCEOと同じで、その結論が日常業務とどうつながるのか全くわかってもらえない。

興味深いことに、「答え」の見つけ方の訓練期間と、「他者に伝える」方法の訓練期間は比例しない。医学部やMBA課程を出た人の中には、コミュニケーションの授業を全くとったことがない人もいる。大学教授は専門分野の授業を山ほど受けているが、教え方の授業は全く受けていない。エンジニアとなると、「他者に伝える」方法の研修など鼻で笑い飛ばすだろう。

企業経営者は、パワーポイントのスライドで結論を見せれば、アイデアは伝わったと思うらしい。だが、していることはデータの共有だ。話のうまい人なら、従業員や同僚に「決断力」や「経営者らしさ」や「意欲」くらいは示せるだろう。だが、スタンフォード大の学生がそうだったように、自分の言ったことに何の影響力もなかったと知れば、愕然とするはずだ。彼らはデータを共有したが、後々まで役に立つアイデアは生み出さなかった。相手の記憶には何も焼きつかなかったのだ。

アイデアを記憶に焼きつける：コミュニケーションの枠組み

アイデアを聴き手の記憶に焼きつけ、後々まで役立たせるためには、聴き手を次のような状態にする必要がある。

（一）関心を払う
（二）理解し、記憶する
（三）同意する、あるいは信じる
（四）心にかける
（五）そのアイデアに基づいて行動できるようになる

最初からこの五段階に沿って本書を構成することもできたが、結論としてとっておいたのには理由がある。「知の呪縛」があると、この枠組みは何の役にも立たないからだ。専門家が「聴き手は私のアイデアを理解したか」と自問しても、答えはイエスに決まっている。自分が理解しているからだ（「わが社の社員は当然、『株主価値の最大化』を理解しているはずだ」というように）。「聴き手は心にかけてくれるだろうか」と自問しても、答えはイエス。なぜなら、自分が心にかけているからだ。マーレー・ドラノフ・ピアノ二重奏財団の「私たちの存在意義は、ピアノ二重奏の保護と存続と振興です」という言葉を思い出してほしい。彼らは、聞き手の心に自分たちと同じ情熱が湧き上がらないのを見てショックを受けた。

ＳＵＣＣＥＳｓチェックリストは、上記の枠組みに代わるものだが、より具体的で「知の呪縛」に左右されない点が強みだ。実際、これまでの章を振り返れば、ＳＵＣＣＥＳｓが五つの枠組みとうまく符合していることがわかる。

（一）関心を払う　意外性がある
（二）理解し、記憶する　具体的である
（三）同意する、あるいは信じる　信頼性がある
（四）心にかける　感情に訴える
（五）そのアイデアに基づいて行動できるようになる　物語性がある

だから、聴き手が自分のアイデアを理解しているかどうか推測するより、「自分のアイデアは具体的か」と自問した方がよいし、聴き手が心にかけているかどうか気にするよりも、「自分のアイデアは感情に訴えるか、マズローの欲求段階の底辺を脱しているか、分析の帽子を無理やり被せてはいないか、共感できるものになっているか」と自問するべきだ（ちなみに、右のリストには「単純明快さ」はない。なぜなら、メッセージの核を見出し、できるだけ簡潔にするというのは、主に「答え」の段階のことだから。ただし、単純明快さは全段階を通じて有用だし、聴き手の理解と行動を促すうえで特に役立つ）。

したがって、ＳＵＣＣＥＳｓチェックリストは、コミュニケーション上の問題を解決するのに絶好の手段だ。そこで、さまざまなコミュニケーション上の問題のよくある症状と、その解決策を考えてみよう。

症状と解決策

メッセージに関心を払わせるうえでの問題

症状：「誰も聞いてくれない」「こんなことは聞き飽きて退屈しているようだ」

解決策：聞き手の推測機械を打ち壊す。常識に反したことを言って驚かせる（「次の木曜は休校」がリード、「ノーディーはメーシーズ商品にギフト包装する」）。

症状：「途中で飽きられた」「終盤、聞き手の集中力が切れた」

解決策：好奇心の隙間を生み出す。知識の足りない部分に気づかせるのに十分なだけの情報を与える（ルーニー・アーレッジが大学フットボール試合の番組制作で、対戦校の背景情報を紹介したことを思い出してほしい）。あるいは、謎を生み出し、コミュニケーションの過程で少しずつ解明していく（授業の最初に必ず「土星の輪」的な謎を投げかけた大学教授のように）。

理解させ、記憶させるうえでの問題

症状：「うなずきながら説明を聞いていたのに、全く行動に結びついていない」

解決策：メッセージをもっとシンプルにし、具体的な言葉で話す。創造的類推のように、相手が既に知っていることを利用してこちらの意図を明確にする（ディズニーの「キャスト」という比喩のように）。あるいは、現実に即した具体的な例を用いる。「情報管理」を語るのではなく、ザンビアの医療従事者がインターネットでマラリアの情報を得た話をするのだ。

症状：「会議で出席者どうしの話が嚙み合わない」「聞き手の知識レベルがまちまちで、教えにくい」

解決策：聞き手が知識を応用できる、きわめて具体的な場面を生み出す（起業家がベンチャーキャピタルへのプレゼンでカバンをテーブルに投げ出し、ブレーンストーミングを引き起こしたことを思い出そう）。概念を語るよりも、具体的な喩えや実例で相手に考えさせる。

信じさせる、あるいは同意を得るうえでの問題

症状：「とりあってくれない」

解決策：メッセージ内容を物語る詳細情報を見出す。七三歳のダンサーや、水道水よりきれいな廃水を出す環境に優しい繊維工場に匹敵するものを探す。

症状：「いちいち難癖をつけてくる」「議論噴出で先に進まない」

解決策：跳躍台となる物語を使って相手の懐疑心を和らげ、創造的な姿勢にさせる。統計や事実を語るのをやめ、有意義な事例を紹介する。シナトラ・テストに合格する逸話を用いる。

心にかけてもらううえでの問題

症状：「聞き手が冷めている」「誰もやる気にならない」

解決策：マザー・テレサ効果を思いだしてほしい。人は抽象的なものより個人を心にかける。「挑戦」や「創造性」の筋書きに沿った元気の出る物語を紹介しよう。ゴミを散らかさないのがテキサス流と暗示した「テキサスを怒らせるな」の広告のように、相手の自分らしさに訴えよう。

症状：「同じことを言っても相手が以前のように乗ってこない」

解決策：マズローの欲求段階の底辺を脱し、もっと高尚な自己利益に訴えよう。

行動させるうえでの問題

症状：「皆、うなずきながら聞くくせに、全く行動に移さない」

解決策：「挑戦」の筋書きに沿った物語（ジャレドや「ダビデとゴリアテ」）で励ます。あるいは、跳躍台となる物語（世界銀行）で励ます。くれぐれも、メッセージは実際に役立つ単純明快で具体的なものにすること。メッセージが語り草になるように（人名、人名、とにかく人名）。

ジョン・F・ケネディとフロイド・リー

「わが国は、六〇年代の終わりまでに人類を月に着陸させ、無事地球に帰還させるという目標の達成に、全力を尽くすべきである」

ジョン・F・ケネディは一九六一年五月にそう語った。刺激的な使命を打ち出した刺激的なメッセージだ。このたった一つのアイデアが、一つの国家を一〇年にわたるプロジェクトへと駆り立て、ついに忘れることのできない歴史的偉業を成し遂げたのだ。

問題は、あなたはJFKではないということだ。

それは私たちも同じだ。私たちにはJFKのようなカリスマ性も権力もない。月面到達よりも、出かけるときに財布を忘れていないかどうかの方が気になる人間だ。だからもし、アイデアを記憶に焼きつけるためにJFKにならなければならないなら、本書はずいぶん、気の重い内容になっていたはずだ。

JFKは並の人間ではない。それどころか、普通の人とはかけ離れている。だが、思い出してほしい。「月面到達」の演説に触れた章では、ケンタッキー・フライド・ネズミも紹介したはずだ。私たちはそれほど崇高なことを考えているわけではない。

記憶に焼きつくアイデアには共通点がある。本書ではそうした共通点を分析し、その原点を解明してきた。臓器狩りと氷風呂のように大流行したアイデアも、細菌が癌を引き起こすという卓越したアイデアも見てきた。安全に関する機内アナウンスのように、退屈なアイデアを面白く伝えたケースも見たし、経口補水塩が何千人もの子どもを救う話のように、興味深いアイデアをありふれたもので伝えるケースも見た。新聞、会計、核戦争、宗教、シートベルト、塵、ダンス、ゴミ、フットボール、エイズ、物流、ハンバーガーなどなど、いろいろなものに関するアイデアを見てきた。

私たちが目にしたのは、これらすべてのアイデアが、崇高なものか下世話なものか、深刻な話か軽い話かにかかわらず、同じ特徴を持っているという事実だ。この特徴を理解した読者が、自分のアイデアにそれを応用してくれることを願う。私が統計ではなく物語を語ると、みんな笑った。でも、アイデアが記憶に焼きつくとみんな黙った――そうなってほしい。

SUCCESsチェックリストは、ごく実用的な道具として使ってほしい。複雑な方程式などではなくチェックリストにしたのもそのためだ。ロケット科学のように難しいものではない。ただし、無意識に、あるいは本能的にできることでもない。真面目にコツコツ取り組むこと、意識を持つことが求められる。

本書には、平凡な問題に直面した平凡な人々が、(意識的にではないにせよ)これらの原則を応用し偉業を成し遂げた事例がたくさん出てくる。彼らはごく普通の人々だから、今後、彼らの名前に出あっても読者は気づかないだろう。だが、名前は記憶に焼きつかなくても、彼らの物語は焼きつくはずだ。

アート・シルバーマン。アメリカ人に不健康な映画館ポップコーンを食べるのをやめさせた、あの男性だ。彼は、脂肪分たっぷりの一日三食とポップコーン一袋を並べ、「これだけの飽和脂肪が含まれている」と明言した。普通の仕事に就く普通の人が、人々に影響を与えたのだ。

ノラ・エフロンのジャーナリズムの教師。名前すら出てこなかった気の毒な人だ。彼は「『次の木曜は休校』がリードだ」というひと言で、生徒のジャーナリズム観を一変させた。エフロンは、そしてきっと他の多くの生徒が彼に触発されてジャーナリストになった。普通の仕事に就く普通の人が、人々に影響を与えたのだ。

ボブ・オクウィジャはどうだろう。読者はきっとこの名前を覚えていないだろう。太った若者に毎日サンドイッチを出し、素晴らしい物語が生まれつつあることに気づいたサブウェイのフランチャイズ・オーナーだ。大成功したジャレド・キャンペーンは、オクウィジャのおかげで発見され、展開された。普通の仕事に就く普通の人が、人々に影響を与えたのだ。

フロイド・リーもいる。イラクのペガサス食堂の責任者だ。彼は自分の役割を食事サービスではなく士気を高めることと定義づけた。配給される食材は他の食堂と同じだったが、兵士たちは彼の食堂に集まり、デザート担当シェフは自分のデザートを「官能的」と評するようになった。普通の仕事に就く普通の人が、人々に影響を与えたのだ。

ジェーン・エリオットもいる。彼女が授業で行った人種差別のシミュレーションは、二〇年以上たった今も子どもたちの記憶に深く刻み込まれている。差別を予防する予防接種的なアイデアの考案者といっても過言ではない。普通の仕事に就く普通の人が、人々に影響を与えたのだ。

彼らが偉業を成し遂げたのは、人々に影響を与えるアイデアを練り上げたからだ。彼らには、権力も名声もPR会社も広告予算も広報官もなかった。アイデアがあっただけだ。

それが、アイデアの世界の素晴らしいところである。しかるべき洞察と適切なメッセージさえあれば、誰でもアイデアを記憶に焼きつけることができる。

アイデアを記憶に焼きつけるための手引き

記憶に焼きつくアイデアとは？

臓器狩り。ハロウィーンのお菓子。映画のポップコーン。
記憶に焼きつく＝理解できる、記憶に残る、考え方や行動を変える効果がある。

六つの原則：SUCCESs

単純明快さ、意外性、具体性、信頼性、感情、物語。

犯人：「知の呪縛」。叩き手の役目は難しい。
創造性の第一歩は型。SUCCESsチェックリストで呪縛を解く。

一・単純明快である

核となる部分を見出す

司令官の意図。最も重要なものを見きわめる。「最格安航空会社」。逆ピラミッド：リードを埋もれさせるな。判断停止の辛さ。絶え間ない優先順位づけで判断の停止を克服する。「経済なんだよ、馬鹿」。アイデア・クリニック「日光浴」。「人名、人名、とにかく人名」。

核となる部分を伝える

単純明快であること＝核となる部分＋簡潔さ。ことわざ：深い意味を持つインパクトの強いフレーズ。目に見える比喩：パーム・パイロットの木片。簡潔なコミュニケーションに大きな効果を持たせるには。（1）既にあるものを利用する：既存のイメージの利用。ザボン。（2）明確なコンセプトの企画：「バスを舞台にしたダイ・ハード」。（3）創造的類推の利用：ディズニーの「キャスト」。

二・意外性がある

関心をつかむ：驚き

安全に関する機内放送。パターンを打ち破る。聴き手の（核となる問題に関する）推測機械を打ち壊す。驚きの眉：情報収集のための小休止。受け狙いの驚きを避ける：「後から理解できる」ようにする。「……したノーディー」。「木曜日は休校」。アイデア・クリニック「米国の対外援助は多すぎる？」。

関心をつなぎとめる：興味

謎を生み出す：土星の輪は何でできているか？　映画の脚本に見る好奇心の生み出し方。好奇心の隙間理論：知識の隙間を浮き彫りにする。次の放送への期待を煽るコマーシャル：「製氷機に細菌が入っていた地元のレストランはどこ？」。アイデア・クリニック「資金調達」。隙間を生み出す：ルーニー・アーレッジはどうやって大学フットボール番組をファン層以外にも楽しめるものにしたか。長期にわたり興味をつなぎとめる：「ポケットに入るラジオ」と「人類の月面着陸」。

三・具体的である

理解と記憶を促す

寓話のような具体性をもたせる（酸っぱいブドウ）。抽象的なものに具体性をもたせる：自然管理委員会が生んだ環境保護界の「セレブ」。具体的な文脈を与える：アジアの教師の数学教授法。相手を物語に参加させる：ドラマ形式で教える会計の授業。記憶のマジックテープ理論：アイデアにフックが多いほどよい。茶色い目、青い目：人種差別意識を「直した」シミュレーション。

協調を促す

エンジニアと製造チーム：双方の理解度が同じになる共通の立脚点を見出す。具体的な共通目標を定める：四-二二番滑走路に着陸できる旅客機の開発。現実味を持たせる：フェラーリ一家、ディズニーワールドを楽しむ。具体性が役立つ理由：「白い物」と「冷蔵庫の中の白い物」。相手が知識を発揮できる場を生み出す：ベンチャーキャピタルへの売り込みと茶色いカバン。アイデア・クリニック「経口補水塩療法」。データではなく人に焦点を当てる：ハンバーガー・ヘルパーの訪問調査と「サドルバック・サム」。

四・信頼性がある

信じてもらう

誰も信じなかったノーベル賞受賞の潰瘍研究。肉食性細菌に汚染されたバナナ。

外部からの信頼性

権威者と反権威者。パム・ラフィンの反喫煙広告。

内在的信頼性

説得力のある細部の利用。陪審員とダース・ベイダーの歯ブラシ。七三歳のダンサー。

統計に実感をわかせる。核弾頭になったＢＢ弾。人間的尺度の原則。職場をサッカーチームに例えたスティーブン・コヴィー。アイデア・クリニック：サメに対するヒステリックな恐怖。

シナトラ・テストに合格する事例を見出す。「ここでうまくいけば、どこへ行ってもうまくいくさ」。インドの映画フィルム配送：「当社は『ハリー・ポッター』と弟さんの答案を運びました」。企業に優しい環境保護者と、工場用水を浄化して食べられる布をつくった繊維工場。

検証可能な信頼性を用いる。「買う前に試す」。肉はどこ？　スナップルはＫＫＫ団を支援している？　スポーツ指導者：褒めるよりけなす方が楽。感情タンクを満タンに。ＮＢＡの新人研修——「ＨＩＶ感染者の女性たち」。

五・感情に訴える

心にかけてもらう

マザー・テレサの法則：個人を見たときに私は行動する。アフリカの大勢の人々よりもロキアに寄付が集まる。反喫煙の「真実」キャンペーン：若者が心にかけるのは健康ではなく企業への反発。

関連づけの効果を利用する

意味拡張と戦う必要性：薄まってしまった「相対性理論」の意味と、「ユニーク」がユニークでなくなった理由。「スポーツマン精神」から「試合の尊重」へ。

自己利益に訴える（自己利益の底辺部だけに訴えない）

通販広告：「私がピアノの前に座ったら皆笑った……」。「あなたにこんなメリットがありますよ」。テンペのケーブルテレビ：メリットを想像させる。マズローのピラミッド底辺部を避ける：他人は自分より下にいるという誤った思い込み。フロイド・リーとイラクの食堂：「士気を高める責任者」。

アイデンティティに訴える

ポップコーン機を断った消防士。アイデンティティに基づく意思決定を理解する（「自分は何者か」、「自分はどういう状況にいるのか」、「自分と同じような人々はこういう状況でどうするのか」）。アイデア・クリニック「代数を勉強する理由」。テキサスを怒らせるな：テキサス人はポイ捨てしない。「知の呪縛」を忘れないこと：ピアノ二重奏財団のように、「他人も自分と同じくらい心にかけている」という思い込みを捨てる。

六・物語性

行動させる

シミュレーションとしての物語（行動のしかたを教える）

心臓モニターの嘘：看護師はどんな行動をとったか。ゼロックスの職場の話：修理員はどんな行動をとったか。過去の経緯を思い起こす：問題を想像・再現して解決する。飛行シミュレーションとしての物語。アイデア・クリニック「問題のある学生への対応」。

励ましとしての物語（行動を起こすエネルギーを与える）

ファストフードで九〇キロ減量したジャレド。人を励ます物語の発見法。三つの筋書きを探す：「挑戦」（障害の克服）、「絆」（仲良くする、絆の回復）、「創造性」（新しい発想）。跳躍台となる物語：既存の問題が今後どう変わっていくかを示す物語。世界銀行のスティーブン・デニング：ザンビアの医療従事者。物語から教訓を引き出すことはできるが、教訓から物語を引き出すことはできない。発表内容を物語で要約したら発表者はなぜ怒ったか。

記憶に焼きつく要素

記憶に焼きつく要素を利用する

「いい人はビリで終わる」。「基本だよ、ワトソン君」。「経済なんだよ、馬鹿」。発見力。優れた話術と心に焼きつけるスキルが一致しない理由：スタンフォード学生のスピーチ。「知の呪縛」に関する最終警告。

ＳＵＣＣＥＳｓチェックリストは、相手に次のことを促す

関心を払う　　　　　　意外性がある
理解し、記憶する　　　具体的である

同意する、あるいは信じる　　信頼性がある
心にかける　　感情に訴える
そのアイデアに基づいて行動できるようになる　　物語性がある

単純明快さは、さまざまな段階で役立つ。最も重要なのは、言うべきことを教えてくれる点

症状と解決策――実用的な解説（三三四～三三六ページ参照）

ジョン・F・ケネディとフロイド・リー：記憶に焼きつくアイデアがあれば、普通の人が普通の状況で、人々に大きな影響を与えることができる。

解説——

私も実践している優れたフレームワーク

勝間 和代
（経済評論家・公認会計士）

この本は、私が二〇〇七年に読んだ原書の中で、最もお気に入りの一冊であった「Made to Stick」の邦訳版である。私はこの本が大好きであり、一人でも多くの人に読んでもらいたいと思っているので、そのため、頼まれてもいないのに、日経BP社が版権を取ったと人づてに聞いて、押し掛けて解説を書かせていただくことにした。

とはいえ、本当は、この本のアイデアを他の人に知ってもらうと、私のアイデアの発想の一部がネタバレしてしまうため、あまり広めたくない気持ちもある。しかし、優れた書籍の知恵はぜひ皆で共有したいと思うし、優れたものは私が勧めなくても自然に広まるため、そのような私欲は捨てて、この本の読みどころについて解説を試みたい。

この本の要旨は、優れたアイデアとは、発想力があるアイデアマンが天才的な思いつきから生み出すものではなく、一定のフレームワークに従ってもとのアイデアを練り込んでいけば、高い確率で優秀なアイデアが生まれるということである。そして、その鍵は、ほんの少しだけ、私たちの心に、そのアイデアの記憶の粘り・焼き付けを起こすことに成功することであり、そうすれば、誰でも相手に浸透しやすい、わかりやすい、優れたアイデアが出せる、ということを訴えている。

なるほど、この本自体、そのようなアイデアづくりに気を使っている。たとえば、本の出だしで語られるのは、多くの人が知っているかの有名な都市伝説、「腎臓泥棒（外国で美女に言い寄られて一緒にお酒を飲んだところ、眠らされて気づいたら、水風呂に沈んでおり、自身の腎臓が一つなくなっていたという話）」の話である。確かに、この腎臓泥棒の話は私も人づてに聞いたことがあり、一度しか聞いてないにもかかわらず、その後ずっと覚えている。また、英語版の本の装丁もとてもよく、記憶に粘るようできており、シンプルな装丁に貼られたガムテープが、確かに記憶に粘っており、本の内容をよく伝えている。

さらに特筆すべきなのが、この本が、私も大好きで、この本の作者であるダンとチップも大好きなマルコム・グラッドウェルの「The Tipping Point」(邦訳は『急に売れ始めるにはワケがある』ソフトバンク文庫)に触発されて書かれれているということである。マルコム・グラッドウェルは、社会現象を引き起こすには、(1) 少数の目利きに浸透すること、(2) 記憶に粘ること、(3) 背景が味方すること、の三点が必要だと「The Tipping Point」の中で分析した。そして、そのうちの二番目の法則である「記憶に粘ること」をより詳しく分解したのが、この本という位置づけである。

したがって、この本がおもしろいと思ったら、ぜひ「The Tipping Point」を読んでもらいたいし、逆に、マルコム・グラッドウェルの「The Tipping Point」や「blink」(邦訳は『第1感』光文社)などの著作が好きな人であれば、必ずこの本の内容も楽しんでもらえるだろう。

この本では、腎臓泥棒の例をはじめとして、寄付金のテストや差別のシミュレーション、サブウェイのダイエットなどさまざまな事例や実験を使いながら、広まりやすく、記憶に焼きつく優れたアイデアには特徴があるということを分析している。そしてその特徴は類型化が可能であり、短時間のトレーニング次第で誰もがこれまでより、他人に訴える優れたアイデアを作ることができると作者たちは考えたことにポイントがある。

また、この本の中で繰り返し繰り返し述べられているのは、「知りすぎていることによる呪縛」である。誰かに何かを伝えようとした場合、当然ながら、相手に伝えようとする側は、相手から受け取る側に比べて、はるかに大きな知識を持っている。したがって、よく知っているものがよく知らない者へ話を通じさせようとすると、話が複雑になり、逆に相手を見くびりすぎて低位のメッセージに偏りすぎたりと、さまざまな弊害が生じることになる。

そのため、相手にアイデアを浸透させ、わかりやすく、記憶に焼き付けさせるために必要な要素を、作者たちは「ＳＵＣＣＥＳ」（成功のＳＵＣＣＥＳｓの最初の5文字）で表すことができる「Simple Unexpected Concrete Credentialed Emotional Story」、すなわち、「単純明快で、意外性があり、具体的で、信頼性があって、感情に訴える、物語」という、これまた記憶に焼きつきやすいフレームワークに落とし込んだ。

もしかしたら、この本の中で述べられていることの一つ一つには、新しいアイデアを出したり、何か人の記憶に残ることを実現しようと思った人にとっては、目からウロコが落ちるような新しい話はないかもしれない。しかし、作者たちがこういった雑多なアイデアの生み方をフレームワークに落とし込んだことにこそに、この本の価値はある。


たとえば、私の著書に『お金は銀行に預けるな』（光文社新書）という本がある。この本は二〇〇七年一一月に発行され、二〇〇八年七月現在、三七万部のベストセラーとなっている。この本を出した直後の私はまだ無名であったが、出版前から関係者は「この本は売れる」という自信があった。実際、書店に並べた当初から文字通り、飛ぶように売れた。結果、二〇〇八年上半期の全新書のうち、『女性の品格』『親の品格』に次いで三番目によく売れた新書となった。

この本にＳＵＣＣＥＳｓのフレームワークを使うと、なぜ大ヒットにつながったのか、なぜ、関係者たちは直感的に発売前から「この本は売れるはず」と確信していたのか、わかりやすいのでケースとして分析をしてみよう。

最初の「単純明快である」という法則。これがなんといっても、通常は難しい。なぜなら、アイデアを伝える側にとって、その内容に知識を持ちすぎているため、絞りこむのは大変な痛みを伴う作業だからだ。「お金は銀行に預けるな」というタイトルは、その要件を満たしている。編集者の小松さんが、まる三日間このことだけを考え、五〇以上のタイトルの候補から、最後に絞り込んでくれたものである。結果、単純明快なタイトルだが、とても覚えやすく、人に伝えやすいものとなった。

次の「意外性がある」という法則。このことも、この本のタイトルと中身はそれを満たしている。これまで私たちは、お金を銀行に預けておけば安全だと習ってきた。そして、銀行にお金を預けていない人はほとんどいない。それを突然、「預けるな」と命令されるのであるから、一体それはどういうことだろうと、知的好奇心がわく。私たちは、知っていることと、知りたいことの間にギャップができたとき、それを埋めようと試みるのだ。したがって、本を読みたくなり、買いたくなる。

三番目の「具体的である」ということ。これも実はいろいろな工夫を本の中でしている。金利が〇・二％と言われてもピンとこないが、倍になるまでに二七七年かかると言われれば、急に、自分の寿命と重ね合わせて、それがいかに長い年月かということがわかる。同じように、単に投資をしなさいというのではなく、年収の何十％を目指し、何年後にいくらまで貯めるべきかということを、身近な指針として表している。私が本を書くときにいつも心がけているのは、「半径一・五メートル以内の興味に落とし込むこと」である。他人のことを言われても、遠い将来のこと言われても、私たちはピンとこない。なるべくすべて、聞き手がすぐに納得できることに置き換えるのがポイントだ。

四番目の「信頼性がある」ということ。これは、書籍の中で引用している様々な客観データに加え、著者である私自身が公認会計士の資格とファイナンス修士を持っていることがあるだろう。ただ、ダンとチップが述べてように、相手に信頼性を持ってもらうには権威やデータだけでは不十分である。お金を銀行に預けていても、ちっとも増えていないという実感があり、私たちの将来の年金に対して不安という実感があり、自分たちの住宅ローンがいかに過酷かという実感がある、そのような聞き手自身の感覚において、相手の言ってることが信頼できるという認識が必要なのである。

五番目の「感情に訴える」ということ。これも、聞き手の感情をざわめかせる必要がある。

私たちがなぜ長時間労働をしなければならないのか、なぜ、こんなに金利が低いのか、そして、このまま低い金利の状態で老後を迎えるとどういうことが起きるのか、これまで、多くの人が気づいていないか、気づいていても直視しようとしなかった「感情をざわめかせる」課題を正面から突きつけることによって、「この話をもっと聞かなければ」「聞いた話を人に伝えなければ」という気持ちになったのである。

最後の「物語性がある」ということ。これは、私たちがお互いに体験談の話をすることで、他人の体験を疑似体験し、同じようなことになったときにより適切な対処ができるようになるのである。単にお金を節約して投資に回しなさいではつまらない。そうではなく、住宅ローンを組むとどのようなことが起きうるのか、月々の積み立てを貯金でした場合と投資でした場合に数十年後にどれほど大きな差になるのか、そして私たちのお金の使い方が社会的責任投資という観点から見たときにどのように社会を変えうるのか、といった大きなストーリーの中で預金や投資を位置づけることで、聞き手の気持ちは変わりうる。

このようなSUCCESsの要件を持った『お金は銀行に預けるな』だが、本を出した直後に、おもしろいことを聞いた。私は「日経マネー」というマネー誌に連載をもっているが、その連載の担当編集さんは当然、私以外の多くのマネー関連の専門家と話す機会がある。そして、その編集さんが私の連載を担当していると知らない多くの専門家から、「あの本（『お金は銀行に預けるな』）はいいから、ぜひ読みなさい」と口々に、熱狂的に、購読を勧められたのだそうだ。

実際、「ＳＵＣＣＥＳｓ（Simple Unexpected Concrete Credentialed Emotional Story）」、すなわち、「単純明快で、意外性があり、具体的で、信頼性があって、感情に訴える、物語」にしたがったアイデアは、勝手に自己増殖して広まっていく。まるでウィルスのように人の心に入り込み、支配し、そのアイデアのプロモーターに私たちを変えてしまうのだ。そして、この「Made to Stick」自体も、そのような、ＳＵＣＣＥＳｓのフレームワークにしたがって作られた良書である。この方法で新しいアイデアを作るのなら、商品・サービスであればヒット商品が、書籍であればベストセラーが、映画や歌であれば大ヒットが続々と生まれてくるだろう。

しかも本書ではていねいに、内容が三四一～三四九頁に手引きという形でもう一度、コンパクトにまとまっている。この部分を何回も読み返し、そして実行していくだけで、私たちのアイデアはより成功の精度が高いものに練り上げられたいくだろう。

創造的なことをおこないたい人であれば、クリエーターに限らず、マネジメント、セールス、広報、みんなの必読の書である。必ず、パフォーマンスの貢献に寄与するだろう。

■著者略歴

チップ・ハース（Chip Heath）

スタンフォード大学経営学部教授（組織行動論）。著書に『スイッチ！――「変われない」を変える方法』、『決定力！――正しく選択するための4つのステップ』（以上、ハヤカワノンフィクション文庫）

ダン・ハース（Dan Heath）

デューク・コーポレートエデュケーションのコンサルタント。ニューメディア教科書会社「シンクウェル」の共同創設者。著書に『スイッチ！――「変われない」を変える方法』、『決定力！――正しく選択するための4つのステップ』（以上、ハヤカワノンフィクション文庫）』

■訳者略歴

飯岡美紀（いいおか・みき）

神戸大学文学部卒。通信会社、広告マーケティングの仕事を経て渡米。帰国後「ナショナルジオグラフィック日本版」「DIAMONDハーバード・ビジネス・レビュー」などの翻訳に携わる。訳書に『バブル再来』『なぜ安くしても売れないのか』『女性に選ばれるマーケティングの法則』等がある。

■解説者略歴

勝間和代（かつま・かずよ）

経済評論家・公認会計士。著書に『勝間和代のビジネス頭を創る7つのフレームワーク力』『勝間式「利益の方程式」』ほか。

アイデアのちから

発行日：二〇〇八年一一月一七日　第一版第一刷発行
二〇二四年　二月　五日　第一版第二一刷発行

著者：チップ・ハース
ダン・ハース

訳者：飯岡美紀

発行者：中川ヒロミ
発行所：日経BP社
発売所：日経BPマーケティング
郵便番号　一〇五－八三〇八
東京都港区虎ノ門四－三－一二
https://bookplus.nikkei.com/

装丁：鈴木成一デザイン室
イラスト：サタケシュンスケ
本文デザイン：内田隆史
製作：クニメディア株式会社
印刷・製本：図書印刷株式会社

ISBN 978-4-8222-4688-4

本書籍に関するお問い合わせ、ご連絡は左記にて承ります。
https://nkbp.jp/booksQA